P9-CQH-191

JOCK MACDONALD

THE INNER LANDSCAPE / LE PAYSAGE INTÉRIEUR

JOCK MACDONALD

THE INNER LANDSCAPE / A RETROSPECTIVE EXHIBITION
LE PAYSAGE INTÉRIEUR / RÉTROSPECTIVE

JOYCE ZEMANS

THE ART GALLERY OF ONTARIO
MUSÉE DES BEAUX-ARTS DE L'ONTARIO
TORONTO/CANADA

©Art Gallery of Ontario, 1981
All rights reserved
ISBN 0-919876-72-2

Frontispiece:
Portrait of J. W. G. Macdonald by John Vanderpant, c.1930

CANADIAN CATALOGUING IN PUBLICATION DATA

Zemans, Joyce, 1940-
    Jock Macdonald : the inner landscape : a retrospective exhibition –Jock Macdonald : le paysage intérieur : retrospective

Catalogue of an exhibition held at the Art Gallery of Ontario, Toronto, Ont., Apr. 4 –May 17, 1981, and other galleries, 1981-1982.
Text in English and French.
Bibliography: p.
ISBN 0-919876-72-2

1. Macdonald, Jock, 1897-1960 –Exhibitions. I. Art Gallery of Ontario. II. Title: Jock Macdonald : the inner landscape. III. Title: Jock Macdonald : le paysage intérieur.

Translation: Raynald Desmeules and Linguistic Services, Teleglobe Canada

ND249.M32A4 1981
759.11
C81-094391-3E

Graphic Design/Conception graphique: Nick Milton

ITINERARY OF THE EXHIBITION

Art Gallery of Ontario April 4 –May 17, 1981

Art Gallery of Windsor June 20 – August 16, 1981

The Edmonton Art Gallery
September 19 –November 8, 1981

Winnipeg Art Gallery
November 28, 1981 –January 17, 1982

Vancouver Art Gallery February –March, 1982

532 5 9069

In October 2014
CHARLIE HILL
gave this book to
ADAM WELCH

DONNEES DE CATALOGAGE AVANT PUBLICATION (CANADA)

Zemans, Joyce, 1940-
Jock Macdonald : the inner landscape : a retrospective exhibition –Jock Macdonald : le paysage intérieur : rétrospective

Catalogue d'une exposition itinérante tenue en premier lieu au Musée des beaux-arts de l'Ontario, Toronto, Ontario, du 4 avril au 17 mai 1981.
Textes en anglais et en français.
Bibliographie: p.
ISBN 0-919876-72-2

1. Macdonald, Jock, 1897-1960 –Expositions. I. Musée des beaux-arts de l'Ontario. II. Titre: Jock Macdonald : the inner landscape. III. Titre: Jock Macdonald : le paysage intérieur.

Traduction: Raynald Desmeules et Services linguistiques, Téléglobe Canada

ND249.M32A4 1981
759.11
C81-094391-3F

Frontispice:
Portrait de J.W.G. Macdonald par John Vanderpant, vers 1930

ITINERAIRE DE L'EXPOSITION

Musée des beaux-arts de l'Ontario, du 4 avril au 17 mai 1981

Art Gallery of Windsor, du 20 juin au 16 août 1981

The Edmonton Art Gallery, du 19 septembre au 8 novembre 1981

Winnipeg Art Gallery, du 28 novembre 1981 au 17 janvier 1982

Vancouver Art Gallery, février –mars 1982

CONTENTS

TABLE DES MATIÈRES

LENDERS TO THE EXHIBITION

Agnes Etherington Art Centre, Kingston, Ontario
Mrs. A.M. Agnew, Vancouver, British Columbia
Samuel & Janet Ajzenstat, Hamilton, Ontario
Alberta Art Foundation, Edmonton, Alberta
Art Gallery of Greater Victoria, Victoria, British Columbia
Art Gallery of Hamilton, Hamilton, Ontario
Art Gallery of Ontario, Toronto, Ontario
Art Gallery of Windsor, Windsor, Ontario
Mrs. Martin Baldwin, Thornhill, Ontario
Dr. & Mrs. Paul P. Biringer, Toronto, Ontario
Professor & Mrs. B.D. Bixley, Toronto, Ontario
Mr. & Mrs. David Blackwood, Port Hope, Ontario
Judith Brown, Vancouver, British Columbia
C-I-L Art Collection, Montreal, Quebec
Mr. & Mrs. Kenneth Caple, Vancouver, British Columbia
Mr. & Mrs. R.R.K. Dickson, St. Catharines, Ontario
Mrs. John David Eaton, Toronto, Ontario
The Eisen Collection, Downsview, Ontario
Mr. & Mrs. Harry L. Fogler, Toronto, Ontario
Dr. Evelyn A. Gee, Vancouver, British Columbia
Colin & Sylvia Graham, Victoria, British Columbia
Hart House Permanent Collection, University of Toronto
John E. Hill, Toronto, Ontario
Imperial Oil Limited, Toronto, Ontario
Mr. & Mrs. J. Lebow, Hamilton, Ontario
Beatrice Lennie, West Vancouver, British Columbia
London Regional Art Gallery, London, Ontario
R.A.H. Lort, Victoria, British Columbia
Jocelyn Macaulay, Toronto, Ontario
Mrs. Barbara Macdonald, Toronto, Ontario
Mrs. Hugh Mackenzie, Toronto, Ontario
Dr. & Mrs. Keith Macleod, Windsor, Ontario
Dr. & Mrs. Howard Mandell, Toronto, Ontario
Mr. & Mrs. P. Martel, Toronto, Ontario
Dr. Hamish McIntosh, Vancouver, British Columbia
Isabel Victoria McIntosh, Aberdeen, Scotland
McIntosh Art Gallery, University of Western Ontario, London, Ontario

PRÊT DES OEUVRES EXPOSÉES

Agnes Etherington Art Centre, Kingston, Ontario
Mme A.M. Agnew, Vancouver, Colombie-Britannique
Samuel et Janet Ajzenstat, Hamilton, Ontario
Alberta Art Foundation, Edmonton, Alberta
Archives provinciales de la Colombie-Britannique
Art Gallery of Greater Victoria, Victoria, Colombie-Britannique
Art Gallery of Hamilton, Hamilton, Ontario
Art Gallery of Windsor, Windsor, Ontario
Mme Martin Baldwin, Thornhill, Ontario
Banque royale du Canada, Toronto, Ontario
Le docteur et Mme Paul P. Biringer, Toronto, Ontario
Le professeur et Mme B.D. Bixley, Toronto, Ontario
M. et Mme David Blackwood, Port Hope, Ontario
Judith Brown, Vancouver, Colombie-Britannique
Collection d'oeuvres d'art C-I-L, Montréal, Québec
M. et Mme Kenneth Caple, Vancouver, Colombie-Britannique
Compagnie Pétrolière Impériale Limitée, Toronto, Ontario
M. et Mme R.R.K. Dickson, St. Catharines, Ontario
Mme John David Eaton, Toronto, Ontario
La Collection Eisen, Downsview, Ontario
M. et Mme Harry L. Fogler, Toronto, Ontario
Galerie nationale du Canada, Ottawa, Ontario
Le docteur Evelyn A. Gee, Vancouver, Colombie-Britannique
Colin et Sylvia Graham, Victoria, Colombie-Britannique
Collection permanente de Hart House, Université de Toronto
John E. Hill, Toronto, Ontario
M. et Mme J. Lebow, Hamilton, Ontario
Beatrice Lennie, Vancouver Ouest, Colombie-Britannique
London Regional Art Gallery, London, Ontario
R.A.H. Lort, Victoria, Colombie-Britannique
Jocelyn Macaulay, Toronto, Ontario
Mme Barbara Macdonald, Toronto, Ontario
Mme Hugh Mackenzie, Toronto, Ontario
Le docteur et Mme Keith Macleod, Windsor, Ontario
Le docteur et Mme Howard Mandell, Toronto, Ontario

The Robert McLaughlin Gallery, Oshawa, Ontario
The McMichael Canadian Collection, Kleinburg, Ontario
Mr. & Mrs. A Mecklinger, Toronto, Ontario
Montreal Museum of Fine Art, Montreal, Quebec
Betty Mustard, Toronto, Ontario
National Gallery of Canada, Ottawa, Ontario
Norman Mackenzie Gallery, University of Regina, Regina, Saskatchewan
Provincial Archives of British Columbia
Dr. & Mrs. Edward Pomer, Willowdale, Ontario
Mr. & Mrs. M.E. Reger, St. Catharines, Ontario
Rodman Hall Arts Centre, St. Catharines, Ontario
Mr. & Mrs. Alvin B. Rosenberg, Toronto, Ontario
Prof. & Mrs. H.U. Ross, Toronto, Ontario
The Royal Bank of Canada, Toronto, Ontario
Clayton C. Ruby, Barrister, Toronto, Ontario
Mr. & Mrs. F. Schaeffer, Thornhill, Ontario
Mr. M. Sharf, Toronto, Ontario
Dr. & Mrs. A.H. Squires, Toronto, Ontario
Amy & Clair Stewart, Caledon, Ontario

Mr. & Mrs. John Stohn, Toronto, Ontario
Swiss Herbal Remedies Ltd., Markham, Ontario
Lian Stephen Thom, Islington, Ontario
Mr. & Mrs. J.D. Turner, Calgary, Alberta
University of British Columbia, Vancouver, British Columbia
Thelma Van Alstyne, Port Hope, Ontario
The Vancouver Art Gallery, Vancouver, British Columbia
Mr. & Mrs. Arthur Wait, Toronto, Ontario
Dr. & Mrs. Barry Woods, Oshawa, Ontario
Collection of York University, Downsview, Ontario

and anonymous lenders

The exhibition has been made possible by the financial assistance of:
The Canada Council
Teleglobe Canada

M. et Mme P. Martel, Toronto, Ontario
Le docteur Hamish McIntosh, Vancouver, Colombie-Britannique
Isabel Victoria McIntosh, Aberdeen, Écosse
McIntosh Art Gallery, Université Western Ontario, London, Ontario
The Robert McLaughlin Gallery, Oshawa, Ontario
The McMichael Canadian Collection, Kleinburg, Ontario
M. et Mme A. Mecklinger, Toronto, Ontario
Musée des beaux-arts de Montréal, Montréal, Québec
Musée des beaux-arts de l'Ontario, Toronto, Ontario
Betty Mustard, Toronto, Ontario
Norman Mackenzie Gallery, Université de Regina, Regina, Saskatchewan
Le docteur et Mme Edward Pomer, Willowdale, Ontario
M. et Mme M.E. Reger, St. Catharines, Ontario
Rodman Hall Arts Centre, St. Catharines, Ontario
M. et Mme Alvin B. Rosenberg, Toronto, Ontario
Le professeur et Mme H.U. Ross, Toronto, Ontario
Me Clayton C. Ruby, Toronto, Ontario

M. et Mme F. Schaeffer, Thornhill, Ontario
M. M. Sharf, Toronto, Ontario
Le docteur et Mme A.H. Squires, Toronto, Ontario
Amy et Clair Stewart, Caledon, Ontario
M. et Mme John Stohn, Toronto, Ontario
Swiss Herbal Remedies Ltd., Markham, Ontario
Lian Stephen Thom, Islington, Ontario
M. et Mme J.D. Turner, Calgary, Alberta
Université de la Colombie-Britannique, Vancouver, Colombie-Britannique
Collection de l'Université York, Downsview, Ontario
Thelma Van Alstyne, Port Hope, Ontario
The Vancouver Art Gallery, Vancouver, Colombie-Britannique
M. et Mme Arthur Wait, Toronto, Ontario
Le docteur et Mme Barry Woods, Toronto, Ontario

et prêteurs anonymes

L'exposition a été organisée grâce à l'aide des organismes suivants:
Conseil des Arts du Canada
Téléglobe Canada

7

Ever since the earliest period in the history of mankind, human beings have sought consistently to communicate in different ways. Indeed they have, through the ages, resorted to a variety of forms of artistic expression to convey joys, sorrows, hopes and, traditionally, to record the main events of history, as well as to depict the activities of day-to-day life.

This unique characteristic of human beings makes it possible for society to retrace its cultural evolution through the ages. From generation to generation, the peoples of the earth have succeeded in expressing themselves to one another, communicating their culture and thus contributing to the development of civilization.

Teleglobe Canada, a telecommunications undertaking in the industrial era whose motto is to bring people and continents together, is proud to contribute to the cultural communication process in presenting to Canada this major collection of the works of Jock Macdonald, assembled for a cross-Canada tour by the Art Gallery of Ontario.

JEAN–CLAUDE DELORME
President and Chief
Executive Officer
Teleglobe Canada

Depuis les temps les plus reculés de son histoire, l'homme a cherché à s'exprimer et à communiquer de différentes façons. C'est en effet aux diverses formes d'expression artistique qu'il a fait appel à travers les âges pour exprimer ses sentiments, ses joies, ses peines, ses espoirs de même que, traditionnellement, pour consigner les hauts faits de son histoire autant que pour représenter les activités de sa vie quotidienne.

Il s'agit là d'ailleurs d'une caractéristique particulière de la société humaine grâce à laquelle on peut retracer son évolution culturelle à travers les âges. De génération en génération, les peuples de la terre ont réussi à s'exprimer les uns aux autres, à communiquer leur message culturel et ainsi, à faire progresser la civilisation.

Téléglobe Canada, une société de télécommunication de l'ère moderne dont la devise est "rapprocher les gens et les continents" est heureuse de contribuer à favoriser cette communication culturelle en présentant au Canada les oeuvres du peintre Jock Macdonald réunies par le Musée des beaux-arts de l'Ontario.

JEAN–CLAUDE DELORME
Président-directeur général
Téléglobe Canada

In 1960, just a few months before his death, Jock Macdonald agreed to help organize a retrospective exhibition of his work at the Art Gallery of Toronto, now the Art Gallery of Ontario. An unprecedented honour for a living Canadian artist who was not a member of the Group of Seven, it was an appropriate tribute for a man who was a leader amongst Canadian artists. The Art Gallery, which had already made major purchases of Macdonald's work, was thus able to honour Macdonald during his lifetime; too often such honour is posthumous.

A pioneer in Canadian art, Macdonald set his course toward abstract expression in the early thirties –long before such an approach was popular or even acceptable in Canadian artistic circles. He never abandoned this path, which achieved fulfilment in the masterful paintings of his last years. The 1960 Art Gallery of Toronto exhibition was the first to set Macdonald's mature abstract paintings within the context of his earlier work; it was followed by the National Gallery of Canada's small but impressive exhibition of 1969-1970.

The current exhibition is more comprehensive and concentrates particularly on the paintings of the last four years. In this catalogue, Professor Joyce Zemans examines Macdonald's art both chronologically and thematically, and sheds fresh light on the artist's search for visual expression for the hidden laws of nature. In the selection of works for the exhibition, she has clearly illustrated the major periods of Macdonald's career and its succession of brilliant achievements.

We are most grateful to those individuals and institutions who have loaned works to us; without their assistance the exhibition would not have been possible. We are greatly indebted also to the Canada Council and to Teleglobe Canada. Their generous support has allowed us to assemble this impressive exhibition of the work of Jock Macdonald.

W. J. WITHROW, *Director, Art Gallery of Ontario*

En 1960, quelques mois à peine avant son décès, Jock Macdonald accepte d'aider l'*Art Gallery of Toronto*, devenue depuis le Musée des beaux-arts de l'Ontario, à organiser une rétrospective de son oeuvre. Un tel hommage n'a jamais été rendu à un artiste canadien de son vivant, à l'exception de membres du Groupe des Sept. Le musée, qui a déjà acheté un nombre important de tableaux du peintre, considère Macdonald comme un chef de file parmi les artistes canadiens et tient à lui rendre hommage de son vivant; un tel honneur est trop souvent posthume.

Macdonald, un pionnier de l'art canadien, s'oriente vers l'abstrait au début des années 30, bien avant qu'une telle approche ne devienne populaire ou même acceptable dans les milieux artistiques canadiens. Le peintre ne va jamais s'éloigner de l'abstrait et atteint sa plénitude dans les oeuvres magistrales réalisées au cours des dernières années de son existence. L'exposition organisée en 1960 par l'*Art Gallery of Toronto* est la première à mettre ces oeuvres abstraites en parallèle avec ses oeuvres antérieures. La Galerie nationale du Canada va faire de même dans sa rétrospective de 1969-1970.

La présente exposition comporte un plus grand nombre d'oeuvres et met mieux en lumière les quatre dernières années de la vie de Macdonald. Dans le présent catalogue, le professeur Joyce Zemans aborde l'oeuvre de Macdonald d'un point de vue chronologique et thématique, tout en jetant une lumière nouvelle sur la démarche d'un artiste cherchant à exprimer dans ses tableaux les lois cachées de la nature. L'auteur a choisi pour l'exposition des oeuvres illustrant clairement les principales étapes de la carrière de Jock Macdonald de même que les grandes réalisations qui ont marqué chaque phase.

Nous tenons à exprimer notre reconnaissance envers les personnes et les institutions qui ont consenti à nous prêter les oeuvres; sans leur concours, l'exposition n'aurait évidemment pas lieu. Nous tenons également à remercier de leur générosité le Conseil des Arts du Canada tout comme Téléglobe Canada. Leur collaboration nous a permis de rendre à l'oeuvre de Jock Macdonald l'impressionnant hommage que voici.

W.J. WITHROW
Directeur   Musée des beaux-arts de l'Ontario

ACKNOWLEDGEMENTS When I began teaching at the Ontario College of Art in 1966, Jock Macdonald had become a legend. His former students were the artists and teachers of the new generation; his guidance, inspiration, and his own example had sustained them in difficult times. In subsequent years of teaching and research in Canadian art, I came to realize that it was virtually impossible to discuss the history of Canadian art without reference to this brilliant artist and gifted teacher.

There are many people who should be thanked in connection with this exhibition. I gratefully acknowledge the assistance of Barbara Macdonald, the artist's wife. In working with her I have come to understand her importance to Macdonald as a critic and guide. Her incisive mind and keen eye sustained him in difficult times; Macdonald realized that when Barbara liked a work, it was good.

In the course of my research for this text, Macdonald's family in Scotland were warm and generous with their insights and recollections. In Vancouver, Macdonald's colleagues like Margaret Williams, Bea Lennie, and Gerald Tyler shared their experiences and vivid memories; Jock's students and friends warmed to their subject, recalling the Vancouver School of Decorative and Applied Arts and British Columbia College of Art. In Calgary, Marion and Jim Nicoll described with intensity the experience of automatic expression and the role it had played in Jock's work. Like the Nicolls, Maxwell Bates corresponded with Macdonald until his death, and he provided valuable guidance in my research. In London, Conroy Maddox, one of the few surviving members of the British Surrealists, was of great assistance in tracking down information about the somewhat elusive Grace Pailthorpe. In Paris, Jean Dubuffet offered a new perspective on his meeting with Macdonald in Vence in the mid-fifties. In Toronto, Bill Ronald, who has said that without Macdonald he would still be in a third-year painting class,

REMERCIEMENTS Lorsque j'ai commencé à enseigner à l'*Ontario College of Art* en 1966, Jock Macdonald était déjà un personnage légendaire. Ses anciens étudiants étaient devenus les artistes et les professeurs de la nouvelle génération; par ses conseils, son talent et son exemple, il les avait encouragés dans des moments difficiles. Les nombreuses années que j'ai consacrées par la suite à l'enseignement de l'art canadien et à la recherche dans ce domaine m'ont permis de me rendre compte qu'il est presque impossible de parler de l'histoire de l'art au Canada sans mentionner le grand artiste et l'excellent professeur que fut Macdonald.

Plusieurs personnes ont apporté une précieuse collaboration à la présente exposition. Je tiens à remercier en tout premier lieu Mme Barbara Macdonald, épouse de l'artiste. Mes rapports avec elle m'ont appris l'importance que Macdonald attachait à ses conseils et à son encouragement. Sa perspicacité et son coup d'oeil juste ont su guider son mari dans des moments difficiles; lorsqu'elle aimait une oeuvre, Macdonald savait qu'il avait réalisé quelque chose de bon.

Les recherches que j'ai effectuées pour la rédaction de ce catalogue m'ont amenée dans la famille de Macdonald en Écosse; celle-ci m'a généreusement fait part de ses impressions et de ses souvenirs. À Vancouver, d'anciens collègues de Macdonald tels Margaret Williams, Bea Lennie et Gerald Tyler m'ont communiqué leurs expériences et leurs souvenirs personnels; les étudiants et amis du peintre ont relaté avec enthousiasme les années de la *Vancouver School of Decorative and Applied Arts* et du *British Columbia College of Art*. À Calgary, Marion et Jim Nicoll m'ont parlé avec ferveur de la méthode automatique et de l'importance que celle-ci a eue dans l'oeuvre de Macdonald. Comme les Nicoll, Maxwell Bates a entretenu une correspondance avec l'artiste jusqu'à son décès; son aide m'a été précieuse. À Londres, Conroy Maddox, l'un des derniers membres survivants des surréalistes britanniques, m'a grandement aidée à obtenir des renseignements sur Grace Pailthorpe qui étaient assez difficiles à obtenir. À Paris, Jean Dubuffet a présenté sous un jour nouveau sa rencontre avec Macdonald à Vence au milieu des

offered a vivid picture of Macdonald the teacher. Indeed, all Macdonald's former colleagues and students with whom I spoke were anxious to share their memories. Just mentioning Macdonald's name in a gathering of artists elicited significant insights and cherished recollections. Many of those who have lent works to the exhibition were his friends, and my visits to look at paintings were complemented by reminiscences, anecdotes, and insights that contributed to my own understanding of Macdonald. The wealth of the exhibition itself testifies to the generosity of the lenders.

In my research I owe much to Marilyn Westlake Kuczer, who assisted me in the early phases of my work and brought to light Macdonald's notes and periodicals. To Margaret Hawkins I owe thanks not only for her assistance with my research but for her ongoing encouragement. Dennis Reid and Roald Nasgaard proferred valuable criticism of the catalogue text. Richard Perry and Jennifer Glossop offered excellent editorial advice. Marie Gonsalves and Brenda Hicks were patient and long-suffering when it came to transcribing my longhand into type. York University's Faculty of Fine Arts provided funds to assist me in my research. The Art Gallery of Ontario provided the invaluable resources required for the organization of the exhibition. I am particularly indebted to Marie Fleming in the Curatorial Department, and to the other Gallery staff members who helped bring my work to fruition.

And finally I must thank my husband Fred and my children, Debbie, David, and Marcia, who, despite my preoccupation with Jock Macdonald, never complained.

JOYCE ZEMANS,
Chairman, Department of Visual Arts
York University, Toronto

---

années 50. À Toronto, Bill Ronald, qui observe que sans Macdonald il serait toujours au niveau d'une troisième année de beaux-arts, a brossé un tableau vivant de Macdonald comme professeur. D'ailleurs, tous les anciens collègues et étudiants de Macdonald avec qui j'ai pu m'entretenir se sont empressés de me faire part de leurs impressions. Je n'avais souvent qu'à mentionner le nom de Macdonald dans une réunion d'artistes pour provoquer des commentaires et rappeler des souvenirs précieux. Plusieurs prêteurs des oeuvres de l'exposition étaient des amis de l'artiste et mes rencontres avec eux ont été agrémentées de réminiscences, d'anecdotes et d'impressions qui m'ont aidée à mieux comprendre Macdonald. La richesse de l'exposition elle-même constitue un hommage à la générosité des prêteurs.

J'ai grandement bénéficié de l'aide de Marilyn Westlake Kuczer, surtout au début de ma recherche; c'est elle qui s'est occupée de retrouver les notes et les journaux de Macdonald. Je remercie également Margaret Hawkins de son aide et de ses encouragements constants. Dennis Read et Roald Nasgaard m'ont fait part de leur analyse critique lors de la rédaction du texte. Richard Perry et Jennifer Glossop m'ont eux aussi donné d'excellents conseils pratiques en la matière. Marie Gonsalves et Brenda Hicks ont fait preuve d'une patience admirable en dactylographiant mon texte manuscrit. Je remercie la faculté des Beaux-Arts de l'Université York pour sa contribution financière à ma recherche. Le Musée des beaux-arts de l'Ontario a mis à ma disposition des ressources inestimables pour l'organisation de la présente exposition. J'adresse mes remerciements les plus sincères à Marie Fleming, du bureau du Conservateur, et aux autres employés du musée qui m'ont aidée à réaliser mon projet.

Je tiens finalement à remercier mon époux, Fred, de même que mes enfants, Deborah, David et Marcia de ne s'être jamais plaints des longues heures que j'ai consacrées à mon étude.

JOYCE ZEMANS, *professeur titulaire*
Arts visuels, Université York, Toronto

Toward the end of his life, Jock Macdonald described each stage of his artistic career as a "stepping stone" in his search for "new forms of Beauty" that would truly reflect the spirit of the age in which he lived. The intention of this exhibition is to illustrate, with works from every period, the stages of Macdonald's search and the often spectacular results he achieved.

The painting of Jock Macdonald represents in microcosm a history of the development of abstract art in Canada. A contemporary of the Group of Seven, Macdonald's earliest Canadian paintings echo theirs in style and intent; but he quickly found that landscape painting was inadequate for his purposes. Like Lawren Harris, who became an important role model and provided spiritual guidance and personal reassurance during the most difficult stage of Macdonald's life, the artist sought to express a vision of higher reality in abstraction. His first abstractions, which he called "modalities" (1935–41), are unique paintings in which the artist analysed, abstracted, and organized natural forms in order to transcend representation. Unlike Harris and many other abstract or non-objective artists, Macdonald never forsook nature as his primary source, always returning to it for renewed inspiration.

About 1943, Macdonald revised his approach to abstract painting. The years 1945 to 1950 saw the maturation of an "automatic" surrealist style achieved principally in the watercolour medium. Macdonald admired Kandinsky for his automatism and colour harmonies and Mondrian for the purity of his abstract structures. He recognized that the key to abstraction lay in his own subconcious and intuitive understanding of the artistic process, rather than in doctrinal formulas or objective solutions.

In later years, Macdonald recognized that automatism and the watercolour medium could no longer fulfil his needs, and the early fifties were for him years of intense searching and experi-

Vers la fin de sa vie, Jock Macdonald décrivait chaque nouvelle étape de sa carrière artistique comme un "tremplin" dans sa recherche de "nouvelles formes de Beauté" susceptibles de refléter fidèlement l'esprit de l'époque où il vivait. Cette exposition se propose d'illustrer, au moyen d'oeuvres caractéristiques d'une période, les divers stades du cheminement de Macdonald et les résultats spectaculaires qu'il a souvent atteints.

La peinture de Jock Macdonald est un microcosme de l'histoire du développement de l'art abstrait au Canada. Contemporain des membres du Groupe des Sept, Macdonald commence par exécuter des tableaux qui s'apparentent aux leurs par leur style et par leur objectif; mais il se rend vite compte qu'il n'arrivera jamais à s'exprimer pleinement en restant paysagiste. À la manière de Lawren Harris, qui va lui servir d'exemple et de guide spirituel et lui redonner confiance aux heures les plus sombres de sa carrière, Macdonald cherche à exprimer par l'abstrait une vision qui dépasse la réalité sensible. Ses premières oeuvres abstraites, qu'il appelle "modes" (1935-41), sont des tableaux uniques où il analyse, dépouille et organise les formes reconnaissables pour transcender leur représentation. Contrairement à Harris et à beaucoup d'autres artistes abstraits ou non objectifs, Macdonald n'abandonne jamais la nature et ne cesse d'y puiser son inspiration.

Le style abstrait de Macdonald commence toutefois à se transformer vers 1943. De 1945 à 1950, un style surréaliste "automatique" pratiqué par l'artiste surtout dans ses aquarelles arrive à maturité. Macdonald éprouve une grande admiration pour l'automatisme et l'harmonie chromatique des oeuvres de Kandinsky et pour la pureté des structures abstraites de Mondrian. Il admet que la clé de l'abstraction se trouve dans son subconscient et dans la compréhension intuitive du processus artistique, plutôt que dans les formules doctrinales ou les solutions objectives.

Plus tard, Macdonald admet que l'automatisme et l'aquarelle ne suffisent plus à ses besoins, ce qui le pousse à s'engager dans une période de recherche et d'expérimentation intenses au début des années 50. Il étudie et il assimile le cubisme et le

mentation. Cubism, like Surrealism, was examined and absorbed. Encouraged by the example of artists like Hans Hofmann, Macdonald looked for new freedom in his paintings. In 1954, with the formation of the Toronto-based Painters Eleven, Macdonald sought to establish abstract art as the basis for artistic expression in Canada. In Painters Eleven he saw the future of Canadian art. In his own work, the discovery and mastery of Lucite 44 and oil in 1956 led Macdonald to commit himself to a purely abstract art. He replaced the complicated patterns and biomorphic creatures of the automatics with pure passages of colour and tonal control. The paintings of his last four years are aesthetically brilliant canvases in which the artist found a new embodiment for the spiritual reality he sought to express. These canvases speak of universal principles that transcend perceptual reality to incorporate the flow of all life and the harmony of all nature. It was the spirit of nature, rather than its physical manifestations, that Macdonald portrayed; his subject had become the inner rather than the outer landscape, and his early vision is confirmed in the masterpieces of his later years.

surréalisme. Encouragé par des artistes tel Hans Hofmann, Macdonald tâche d'arriver à une liberté plus complète dans ses oeuvres. En 1954, avec la fondation de *Painters Eleven* de Toronto, Macdonald cherche à imposer l'art abstrait comme base de l'expression artistique au Canada. C'est dans l'oeuvre de ce groupe que reposait selon lui l'avenir de l'art canadien. Dans son propre travail, la découverte et la maîtrise d'un nouveau procédé, l'huile et la lucite 44, vont lui permettre, dès 1956, de s'engager complètement dans l'art abstrait. Les motifs complexes et les créatures biomorphiques des automatiques font place à des taches de couleur pure et à un jeu étudié de tons. Les tableaux des quatre dernières années de la vie du peintre sont resplendissants de beauté et reflètent les nouvelles valeurs spirituelles que l'artiste voulait exprimer. Ces tableaux incarnent des principes universels qui transcendent la réalité perçue pour rejoindre la source de toute vie et l'harmonie de la nature entière. C'est l'esprit de la nature plus que les manifestations physiques de celle-ci que Macdonald cherche à peindre; son sujet s'est fait paysage intérieur plutôt que paysage extérieur, sa vision de jeune paysagiste est confirmée dans les chefs-d'oeuvre du soir de sa vie.

1

James Williamson Galloway Macdonald was born in Thurso, Caithness-shire, on 31 May 1897. His family was noted for its accomplishments in the arts:[1] his father was an architect, and his paternal uncle, W. Alistair Macdonald, was a successful painter of London's historic sites (a major collection of his watercolours hangs in London's Guildhall).[2] Jock Macdonald's older brother became an engineer; his younger brother an award-winning architect, and his twin sister, Isobel Victoria, an accomplished musician.

As a youngster in Thurso, Macdonald won prizes for his drawings of flora and fauna and painted watercolours of the surrounding landscape.[3] Later, he attended George Watson's Boys' College in Edinburgh, where he won a drawing competition when he was sixteen. After graduation, he apprenticed as an architectural draughtsman to Lord Dean of Guild Henry in Edinburgh.[4]

The First World War interrupted Macdonald's career. At the start of the war, he enlisted and was later wounded while serving in France with the 14th Argyll and Southern Highlanders as a Lewis gunner. He was returned home an invalid and, after a year spent recuperating in hospital, was stationed in Ireland.[5]

At the end of the war, Macdonald decided to enrol in the design program at the Edinburgh College of Art,[6] where he became an outstanding student, capturing both the third-year design scholarship and the college prize in art woodcarving.[7] According to Barbara Niece Macdonald, a fellow student who would later become the artist's wife, training at the college was traditional and academic. The curriculum included drawing from plaster casts as well as life, painting, sculpture, design, and architecture.[8] At the college, Macdonald studied with such outstanding designers and respected teachers as Charles Paine and John Platt.[9] Classroom assignments often took the artist to London, where he spent numerous hours

---

James Williamson Galloway Macdonald est né à Thurso, dans le Caithnesshire, en Écosse, le 31 mai 1897. Sa famille s'est signalée dans le domaine des arts: son père est architecte[1] et son oncle paternel, W. Alistair Macdonald, a connu beaucoup de succès comme peintre des lieux historiques de Londres; on peut encore aujourd'hui visiter une importante collection de ses aquarelles au *Guildhall* de Londres.[2] Son frère aîné devient ingénieur; son frère cadet, architecte renommé et sa soeur jumelle, musicienne accomplie.

À Thurso, Jock adolescent gagne des prix pour ses dessins de la flore et de la faune et peint des aquarelles du paysage environnant.[3] Inscrit au *George Watson's boys' College* d'Édimbourg, il gagne un concours de dessin à l'âge de seize ans. Après avoir obtenu son diplôme, il devient apprenti dessinateur en architecture chez *Lord Dean of Guild Henry* à Édimbourg.[4]

La Première Guerre mondiale interrompt la carrière de l'artiste. Il s'enrôle bientôt dans le *14th Argyll and Southern Highlanders* comme mitrailleur. Blessé en France, il rentre en Écosse où il passe un an à l'hôpital, pour être ensuite cantonné en Irlande jusqu'à la fin de la guerre.[5]

Macdonald décide alors de s'inscrire au programme de design au *College of Art* d'Édimbourg.[6] Extrêmement doué, il obtient une bourse d'études offerte aux étudiants de troisième année ainsi que le prix de sculpture sur bois de l'école.[7] Selon Barbara Niece, camarade d'études qui deviendra la femme de l'artiste, la formation offerte par l'école est traditionnelle. Le programme comprend le dessin à partir de plâtres et de modèles vivants, la peinture, la sculpture, le design et l'architecture.[8] Macdonald a pour professeurs les remarquables designers Charles Paine et John Platt.[9] Les travaux donnés en classe amènent fréquemment l'artiste à Londres où il passe des heures à dessiner, surtout au *Victoria and Albert Museum*. C'est dans une petite galerie londonienne que Macdonald découvre les oeuvres de Van Gogh. Barbara Niece Macdonald se rappelle que le pouvoir évocateur des paysages expressionnistes de Van Gogh et son habileté à exercer son "grand talent avec innocence" ont laissé une

sketching, particularly in the Victoria and Albert Museum. It was in a small London gallery that he first encountered work by Vincent van Gogh. Barbara Macdonald recalls that the aesthetic power of van Gogh's expressionist landscapes and his ability to achieve "such skill innocently" left an indelible impression on the young artist.[10] In later years, Macdonald would turn to van Gogh's writings and to the example of his difficult career for reassurance and courage. As a teacher and mentor who often placed his students' interests before his own, he also found inspiration in van Gogh's relationship with his brother Theo. He later wrote a young student, "Remember V.G. had a brother and it was only through his brother that he was able to give the world his genius. I feel that I could be a little Theo to you occasionally."[11]

Macdonald had registered in the National Teacher Training Program, and success came easily. His practice lessons were considered outstanding by his assessors.[12] In teaching, the artist had discovered another vocation.

In 1922, Macdonald graduated with an Art Specialist Teacher's Certificate from the Scottish Education Authority and a diploma in design from Edinburgh College of Art.[13] Barbara Niece, the painting student whom he met during his college years and married in 1922, would remain his lifelong companion, colleague, and advisor; her experiences as a painter, her artistic knowledge, and her aesthetic judgement were to play an important role in Macdonald's development.

Upon graduation, Macdonald was employed as a designer for Morton Sundour Fabrics in Carlisle, England.[14] As a student, he had done some freelance design work at Sundour's branch on the outskirts of Edinburgh, where Charles Paine, Macdonald's teacher at Edinburgh, was one of the chief designers.[15] The company had become famous for its printed materials, which were guaranteed not to fade, and for its designs, which

---

marque indélébile sur le jeune artiste.[10] Plus tard, Macdonald puisera dans les écrits de Van Gogh et dans l'exemple de sa carrière difficile le courage et le réconfort dont il aura besoin. Devenu lui-même professeur et maître, il fait souvent passer les intérêts de ses étudiants avant les siens et il s'inspire de la relation de Van Gogh avec son frère Théo. Il écrit un jour à un jeune étudiant: "N'oublie pas que Van Gogh avait un frère et que c'est uniquement grâce à lui qu'il a pu donner au monde son génie. Je pense qu'à l'occasion je pourrais être ton Théo."[11] Macdonald s'inscrit également au Programme national de formation des enseignants, et là encore le succès vient aisément. Les cours pratiques qu'il donne pendant son stage sont considérés comme remarquables par ses professeurs.[12] L'artiste découvre dans l'enseignement une seconde vocation.

En 1922, Macdonald obtient de la *Scottish Education Authority* son certificat d'enseignement spécialisé dans les arts et, de l'*Edinburgh College of Art*, son diplôme de design.[13] La même année, il épouse Barbara Niece, l'étudiante en peinture qui sera pendant toute sa vie sa compagne, sa collègue et sa conseillère; l'expérience de peintre de cette dernière, ses connaissances artistiques et son jugement en matière esthétique joueront un rôle important dans l'évolution artistique de Macdonald.

Une fois diplômé, Macdonald est engagé comme designer par la *Morton Sundour Fabrics*, à Carlisle, en Angleterre.[14] Déjà pendant ses études, il avait fait certains dessins à la pige pour la succursale de la maison Morton dans la banlieue d'Édimbourg, où Charles Paine, son professeur, comptait parmi les meilleurs designers.[15] Cet établissement était célèbre pour ses tissus imprimés garantis grand teint et pour ses motifs dont certains avaient été créés par des artistes aussi connus que William Morris.

Designer attitré chez Morton, Macdonald passe plusieurs années à réaliser divers motifs de tissus. Il travaille entre autres sur des tapisseries, des tapis, des broderies, des tentures, des couvre-lits et des coussins.[16] Il compte parmi ses clients *Liberty's* de Londres et *Holyrood Palace*, en Écosse, pour lequel il dessine des rideaux de onze

were associated with such prominent artists as William Morris.

As staff designer, Macdonald spent several years executing a wide variety of textile designs. His assignments included tapestries, carpets, rugs, embroidery, hangings, bedspreads, and cushions.[16] Clients included Liberty's of London and Holyrood Palace in Scotland, for which Macdonald designed eleven-foot-high Jacobean-style curtains.[17] Much of his time was spent making accurate watercolour illustrations of historic carpets and damasks. This experience gave him, as he later suggested, a "valuable knowledge of colours."[18] Macdonald remained with the firm for three and a half years, and during the final year he was promoted to the position of director of handloom rug weaving.

He left Sundour to become head of the design department of the Lincoln School of Art in Lincoln, England. But he remained there only one year.[19] In 1926, Macdonald responded to a newspaper advertisement and was offered the post of head of design and instructor of commercial advertising at the recently formed Vancouver School of Decorative and Applied Arts (VSDAA).[20] He had been hired by Charles Scott, the principal of the new school, a fellow Scotsman and a Glasgow graduate. Frederick Varley, newly arrived in Vancouver from Toronto, to which he had immigrated from England in 1912, directed drawing and painting; and Grace Melvin, also a Glasgow graduate, was responsible for illumination, embroidery, and pottery.[21] Macdonald quickly found himself very much at home in Vancouver among numerous colleagues of Scottish or English origin.

As a teacher, Macdonald insisted on a strong theoretical and historical background as the foundation of artistic study. He continually stressed his personal philosophy that the source of all design must be nature and that ultimately the individual artist's informed perception must pre-

Macdonald's Diploma: Edinburgh College of Art, 1922

Diplôme obtenu par Macdonald à l'*Edinburgh College of Art*, 1922

pieds de hauteur dans le style de Jacques Ier.[17] L'artiste passe une grande partie de son temps à reproduire méticuleusement à l'aquarelle des motifs de tapis et de damas historiques. Cette expérience lui procure, comme il l'observera par la suite, une "connaissance précieuse de la couleur".[18] Macdonald reste au service de la maison Morton pendant trois ans et demi, la dernière année, comme directeur du tissage de tapis au métier mécanique.

Il quitte Morton pour devenir directeur du département de design de la *Lincoln School of Art*, en Angleterre. Il n'y demeure qu'une année.[19] En 1926, il répond à une annonce dans un journal et obtient le poste de directeur du design et professeur de publicité commerciale à la *Vancouver School of Decorative and Applied Arts*, école nouvellement établie.[20] Il est engagé par Charles Scott, directeur de l'école, Écossais comme lui et diplômé de Glasgow. Frederick Varley, qui arrive de Toronto après avoir quitté l'Angleterre en 1912, est alors directeur du dessin et de la peinture; Grace Melvin, également diplômée de Glasgow, est responsable

de l'enluminure, de la broderie et de la poterie.[21] Très vite, Macdonald se sent tout à fait chez lui à Vancouver, entouré de nombreux collègues d'origine écossaise ou anglaise.

Comme professeur, Macdonald accorde beaucoup d'importance aux connaissances théoriques et historiques qui constituent pour lui la base de l'apprentissage des arts. Il fait constamment valoir sa philosophie personnelle selon laquelle la nature doit être la source de toute création artistique et qu'en définitive c'est la perception éclairée de chaque artiste qui doit s'imposer. Macdonald fait sa profession de foi dans un article publié dans l'annuaire de l'école sous le titre *The Ever Open Book in the Matter of Design*:

"La connaissance de la forme et du dessin est la pierre angulaire du design sans laquelle rien ne peut se réaliser. L'élève doit apprendre tout ce qu'il faut savoir de la création divine pour ensuite consigner ses observations à sa manière. C'est la seule façon de créer un design original."[22]

Il encourage ses élèves à chercher leur inspiration

17

vail. He codified his credo in a yearbook article titled "The Ever Open Book in the Matter of Design":

"Knowledge of form and drawing is the foundation stone of Design without which nothing can be produced. A student must extract all there is to know about any one of God's creations and then put down his observations in his own way. This is the only way to create original design."[22]

His students were encouraged to look to historical examples for inspiration and to go beyond appearances to an understanding of basic principles; it was not copying but comprehension of iconography and formal premises that made art. He spoke frequently about the historical meaning of primary forms and the historical evolution of basic symbols. Former students recall that Macdonald referred them to books of design motifs from every part of the world.[23] Local Indian legends were selected as themes for composition classes, and soon Macdonald began to incorporate Indian motifs into his own commissions. In addition to lectures on art history and iconography, Macdonald discussed colour theory and the most recent publications on the psychology of colour.[24]

His students were often assigned designs for rugs and wallpapers that required the same tedious attention to repetitive detail Macdonald himself had exercised a few years earlier in Scotland.[25] To impress upon his students the need for dedication, commitment, and patience, he wrote "Factory Experience" for the 1928 VSDAA yearbook, in which he described his own tribulations as a practising designer.

"I found myself clocking in at 8 A.M. at the factory gates. There was no allowance made for the temperamental artist. Everyone had to be there on time.

"The first thing to be done was to design embroidered net curtains. Not one design for the

---

dans les oeuvres historiques et à découvrir, au-delà des apparences, les principes de base; il ne s'agit pas de copier mais de comprendre l'iconographie et les fondements de l'art. Il parle fréquemment du sens historique des formes primaires et de l'évolution des symboles fondamentaux à travers les âges. Ses anciens élèves se rappellent qu'il les renvoyait à des ouvrages sur les motifs décoratifs de toutes les parties du monde.[23] Il utilise des légendes indiennes locales comme thèmes de ses classes de composition et insère bientôt des motifs indiens dans les oeuvres qui lui sont commandées. Macdonald donne des cours sur l'histoire de l'art et l'iconographie, et discute par surcroît de la théorie de la couleur et des derniers ouvrages sur la psychologie de la couleur.[24]

Macdonald fait souvent exécuter à ses élèves des motifs de tapis et de papier peint exigeant pour les détails répétitifs la même attention qu'il avait apportée à ce travail, quelques années plus tôt, en Écosse.[25] Afin de faire ressortir l'importance qu'il accorde à des qualités comme le dévouement, la patience et le sens des responsabilités, il écrit dans l'annuaire de 1928 de l'école un article intitulé *Factory Experience*, dans lequel il décrit ses tribulations de designer:

"À mon grand étonnement, je pointais à huit heures du matin aux portes de l'usine. On ne faisait aucune exception, même pour les artistes. Il fallait que tout le monde soit à l'heure.

"Le premier travail consistait à dessiner des rideaux de filet brodés, pas un dessin par jour ni même deux, mais autant qu'on pouvait en produire. On en voulait des centaines. Par la suite, ce furent des dessins pour des rideaux ornés d'appliqués, des tapisseries, des pièces murales au petit point, des housses de coussins brodées, des chemins de table, des couvre-lits. Il fallait que chaque dessin soit nouveau, qu'il fasse de l'effet, qu'il soit intéressant et plein de vie tout en restant simple; il fallait également tenir compte des coûts de production. Les idées devaient se succéder rapidement et chacun devait faire confiance à son jugement personnel; bien sûr, chaque dessin devait servir de modèle d'exécution aux ouvriers de

Macdonald's poster for B.C.
Electric, c. 1929
Photo: Robert Keziere

Poster de Macdonald pour
B.C. Electric, vers 1929
Photo: Robert Keziere

day nor even two, but as many as you could jolly well turn out. They wanted hundreds of them. This was followed by designs for appliqué curtains, tapestry panels, petit-point panels, embroidered cushion covers, table runners, and bedspreads. Every design had to be new, effective, full of vitality, interesting and withal simple, not forgetting the cost of production. Thoughts had to come rapidly and one had to rely entirely on one's judgement –then, too, every design had to be a working drawing for the factory hands. Exact in measurement and concise in detail. The designing and weaving of rugs and carpets came as my next experience both for hand looms and machines. Oh! the long tedious drafting of those carpets –some having not less than sixty colours."[26]

Concluding his ode to industry, Macdonald urged his students to understand that, for intellectual and moral satisfaction, "you must not be afraid of work and commercial design."[27]

l'usine: précis dans ses mesures, concis dans ses détails. Je passai ensuite au dessin et au tissage de tapis petits et grands pour métiers mécaniques et automatiques. Ah! les longues heures passées à dessiner ces tapis, certains ne comptant pas moins de soixante couleurs."[26]

En guise de conclusion à cette apologie de l'industrie, Macdonald prie ses élèves de comprendre que, pour atteindre à la satisfaction intellectuelle et morale, il ne faut "avoir peur ni du travail ni du design commercial".[27]

Entre temps, Macdonald commence à solliciter des commandes privées. Il soumet quelques oeuvres à des concours commandités par des sociétés privées et par le gouvernement. Il dessine l'affiche *Burnaby Lake* (vers 1929) pour la *B.C. Electric*. Il s'agit d'une peinture attrayante aux formes planes et colorées et aux contours bien définis, l'un des premiers paysages de la côte ouest réalisés par l'artiste. On y trouve les éléments caractéristiques de ses premières oeuvres qui portent nettement la marque de sa formation de

Macdonald's trademark for the Canadian Handicraft Guild, n.d.

Sceau réalisé par Macdonald pour la *Canadian Handicraft Guild*, s.d.

In the meantime, Macdonald had begun to seek private design commissions. He entered competitions sponsored by private firms and by the government. For B.C. Electric, he designed the poster *Burnaby Lake* (c. 1929). An attractive landscape scene, its forms are flat and colourful, edged with well-defined contour-lines. This was one of Macdonald's first west-coast landscapes and typical of his early works, it was strongly influenced by his background as a designer. In *Burnaby Lake*, Macdonald has avoided any real suggestion of space or depth, describing his subject through decorative, stylized forms.

In ensuing years, Macdonald's painting changed radically, but his graphic style became increasingly simplified and stylized, in keeping with the art-deco tendencies that prevailed during these years. His design for a trademark for the Canadian Handicraft Guild of British Columbia is characteristic of his work of the thirties. In it Macdonald integrated symbolic images and

dessinateur. Dans *Burnaby Lake*, Macdonald évite d'exprimer vraiment l'espace ou la profondeur en décrivant simplement son sujet au moyen de formes décoratives stylisées.

Dans les années qui suivent, les oeuvres de l'artiste changent de façon radicale et son graphisme devient de plus en plus dépouillé selon la tendance art déco qui marque cette époque. L'emblème qu'il dessine pour la *Canadian Handicraft Guild of British Columbia* constitue un excellent exemple de son oeuvre pendant les années 30; Macdonald marie les symboles et les formes géométriques: l'oiseau stylisé représente l'esprit créateur; la main évoque l'artisan à l'oeuvre et la fleur aux lignes géométriques symbolise les rapports éternels entre l'art et la nature; la flèche renversée donne son unité à la composition en créant un effet de répétition. Enfin, dessinateur accompli, Macdonald lie les éléments horizontaux et verticaux en un parfait équilibre.

Des dessins exécutés par la suite, tels le logotype conçu pour le *B.C. College of Art* (1933), les catalogues réalisés pour certains organismes,

right:
British Columbia Society of
Fine Arts Catalogue, 1944

à droite:
Catalogue de la *British Columbia Society of Fine Arts*, 1944

Park Gallery Exhibition
Brochure (1958)
incorporating Macdonald's
logo designed c.1932.

Programme de l'exposition de
la *Park Gallery* (1958) orné du
logotype personnel de Macdonald, dessiné vers 1932

geometric patterns: the stylized bird represents creativity; a hand represents the artisan at work; a geometric flower image reflects the constant relationship between art and nature; and an inverted arrow provides the repetitive organizational element that unifies the composition. Finally, Macdonald, the consummate designer, linked horizontal and vertical elements in perfect balance.

Subsequent designs, such as the B.C. College of Art logotype (1933), catalogues for such organizations as the B.C. Society of Fine Arts (1944), Vancouver Symphony posters (1944 and 1945), and a calendar cover for the Calgary Institute of Technology (1947), reveal the same tendency towards tightly knit art-deco compositions.

By 1933, Macdonald had determined his own logo, a signature he reserved for his design commissions and which, twenty-five years later, became the cover design for Macdonald's one-man

dont la *B.C. Society of Fine Arts* (1944), les affiches pour l'Orchestre symphonique de Vancouver (1944 et 1945) et la couverture de calendrier créée pour le *Calgary Institute of Technology* (1947) révèlent la même tendance à unir étroitement les éléments d'un ensemble, inspirée par les compositions art déco.

Vers 1933, Macdonald conçoit son propre logotype, qui sert de signature à ses commandes de design et qui, vingt-cinq ans plus tard, ornera la couverture du catalogue de ses oeuvres lors d'une exposition solo à la *Park Gallery* de Toronto.

Macdonald continuera de s'intéresser au design, mais en choisissant les commandes qui l'intéressent vraiment. Au cours des années qui vont suivre, son intérêt se tournera de plus en plus vers la peinture.

show at Toronto's Park Gallery.

Macdonald was to continue his design work, but only when a commission interested him personally. In the next few years, his interest turned more and more to painting.

21

PAINTING IN BRITISH COLUMBIA

Macdonald's first landscapes were watercolour studies of scenes around his native Thurso on the northern coast of Scotland. Although none of these works remains, his twin sister remembers him as a quite prolific draughtsman.[1]

His earliest landscape scenes of British Columbia were tightly designed pen-and-ink sketches of the mountains and canyons. *Old Trees, Chekamus Canyon* (1929) is typical of these relatively small works. Intimate studies of nature, they lack the boldness that characterizes Macdonald's mature landscapes, and they offer but slight suggestion of the breadth of description that his oil paintings would achieve. Linear and flat, these drawings have an Oriental quality in the elegance of line and their stylized signature, and it is likely that they were strongly influenced by Japanese prints.[2]

Macdonald soon realized that the rugged British Columbia landscape demanded a stronger medium than the watercolour and tempera he had employed in his earlier works. He began, therefore, to study oil painting, with Fred Varley as his mentor.[3] Macdonald's admiration for Varley is evident in a passage he wrote years later for a retrospective exhibition catalogue of Varley's work:

"It was in September, 1926, that 'F.H' arrived in Vancouver to direct the drawing and painting department of the Vancouver School of Art. His appointment was an historic and courageous one, as there was still considerable aversion in British Columbia to the paintings of the Group of Seven and no particular desire to have an artist from this group contaminate young art students with new philosophies of art or new methods of instruction.

"F.H. was a revolutionary . . . and in a very short time his tremendous power was to inspire everyone and establish new directions in western painting. *He was the artist who laid the foundation stone of imaginative and creative painting in British Columbia.*"[4]

LES DÉBUTS DE L'ARTISTE EN COLOMBIE-BRITANNIQUE

Les premiers paysages de Macdonald sont des aquarelles représentant la région de Thurso, sa ville natale, située sur la côte nord de l'Écosse. Ces oeuvres ont aujourd'hui disparu, mais la soeur jumelle de l'artiste a gardé de lui le souvenir d'un dessinateur vraiment fécond.[1]

Ses premiers paysages exécutés en Colombie-Britannique sont des dessins très précis à l'encre et au crayon et représentent les montagnes et les gorges environnantes. *Vieux Arbres, gorge du Chekamus* (1929) est un bon exemple de ces oeuvres plutôt petites. Ces études très détaillées de la nature n'ont pas encore la netteté des paysages de la maturité et ne sont que de pâles promesses de la richesse de ses futurs tableaux à l'huile. Linéaires et sans profondeur, ces dessins rappellent l'Orient par l'élégance de la ligne et la stylisation de la signature. On y détecte presque certainement l'influence des estampes japonaises.[2]

Macdonald se rend vite compte que le paysage accidenté de la Colombie-Britannique exige un véhicule plus solide que l'aquarelle et la peinture à la tempera qu'il utilise jusque-là. Il décide alors d'étudier la peinture à l'huile, sous la direction de Fred Varley.[3] Macdonald ne cache pas l'admiration qu'il lui porte lorsqu'il rédige des années plus tard le catalogue d'une rétrospective des oeuvres de Varley:

"C'est en septembre 1926 que "F.H." est arrivé à Vancouver pour prendre la direction du département de dessin et de peinture de la *Vancouver School of Art*. Sa nomination a fait époque et a requis un grand courage, car on éprouvait encore en Colombie-Britannique une aversion considérable pour les tableaux du Groupe des Sept et l'on ne désirait pas tellement voir un artiste de ce groupe contaminer les jeunes étudiants en beaux-arts avec de nouvelles philosophies de l'art ou de nouvelles méthodes d'enseignement.

"F.H. était un révolutionnaire . . . et en très peu de temps, sa force extraordinaire inspira tout le monde et modifia l'orientation de la peinture dans l'Ouest du pays. *C'est l'artiste qui a posé la première pierre de la peinture imaginative et créatrice en Colombie-Britannique.*"[4]

Old Trees, Chekamus Canyon,
1929
Pen & ink
27.9 x 27.9 cm
Collection: Beatrice Lennie
Photo: Robert Keziere

Vieux arbres, gorge du Cheka-
mus, 1929
Encre
27,9 x 27,9 cm
Collection de Beatrice Lennie
Photo: Robert Keziere

As a member of the Group of Seven, Varley already had an established reputation in the east. In Vancouver, he continued to be concerned with the creation of an art symbolic of Canada's unique national identity. In the west, Varley found new freedom and new direction. He fell in love with the west coast and made regular expeditions into the mountains, often with local artists. Macdonald's description of Varley's expeditions must have reflected his own love of the landscape, for he described it with great excitement:

"Varley was mainly an outdoor artist during his ten years' residence on the Pacific Coast. Almost every weekend he painted in the mountains and in the summers in Garibaldi Park, that unbelievably beautiful virgin country still unknown to tourists, where six-thousand-foot meadows are carpeted with wild flowers, the lakes are pure emerald, the glaciers are fractured with rose-madder, turquoise-blue and indigo crevasses, and the

---

Varley jouit déjà dans l'Est d'une réputation bien assise comme membre du Groupe des Sept. À Vancouver, il s'intéresse toujours à la création d'un art exprimant l'identité nationale canadienne. Là, il trouve une liberté et une orientation nouvelles. Il devient amoureux de la Colombie-Britannique et fait régulièrement des excursions en montagne, souvent avec des artistes de l'endroit. Macdonald décrit les expéditions de Varley avec un enthousiasme qui reflète son propre amour pour le paysage:

"Varley fut avant tout un peintre de la nature pendant les dix années qu'il passa sur la côte du Pacifique. Il peignait en montagne pendant presque toutes les fins de semaines. L'été, il se rendait dans le parc Garibaldi, cette campagne non profanée incroyablement belle, encore inconnue des touristes, où des prairies longues de six mille pieds sont tapissées de fleurs sauvages, où les lacs sont de pure émeraude, les glaciers striés de crevasses rose alizarine, bleu turquoise et indigo et les montagnes noires, ocres et rouge égyptien." [5]

mountains are black, ochre and Egyptian Red."[5]

Macdonald soon joined Varley on these expeditions, and later recalled how he and Varley would hike fifteen miles to Garibaldi Park from the Great Eastern railway line, carrying sketching materials, a pup-tent, sleeping bags, and rations, their drinks limited to "Klim" and "Oxo" cubes or coffee.[6] Alone in the mountains, they were at one with nature. As Macdonald wrote, "The more [they] camped the more [they] became part of day and night and the diversified weather."[7] On occasion, Macdonald led his own expedition of guides, pack horses, and forty-pound packs into the park on painting expeditions.[8] From these trips came the numerous oil-on-panel sketches that documented the British Columbia landscape.

As a consequence of such excursions, many of Macdonald's and Varley's early British Columbia works are similar. Seated together, surveying the landscape, they would exchange ideas about the handling, composition, and nature of the subject matter. On occasion it appears that they even worked on the same sketch board. Several paintings from these years present problems of attribution, and many of Macdonald's early oil landscape sketches show Varley's strong influence.[9] There are, however, basic differences. Macdonald's 1934 *Landscape Sketch* echoes Varley's Georgian Bay scenes in the handling of the trees, but its composition is frontal and more decorative in the repetition of the rhythmic frieze of branches, and it lacks the depth of field of Varley's scenes. In most instances, Macdonald's colour is limited in contrast to that of Varley, who was exploring colour symbolism through intense colour values in works like *The Cloud, Red Mountain, B.C.* (c. 1928).

Macdonald soon joined the ranks of artists, such as Varley, Emily Carr, and W.P. Weston, whose paintings brought a new vision of landscape to the west coast. These artists turned away from

---

Macdonald ne tarde pas à se joindre à Varley pour ces expéditions. Il se remémorera plus tard les nombreuses occasions où, avec lui, il parcourt les quinze milles séparant le parc Garibaldi de la ligne de chemin de fer de la *Great Eastern*, transportant son nécessaire à dessin, une petite tente, des sacs de couchage, des provisions et des boissons qui se limitent à du Klim, des cubes d'Oxo et du café.[6] Seuls dans les montagnes, ils ne font qu'un avec la nature. Macdonald écrit que "plus ils campaient, plus ils s'intégraient au jour et à la nuit et au temps qu'il faisait".[7] Macdonald dirige parfois ses propres expéditions dans le parc avec des chevaux de bât, des guides et des sacs à dos de quarante livres.[8] Les nombreuses huiles sur bois qui représentent souvent les paysages de la Colombie-Britannique datent de cette époque.

Grâce à ces excursions, les premières oeuvres de Macdonald et de Varley en Colombie-Britannique ont souvent une vague ressemblance. Assis côte à côte, ils observent ensemble le paysage, échangeant des idées sur le traitement, la composition et la nature de tel ou tel sujet. Il semble même que parfois les deux artistes travaillent sur la même planche. Beaucoup de tableaux datant de cette époque pourraient être attribués indifféremment à l'un ou à l'autre, et nombreux sont les premiers paysages à l'huile de Macdonald qui trahissent la profonde influence de Varley.[9] Il existe toutefois des différences fondamentales. Dans *Esquisse de paysage* de Macdonald (1934), on observe des ressemblances avec les scènes de la baie Géorgienne de Varley dans le traitement des arbres, mais la composition est frontale et plus décorative par la répétition de la frise rythmique des branches et ne présente pas la profondeur de champ des paysages de Varley. Dans la plupart des cas, les couleurs de Macdonald sont moins contrastées que celles de Varley, qui explore le symbolisme de la couleur par l'intensité des tons dans des oeuvres comme *le Nuage, montagne Rouge, C.-B.* (vers 1928).

Macdonald joint bientôt les rangs des artistes qui, comme Varley, W.P. Weston et Emily Carr, révèlent une nouvelle vision des paysages de la côte du Pacifique. Ces artistes s'éloignent du petit

Landscape Sketch, 1934
Oil on panel
30.2 x 37.8 cm
The Vancouver Art Gallery

Esquisse de paysage, 1934
Huile sur bois
30,2 x 37,8 cm
Vancouver Art Gallery

the small-scale, atmospheric, and picturesque paintings that had characterized work at the turn of the century, and created instead boldly painted works of mountains rising majestically from the sea and of lush, dense forest growth.[10]

Lytton Church, British Columbia(1930) is one of the first examples of Macdonald's work to indicate a mastery of the oil medium. The subject is a simple wooden church set in a deep valley among steep mountain slopes. With careful attention to detail, Macdonald has created a sense of well-ordered space, which leads the eye precisely through the painting. The colour is dry but harmonious. Macdonald has captured the spaciousness of the mountain valley through a controlled use of perspective. The painting was exhibited in the Royal Academy's 1931 exhibition, and in 1932 it was acquired by the National Gallery of Canada.

After viewing the painting in Ottawa, A.Y. Jackson wrote to Macdonald to express an interest

tableau pittoresque et d'atmosphère qui caractérise le tournant du siècle pour peindre plutôt des toiles hardies où des montagnes s'élèvent majestueusement au-dessus de la mer et de forêts denses et luxuriantes.[10]

Église de Lytton, Colombie-Britannique (1930) est l'une des premières oeuvres de Macdonald à témoigner de sa maîtrise de la peinture à l'huile. Ce tableau représente une église en bois très simple dans une vallée encaissée, bordée de pentes escarpées. Attentif au détail, Macdonald crée dans cette peinture une impression d'ordre permettant de guider l'oeil lors de l'observation du tableau. Les couleurs sont sèches mais harmonieuses. Macdonald traduit la largeur de la vallée en contrôlant l'usage de la perspective. Le tableau est exposé en 1931 à l'Académie royale des Arts et la Galerie nationale du Canada en fait l'acquisition en 1932.

Après avoir vu le tableau à Ottawa, A.Y. Jackson écrit à Macdonald pour lui faire part de son intérêt pour son oeuvre.[11] Il n'est pas surprenant que Jackson éprouve des affinités avec les tableaux de Macdonald; ce dernier a puisé dans le Groupe

*Lytton Church, British
Columbia*, 1930
Oil on canvas
61.6 x 71.1 cm
National Gallery of Canada,
Ottawa

*Église de Lytton,
Colombie-Britannique*, 1930
Huile sur toile
61,6 x 71,1 cm
Galerie nationale du Canada,
Ottawa

in his work.[11] It is not surprising that Jackson found himself sympathetic to Macdonald's painting; Macdonald had turned to the Group of Seven for inspiration and guidance in the development of his personal style. Indeed, *Lytton Church* recalls Jackson's Quebec landscapes with their carefully defined deep space and representation of "Canadian" subjects. Varley had introduced Macdonald to the Group's work, and Macdonald shared the Group's determination and objectives. His landscapes of the thirties affirmed his belief that such paintings should embody, in appearance and in spirit, the ethos of the country.

In 1933, Macdonald became a founding member of the Canadian Group of Painters, which was dedicated to developing a national identity for the country through its art. Macdonald's patriotism would not always find expression in such clearly articulated landscape subjects as *Lytton Church*, but his interest in artistic interpretations of the nation's spirit never flagged.

Lytton Church marked another stage in Macdonald's development as an artist. According to Barbara Macdonald, it was the first canvas that Macdonald did not ask Varley to pass judgement on prior to its exhibition.[12] Henceforth, only Barbara Macdonald would see his works before they were exhibited. Later Macdonald would write:

"Varley, I am grateful to for his encouragement also – he also seemed to think that I should not be advised of short cuts to 'painting technique.' Varley led me along certain avenues which appealed to him, but I preferred to stand on my own legs and by so doing, sink or swim."[13]

Other artistic mentors in these years steered Macdonald in different directions. One of his first sketching companions was Ross Lort. A professional architect, Lort was also a "black and white man," for his real interest lay in the expressive medium of print.[14] When Lort's children were

---

des Sept la motivation et l'inspiration nécessaires au développement de son style personnel. À vrai dire, *Église de Lytton* rappelle les paysages québécois de Jackson avec leur espace profond nettement déterminé et leur représentation de sujets "canadiens". Varley fait connaître à Macdonald les oeuvres du groupe, et l'artiste découvre qu'il partage les mêmes tendances et les mêmes objectifs. Ses paysages des années 30 renforcent sa conviction que de tels tableaux peuvent, matériellement et spirituellement, traduire l'âme d'un pays.

En 1933, Macdonald devient un des membres fondateurs du *Canadian Group of Painters*, voué au développement d'une identité nationale à travers son art. Le patriotisme de Macdonald ne trouve pas toujours son expression dans des paysages aussi nettement définis qu'*Église de Lytton*, mais l'intérêt qu'il porte à l'interprétation artistique de l'esprit de la nation ne devait jamais fléchir.

Église de Lytton marque une autre étape dans le cheminement artistique de Macdonald. Selon Barbara Macdonald, ce tableau est le premier à être exposé par l'artiste sans qu'il demande l'avis préalable de Varley.[12] À partir de ce moment, Barbara Macdonald sera la seule à voir les oeuvres avant leur exposition. Macdonald écrira plus tard:

"Je suis reconnaissant à Varley de m'avoir encouragé; il semblait également penser qu'on ne devrait pas m'indiquer de raccourcis dans la "technique de la peinture". Varley m'a indiqué certaines voies qui l'attiraient, mais j'ai préféré suivre mon propre chemin, quelles qu'en soient les conséquences."[13]

À cette époque, d'autres maîtres entraînent Macdonald dans des directions différentes. Ross Lort, l'un des premiers compagnons de l'artiste, fait des croquis avec lui. Architecte de profession, il est considéré comme un "adepte du noir et du blanc" à cause de son intérêt prépondérant pour la gravure.[14] Lort a imprimé pour ses jeunes enfants un livre sur les lettres de l'alphabet contenant un texte et une planche pour chaque lettre. Il utilise aussi la technique plus souple de la linogravure et ainsi interprète fréquemment des paysages. Dans le studio de Lort, Macdonald s'essaie à la gravure sur

*Indian Salmon Rack, Fraser
Canyon, B.C.*, 1931
Linocut
25.6 x 27.6 cm
The Vancouver Art Gallery
Photo: Jim Gorman

*Claie à saumon indienne, gorge du
Fraser, C.-B.*, 1931
Linogravure
25,6 x 27,6 cm
The Vancouver Art Gallery
Photo: Jim Gorman

young, he printed a book about the letters of the
alphabet, for which he wrote the text and designed
wood-block illustrations for each letter. He also
worked in the more malleable linocut technique,
often interpreting landscapes through this
medium. In Lort's studio, Macdonald experimented in wood-block and linocut. Mrs. Lort
recalls that Macdonald showed a strong preference
for the linocut, and under Lort's guidance, he was
easily able to translate his pen-and-ink sketches
into this medium.[15] The most perfectly formulated
of these works, *Indian Salmon Rack, Fraser Canyon,
B.C.* (1931), prefigures Macdonald's mature
landscape paintings in its tightly knit organization
and its Indian subject matter – salmon racks in a
mountainous setting.[16] The subject also reflected
Macdonald's growing interest in Indian themes.
By 1928, Marius Barbeau had popularized, in
publications and lectures, the art of British
Columbia's Indians.[17] At the same time, Emily
Carr was finding receptive audiences for her Indian

bois et à la linogravure. Mme Lort observe que
Macdonald préfère de loin cette dernière technique,
réussissant aisément, avec l'aide de Lort, à traduire
ses dessins à l'encre par ce moyen.[15] La plus réussie
de ces oeuvres, *Claie à saumon indienne, gorge du
Fraser, C.-B.* (1931), préfigure les paysages de la
maturité dans l'organisation serrée de la matière de
l'oeuvre et par la scène de la vie indienne, des claies
à saumon dans un cadre montagneux.[16] Le sujet
reflète également l'intérêt croissant de Macdonald
pour les thèmes indiens. En 1928, Marius Barbeau
a déjà popularisé, par ses publications et ses
lectures, l'art des Indiens de la Colombie-
Britannique.[17] À la même époque, Emily Carr
trouve un public attentif pour ses peintures de la
vie indienne. Macdonald, nouveau venu en
Colombie-Britannique, est désireux d'explorer et
de comprendre l'histoire et l'avenir de cette
province; il voit dans les thèmes indiens un sujet
local tout aussi valable que les montagnes et les
glaciers qu'il avait appris à apprécier. La couverture
qu'il réalise pour le prospectus de 1930/31 de
l'école de Vancouver est une image d'oiseau

28

I Know a White Kingdom,
1931
Linocut
6.2 x 6.2 cm
Illustration for *The Neighing North*

I Know a White Kingdom, 1931
Linogravure
6,2 x 6,2 cm
Illustration pour *The Neighing North*

Bright Arctic Days, 1931
Linocut
6.4 x 6.9 cm
Illustration for *The Neighing North*

Bright Arctic Days, 1931
Linogravure
6,4 x 6,9 cm
Illustration pour *The Neighing North*

paintings. Macdonald, a newcomer to the province, anxious to explore and understand its history and its vision, saw in the Indian themes an indigenous subject as worthy as the mountains and glaciers he had come to love. His cover design for the Vancouver School's 1930/1931 prospectus was a strongly stylized bird image – a motif obviously Indian in character.[18]

In the Royal Canadian Academy exhibitions between 1929 and 1932, Macdonald exhibited not only the linocut *Indian Salmon Rack, Fraser Canyon, B.C.* and *Lytton Church* but also several smaller oils, drawings, and a sculpture (cast with the assistance of sculptress Bea Lennie).[19] The diversity of media and the range of his subjects indicate that during these years Macdonald was still experimenting in order to find the best format for his expression.

In 1931, Macdonald illustrated *The Neighing North*, a book of verse by Annie Charlotte Dalton, which described and praised the north country.[20]

In Dalton, Macdonald found a kindred spirit who shared his love of the land. Macdonald's illustrations are, for the most part, tiny; yet by their subjects (for example, "The Wild Folk" and "I Know a White Kingdom") they impart an incontestable power.[21] The mythical, fire-breathing steed of the frontispiece embodies Dalton's "Ghost of the North," who knows neither bit nor bridle. In several illustrations there are strong echoes of Lawren Harris's mountain landscapes. The subjects are reduced to their barest aspects: for example, a few lines suggest mountains rising into the brilliant openness of the northern sky. In one illustration, "Bright Arctic Days," three small birds, decorative and out of scale, lend an intimate, even humorous note to an otherwise dramatic mountainscape.[22] It may well have been Dalton who encouraged Macdonald's special appreciation of the paintings and writing of Lawren Harris. In the same year, she published an ode of praise to Harris's painting *Mountain Form* in

fortement stylisé, motif à caractère nettement indien.[18]

De 1929 à 1932, Macdonald expose à l'Académie royale des Arts la linogravure *Claie à saumon indienne, gorge du Fraser, C.-B.*, la peinture *Église de Lytton* ainsi que plusieurs huiles plus petites, des dessins et une sculpture (coulée avec l'aide du sculpteur Bea Lennie).[19] La diversité des techniques et l'éventail des sujets indiquent qu'à cette époque Macdonald explore toujours de nouvelles voies afin de trouver le mode d'expression lui convenant le mieux.

En 1931, Macdonald illustre *The Neighing North*, recueil de poèmes d'Annie Charlotte Dalton, qui décrit et célèbre le Nord.[20] Chez Dalton, Macdonald découvre une âme soeur partageant son amour du pays. Les illustrations de Macdonald sont dans l'ensemble minuscules, ce qui n'empêche pas les sujets traités, tels que *The Wild Folk* et *I Know a White Kingdom*, de dégager une impression de puissance incontestable.[21] Le destrier mythique à l'haleine de feu du frontispice représente le *Ghost of the North* de Dalton, qui ne

connaît ni mors ni bride. Plusieurs illustrations évoquent nettement les paysages montagneux de Lawren Harris. Les sujets traités sont réduits à leur plus simple expression: quelques lignes représentent une montagne se détachant sur un ciel boréal éclatant de lumière. Dans l'une de ces illustrations, *Bright Arctic Days*, trois petits oiseaux décoratifs qui ne sont pas à l'échelle apportent une note d'intimité et même d'humour à ce qui serait autrement un paysage montagneux imposant.[22] C'est peut-être Dalton qui incite Macdonald à s'intéresser de façon particulière aux tableaux et aux écrits de Lawren Harris. La même année, Dalton publie une ode au tableau *Mountain Form* de Harris qui s'intitule *The Future of our Poetry*, dans laquelle elle fait l'éloge de ce "symbole sacré symbolisant implicitement des objects cachés".[23] Avec son mari, William Dalton, elle contribue pendant l'été de 1931 à l'organisation d'une exposition à Vancouver comprenant un certain nombre d'oeuvres de Harris que Macdonald a certainement vues.[24]

Même si les illustrations de Macdonald pour

The Future of Our Poetry, a text in which she eulogized the painting as a "sacred symbol implicitly symbolizing objects which lie beyond."[23] During the summer of 1931, she and her husband, William Dalton, were instrumental in organizing a Vancouver exhibition that included a number of Harris's paintings, and which Macdonald most certainly saw.[24]

Although Macdonald's illustrations for *The Neighing North* seem stylistically very much of their time, Macdonald felt he was breaking new ground in trying to integrate his concern for landscape with his graphic style. Two other landscape drawings from this period reflect the tightness of Macdonald's style as draughtsman and his ties to the printed medium. The subject of each drawing is a mountainscape, and the overall compositions are similar. The forms are much bolder and more imposing than the delicate imagery of *Old Trees, Chekamus Canyon*. In the foreground are rolling hills and the familiar barren tree stump that characterized the new breed of landscape painting. A range of mountains occupies the middle ground, and in the background a more distant range climbs beyond the picture frame. In the first version, intended as a preliminary drawing for a print, the forms are simplified. Decorative elements simulate a wood-block print. In the second version, Macdonald attempted to open the space and create a greater dramatic impact by emphasizing the height of the mountains through the use of vertically oriented cross-hatching and the halo effect around the mountain peaks.

Later, Macdonald used drawings as preliminary studies for oils. A number of his small, quick, evocative sketches suggest fleeting moments of atmospheric conditions *(Fog Formations*, 1935) or rapid notations of place *(Indian Shack, Nootka*, 1935);[25] but in the earlier works, the drawing was precise, the image closed.

In 1932, Macdonald painted a small oil on board, *Yale, B.C.*, as a souvenir for Bea Lennie's

---

The Neighing North semblent s'inscrire tout à fait dans le style de l'époque, Macdonald a l'impression de faire avancer l'art de la peinture en essayant d'intégrer son intérêt pour le paysage à son style graphique. Deux autres paysages de cette époque reflètent la rigueur du style de Macdonald lorsqu'il dessine et ses affinités avec la gravure. Les deux dessins représentent des montagnes dans des compositions d'ensemble similaires. Les formes sont plus hardies et plus imposantes que l'imagerie délicate du *Vieux Arbres, gorge du Chekamus*. On observe au premier plan des collines onduleuses et le tronc d'arbre dénudé familier caractérisant sa nouvelle manière de peindre les paysages. Une chaîne de montagnes occupe le plan médian tandis qu'une seconde chaîne de montagnes disparaît à l'arrière-plan. Dans la première version, qui n'était qu'une esquisse de gravure, les formes sont simplifiées. Les éléments décoratifs évoquent la gravure sur bois. Dans la seconde version, Macdonald tente d'ouvrir l'espace et de créer un effet plus dramatique en mettant l'accent sur la hauteur des montagnes, en superposant des lignes orientées verticalement et en nimbant les cimes.

Par la suite, Macdonald utilise des dessins comme des croquis préliminaires pour ses huiles. Certaines de ses esquisses, petites, rapides et évocatrices, suggèrent soit les instants fugaces d'une condition atmosphérique particulière *(Formations de brouillard*, 1935), soit des notes rapides sur un lieu donné *(Cabane indienne, Nootka*, 1935),[25] mais dans ses travaux antérieurs, le dessin était précis et l'image close.

En 1932, Macdonald peint une petite huile sur bois, *Yale, C.-B.*, qu'il offre en souvenir à la mère de Bea Lennie, née à Yale.[26] Ce tableau charmant révèle la profonde influence que sa formation de dessinateur en tissu a exercée sur lui. Un chemin de fer serpente sur une surface chargée de motifs évoquant l'effet décoratif sans perspective des illustrations qu'il produit encore. Pendant ces premières années, il lui est presque impossible de se défaire des impératifs rigoureux des arts décoratifs dans ses paysages. Macdonald écrit par la suite: "La ligne et les formes décoratives s'imposaient toujours à un point tel que je vois clairement

Mountains, 1933
Pen & ink with pencil
16 x 22 cm
The Vancouver Art Gallery
Photo: Jim Gorman

Montagnes, 1933
Encre et crayon
16 x 22 cm
The Vancouver Art Gallery
Photo: Jim Gorman

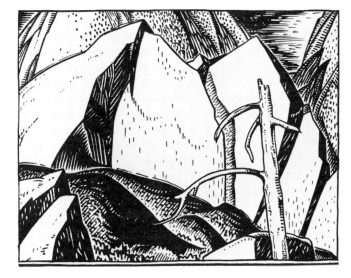

Mountains, 1933
Pen & ink
16 x 20.5 cm
The Vancouver Art Gallery
Photo: Jim Gorman

Montagnes, 1933
Encre
16 x 20,5 cm
The Vancouver Art Gallery
Photo: Jim Gorman

mother; Yale was her birthplace.[26] This charming painting indicates how strongly Macdonald's design background affected his painting. A serpentine railway winds over the strongly patterned surface, echoing the flat, decorative quality of the illustrations on which he continued to work. In these early years it was almost impossible for him to exorcise the rigorous dicta of his design experience from his landscape work. Later Macdonald wrote, "the line and decorative forms were always forcing themselves too much so that I can see clearly now what my wife and Varley meant when they remarked that I was producing coloured drawings."[27]

Fred Varley instructed Macdonald to "stop drawing and start painting,"[28] and Macdonald understood the justice of this advice. As late as 1936 he wrote, "I hope some day to master colour values, and areas in the oil medium. My main mistake, I believe, has been over-mixing, using too much white and not enough pure colour. I fussed

aujourd'hui ce que ma femme et Varley voulaient dire quand ils observaient que je produisais des dessins coloriés."[27]

Fred Varley prie Macdonald "de cesser de dessiner et de commencer à peindre",[28] conseil dont Macdonald sait apprécier la justesse. Même en 1936, Macdonald écrit encore: "J'espère pouvoir un jour maîtriser les effets de couleur et d'espace dans la peinture à l'huile. Mon erreur principale, je crois, consistait à trop mélanger, à utiliser trop de blanc et pas assez de couleur pure. Je passais mon temps à tatillonner intérieurement . . . Je voulais obtenir une belle couleur nette . . . Je suis mainte-nant arrivé à une excellente connaissance de cette technique."[29]

En 1932, Macdonald peint *la Défense noire*, oeuvre importante qui va confirmer sa réputation de paysagiste canadien. Elle est le plus grand tableau de Macdonald à ce moment-là et dépeint un paysage majestueux. Bien que la répétition décorative d'un motif triangulaire art déco au tout premier plan semble un peu déplacée dans une oeuvre aspirant à des proportions monumentales,

left :
Yale, B.C., 1932
Oil on panel
30.5 x 36.8 cm
Beatrice Lennie
à gauche:

Yale, C.-B., 1932
Huile sur bois
30,5 x 36,8 cm
Beatrice Lennie

right:
Panorama Ridge, 1935
Oil on Panel
27.3 x 36.8 cm
Dr. Evelyn A. Gee

à droite:
Panorama Ridge, 1935
Huile sur bois
27,3 x 36,8 cm
Docteur Evelyn A. Gee

33

*The Black Tusk, Garibaldi
Park, B.C.* 1932
Oil on panel
71.1 x 91.4 cm
Private Collection

and fussed inside myself all the time . . . I was longing for a good clean colour . . . now I am quite intimate with my new understanding of medium."[29]

In 1932, Macdonald painted *The Black Tusk, Garibaldi Park, B.C.* a major work that was to confirm his reputation as a painter of the Canadian scene. Macdonald's largest canvas to that time, it portrays a majestic landscape. Although the repetition of an art-deco triangular motif in the immediate foreground seems inappropriate for a work that aspires to monumentality, the painting is ultimately successful and came to symbolize for many the rugged grandeur of British Columbia. In *The Black Tusk*, Macdonald is less obvious in the structuring of planar relations than he is in the earlier *Lytton Church*. Here he employs a strong diagonal to carry the eye into the picture, where the rolling hills give way to a solid expanse of snow. The foreground and middle ground are clearly defined and the eye is led to the distant promontory – the tusk. Dramatically simple, the painting represents the solid majesty of British Columbia's mountainous terrain. Characteristic in colouring of other early works, there is a solemnity in the relatively restricted colour scheme.

The Black Tusk was immediately well received and was selected for exhibitions throughout Canada and around the world. It was exhibited in 1932 in the *First Annual British Columbia Artists Exhibition* and in the Royal Canadian Academy show in Toronto. In 1933, it was shown in the *Annual Exhibition of Canadian Art* in Ottawa, and in Atlantic City, New Jersey, in an exhibition titled *Paintings by The Canadian Group of Painters*, and in the *Exhibition of Contemporary Canadian Painting* later circulated throughout Australia and South Africa. In 1939, it was part of the Canadian exhibition at the New York World's Fair, and in 1941, home again in Vancouver, it formed part of Macdonald's first one-man show.

As his understanding of his medium and his

*La Défense noire, parc
Garibaldi*, 1932
Huile sur bois
71,1 x 91,4 cm
Collection particulière

le tableau est finalement très réussi et devient pour beaucoup le symbole des paysages accidentés et majestueux de la Colombie-Britannique. Macdonald fait preuve de plus de subtilité dans l'organisation de la composition des plans de *la Défense noire* que dans *Église de Lytton*. L'oeil suit une diagonale nettement marquée pour atteindre les collines ondulées débouchant sur une grande étendue de neige. Le premier plan et le plan médian sont nettement définis, l'oeil glisse vers un promontoire situé vers l'arrière du tableau, la défense. Très simple, ce tableau représente la majesté solennelle des montagnes de la Colombie-Britannique. Il se dégage de ce choix de couleurs relativement restreint une certaine solennité caractéristique d'autres oeuvres des débuts de l'artiste.

La Défense noire connaît un succès immédiat et est choisie pour des expositions présentées dans tout le Canada et le monde entier. On la retrouve en 1932 à la *First Annual British Columbia Artists Exhibition* et à l'exposition de l'Académie royale des Arts à Toronto. Elle fait partie de l'*Annual Exhibition of Canadian Art* à Ottawa en 1933 et, à Atlantic City, New Jersey, d'une exposition intitulée *Paintings by The Canadian Group of Painters*. Plus tard, on la retrouve également à l'*Exhibition of Contemporary Canadian Painting*, une exposition itinérante présentée à travers l'Australie et l'Afrique du Sud. En 1939, on retrouve ce tableau dans le Pavillon canadien à l'Exposition internationale de New York et, en 1941, elle revient à Vancouver, pour la première exposition solo de Macdonald.

Plus Macdonald possède sa technique et son sujet, plus il rend de façon abstraite les principaux éléments de ses paysages et élimine les détails descriptifs pour se concentrer sur l'essence du sujet. Dans *Table Mountain*, la forme de roche aplatie domine le tableau qui, bien que plus petite, rappelle la force dans la simplicité de *la Défense noire*. La composition est méticuleusement conçue du premier plan à l'arrière-plan; l'artiste se concentre sur la présence de la montagne, en accentuant son isolement au moyen des conifères clairsemés du premier plan.

À cette époque, Macdonald s'intéresse égale-

left:
*Table Mountain, Garibaldi
Park, B.C.*, 1934
Oil on panel
29.2 x 36.8 cm
Dr. Hamish McIntosh,
Vancouver

à gauche:
*Table Mountain, parc
Garibaldi, C.-B.*, 1934
Huile sur bois
29,2 x 36,8 cm
Docteur Hamish McIntosh,
Vancouver

right:
Howe Sound, 1933
Oil on panel
30.5 x 38.1 cm
Art Gallery of Greater
Victoria
Gift of Harold
Mortimer–Lamb

à droite:
Howe Sound, 1933
Huile sur bois
30,5 x 38,1 cm
Art Gallery of Greater
Victoria
Don de Harold
Mortimer–Lamb

subject grew, Macdonald increasingly abstracted the main features of a scene and eliminated descriptive details, thereby concentrating on the character of the subject. In the oil sketch *Table Mountain*, the squat rock shape dominates the painting, which has the *Tusk*'s simple strength despite its smaller size. The composition is carefully worked from foreground to the distance; and the artist concentrates on evoking the presence of the mountain itself, accenting its isolation through the sparse evergreens in the foreground.

Macdonald also turned his attention to another aspect of the British Columbia environment during these years. The sea had fascinated him since his childhood on Scotland's northern coast. Paintings such as *Howe Sound* (1933) and *Graveyard of the Pacific* (1935) reveal the artist's inherent respect for the ocean.

Throughout these early years, Macdonald gained personal confidence and achieved public acclaim. His paintings showed an evolving refinement of form, an increasing simplicity of treatment, and an ever closer relationship of colour harmonies. But mastery of the landscape imagery in his painting was not enough. At the same time that he was working on the magnificent *Tusk*, his interests were leading him into new areas of expression.

---

ment à un autre aspect de la Colombie-Britannique. La mer le fascine depuis son enfance sur la côte nord de l'Écosse. Des tableaux comme *Howe Sound* (1933) et *Cimetière du Pacifique* (1935) révèlent le profond respect qu'éprouve l'artiste pour l'océan.

Pendant ces premières années, Macdonald gagne confiance en lui-même et parvient à la célébrité. Ses tableaux témoignent du raffinement grandissant de la forme, de la simplicité accrue du traitement et de relations encore plus harmonieuses entre les couleurs. Mais sa maîtrise dans la représentation des paysages ne suffit plus. Au moment même où il travaille sa magnifique *Défense noire*, sa recherche l'amène dans de nouveaux domaines d'expression.

In the early thirties, Macdonald began to turn away from the strict concerns of representational painting and to look to new ideas and philosophies. Two paintings in particular, *In the White Forest* and *The Black Tusk*, indicate the nature of his new concerns, concerns that led him to explore the symbolic and hidden aspects of his landscape subjects.

In the White Forest (1932) suggests the investigative nature of Macdonald's painting between 1932 and 1934. The painting is reminiscent of Lawren Harris's early snowscapes (1914 – 1918). Bathed in a warm light and laden with strong spiritual overtones, only the trunks of the trees are clearly perceivable; and the hillocks formed by the snow-laden branches take on a life of their own. A subtle diagonal establishes a rhythmic pulsing into the womb-like centre of the composition. In colour, handling, and mood, the painting is unique among the artist's works to that date. According to Macdonald, the painting represents "snow hooded young trees, sheltering among those grand firs found in the forest on Grouse Mountain."[1] When he sent it to the National Gallery of Canada for exhibition, he included a caveat:

"I feel that it might be better suited for a private gallery...than in an art gallery. The subject in its expression conveys more the inner (mental) interpretation of snow in the forest much more so than the other visible impression. Such a viewpoint may suit the oriental atmosphere."[2]

Macdonald's reference to an "inner" or "mental" interpretation clearly indicates his new interest in the symbolic potential of colour and form.

In 1934, Macdonald went into Garibaldi Park to paint the Tusk once again. This new version, in oil on board, is not simply another impression of a favourite subject; nor, despite its smaller size, should it be seen as merely a sketch for a subsequent oil on canvas. If the 1932 painting

Au début des années 30, Macdonald commence à s'éloigner du seul souci de représentation anecdotique pour se tourner vers de nouvelles idées et philosophies. Deux tableaux, *Dans la forêt blanche* et *la Défense noire*, illustrent particulièrement bien ces nouveaux intérêts qui le poussent à explorer les aspects symboliques et cachés de ses paysages.

Dans la forêt blanche (1932) indique la nature investigatrice de la peinture de Macdonald de 1932 à 1934. Le tableau rappelle les premières scènes hivernales de Lawren Harris (1914–1918). Baignés dans une chaude lumière et une atmosphère profondément spirituelle, seuls les troncs d'arbres sont nettement perceptibles. Les branches ployant sous la neige forment des monticules qui ont une vie propre. Une fine diagonale crée un effet de pulsation rythmique vers le centre de la composition, semblable à une matrice. À ce point de la carrière de Macdonald, ce tableau constitue une réalisation unique, tant par sa couleur et son traitement que par son atmosphère. Selon l'artiste, il représente "de jeunes arbres chargés de neige protégés par les splendides sapins que l'on trouve dans la forêt de *Grouse Mountain*".[1] Lorsqu'il envoie cette toile à la Galerie nationale du Canada pour une exposition, Macdonald ajoute la mise en garde suivante:

"Je pense qu'elle conviendrait mieux à une galerie privée...qu'à une galerie d'art. Le traitement du sujet transmet davantage *l'interprétation intérieure (mentale)* de la neige dans la forêt que l'impression visuelle. Un tel point de vue peut convenir à l'atmosphère orientale."[2]

La référence de Macdonald à une interprétation "intérieure" ou "mentale" indique clairement le nouvel intérêt qu'il porte au potentiel symbolique de la couleur et de la forme.

En 1934, Macdonald se rend à nouveau au parc Garibaldi pour peindre *la Défense noire*. Cette nouvelle version, une huile sur bois, ne peut être considérée simplement comme une nouvelle impression d'un sujet favori; sa taille plus réduite n'en fait pas non plus une simple esquisse d'une huile sur toile. Si le tableau de 1932 représentait la puissance de la terre, le tableau de 1934 semble

left:
The Black Tusk, 1934
Oil on panel
30.3 x 38.1 cm
Provincial Archives of
British Columbia

à gauche:
La Défense noire, 1934
Huile sur bois
30,3 x 38,1 cm
Archives provinciales de la
Colombie-Britannique

right:
In the White Forest, 1932
Oil on canvas
66 x 76.2 cm
Collection of the Art Gallery
of Ontario
Purchase, 1975

à droite:
Dans la forêt blanche, 1932
Huile sur toile
66 x 76,2 cm
Collection du Musée des
beaux-arts de l'Ontario
Achat, 1975

represents earthly power, the 1934 painting appears to portray spiritual yearning. Static monumentality has yielded to a spire. In the second version, an intricately patterned foreground rises vertically parallel to the picture plane; no diagonal middle ground introduces us to the Tusk. Instead, the form looms above the foreground, its peak the apex of an acute-angled triangle.

Macdonald's teaching and research notes, prepared during these years, offer insight into this evolution. In his notes, he transcribed a passage that identifies the symbolic meaning of the pyramid with "The Holy Mountain or High Place of God . . . the first Temple of the Mysteries, the first structure created as a repository of those sacred truths which are the certain foundation of all arts and sciences."[3] This panegyric to the pyramid continued:

"Though the modern world may know a million secrets, the ancient world knew one – and that one was greater than the million, for the million secrets breed death, disaster, selfishness, lust and avarice, but the *one* secret confers life, light and truth. The day will come when secret wisdom shall again be the dominating religion and philosophical urge of the world. The day is at hand when the doom of dogma shall be shrouded. The unfolding of man's spiritual nature is as much an exact science as astronomy or medicine."[4]

Such considerations, though common in Macdonald's artistic circle, were new to his interpretation of landscape. The theosophist Mme Blavatsky had written that:

"The triangle played a prominent part in the religious symbolism of every great Nation; for everywhere is represented the three great principles –spirit, force and matter."[5]

Macdonald was certainly aware of such theories of symbolic meaning. In his own notes he discussed the symbolism of such shapes as the

---

illustrer des aspirations spirituelles. Le caractère statique et monumental de la montagne fait place à une flèche. Dans la seconde version, un premier plan aux motifs complexes monte parallèlement à la montagne. Aucun plan médian oblique ne nous amène à la défense. Sa forme s'élève plutôt au-dessus du premier plan et sa cime forme une pointe acérée.

Les notes d'enseignement et de recherches rédigées par Macdonald à cette époque expliquent dans une certaine mesure ce changement. Dans ces notes, le peintre transcrit un passage qui identifie le sens symbolique de la pyramide, "la montagne sacrée ou les hauts lieux divins . . . le premier temple des mystères, la première structure créée pour la sauvegarde des vérités sacrées qui sont la racine essentielle de l'art et de la science".[3] Son panégyrique de la pyramide se poursuit ainsi:

"Alors que le monde moderne connaît des milliers de secrets, le monde ancien n'en connaissait qu'un; ce secret était plus important que tous les autres, parce que ceux-là n'ont fait qu'engendrer la mort, le désastre, l'égoïsme, la concupiscence et l'avarice, alors que ce secret *unique* transmet la vie, la lumière et la vérité. Le jour viendra où la sagesse secrète sera une fois encore la religion dominante et la soif philosophique du monde. Le jour approche où la connaissance de ces milliers de secrets fera place au dévoilement de la nature spirituelle de l'homme, qui est une science tout aussi exacte que l'astronomie ou la médecine."[4]

De telles considérations, bien que courantes dans le cercle artistique de Macdonald, apportent toutefois un aspect nouveau à son interprétation du paysage. Mme Blavatsky, adepte de la théosophie, n'écrit-elle pas que:

"Le triangle a joué un rôle prépondérant dans le symbolisme religieux de toute grande nation; en effet, les trois grands principes, esprit, force et matière, sont représentés partout."[5]

Macdonald est sans doute au courant de ces théories sur la signification symbolique. Dans ses notes, il parle du symbolisme de diverses formes,

equilateral triangle (the symbol of the Logos) and the mandorla, the Vesica Pisces of early Christian art. In his "Colour Notes" he examined the symbolic and psychological uses of colour referring specifically to Kandinsky's belief that "if a musician can weave melodies without reference to natural sounds, the artist can conduct colour harmonies without reference to natural forms."[6]

At this time, Macdonald also began to see himself as one who must bring order to the apparent chaos of material life.[7]

Kandinsky had written of the pyramid's spiritual significance:

"The life of the spirit may be graphically represented as a large acute angled triangle, divided horizontally into unequal parts, with the narrowest segment uppermost.... The whole triangle moves slowly...forward and upward.... At the apex of the highest segment often stands one man. The joyful vision is the measure of his inner sorrow.... There are artists in every segment of the triangle. He who can see beyond the limits of his own segment is a prophet and helps the advance."[8]

Years later, at a seminar in Holland, Macdonald stated that "the creative artist's duty is to convey new reflections about life which the masses have not yet become aware of and it should be understood that the conscious level of the creative artist is above the conscious level of the masses."[9]

What were the sources of these new insights into the nature of art? The pre-eminent and most immediate source must certainly have been Lawren Harris. In the letter to the National Gallery of Canada in which he described *In the White Forest*, Macdonald requested from the assistant director copies of the gallery's new colour prints representing landmarks in Canadian art. Among the prints Macdonald requested were "*Lake Superior* and *Mountain Form* . . . and Icebergs (or Arctic Subject)"

---

telles que le triangle équilatéral (le symbole du *logos*) et la mandorle, le poisson mystique de l'art chrétien primitif. Dans ses *Colour Notes*, il étudie le symbolisme et la psychologie de la couleur, se référant plus spécifiquement à la théorie de Kandinsky selon laquelle "si un musicien peut tisser la trame de ses mélodies sans avoir recours à des sons perçus dans la nature, l'artiste peut utiliser les harmonies de couleur sans avoir recours à des images reconnaissables".[6]

À cette époque, Macdonald commence également à se sentir responsable d'établir un certain ordre dans le chaos de la vie matérielle.[7]

Kandinsky a déjà écrit ce qui suit sur la valeur spirituelle de la pyramide:

"On pourrait représenter graphiquement la vie de l'esprit sous forme d'une pyramide acérée divisée horizontalement en deux parties inégales, la plus étroite située au-dessus de l'autre . . . la pyramide se déplace lentement . . . elle avance et monte . . . Au sommet de la partie supérieure se tient souvent un homme. La joie du visionnaire est à la mesure de sa douleur intérieure . . . Il y a des artistes dans chaque partie de la pyramide. Celui qui peut voir au-delà des limites de sa propre partie est un prophète qui participe à l'avancement de l'ensemble."[8]

Des années après, lors d'un séminaire en Hollande, Macdonald déclarera qu'il est "du devoir de l'artiste créateur de dévoiler aux masses de nouvelles pensées sur le sens de la vie, en gardant à l'esprit que le degré de conscience de l'artiste créateur est plus élevé que celui des masses".[9]

D'où viennent ces nouvelles intuitions sur la nature de l'art? La source la plus importante et la plus immédiate est assurément Lawren Harris. Dans une lettre à la Galerie nationale du Canada, dans laquelle il décrit *Dans la forêt blanche*, Macdonald demande au directeur adjoint de lui envoyer les nouvelles reproductions en couleur des tableaux les plus significatifs de l'art canadien. Entre autres, Macdonald demande "*Lake Superior* et *Mountain Form* . . . et des icebergs (ou sujets arctiques)" de Lawren Harris.[10] Les illustrations de Macdonald pour le texte de Dalton témoignent que

by Lawren Harris.[10] Macdonald's illustrations for Dalton's text indicated familiarity with Harris's northern landscapes. The 1934 *Tusk* suggests an even closer parallel. Although Harris's paintings show greater resolve in their idealized compositions than do Macdonald's, it is apparent that Macdonald found inspiration in Harris's work and, more than likely, in his writing as well. In "Revelation of Art in Canada," published in *The Canadian Theosophist* in 1926, Harris wrote of "the artist's role to infiltrate spirit and cosmic harmony into the chaos of appearance in order to reveal the plastic unity of existence."[11] Since his arrival in Vancouver, Macdonald had come to espouse an almost identical philosophy. Harris had written:

"Art is concerned primarily with relationship. The harmony, the order of art, its organization as a living power that can work within us depends on its inner relationships. It is the epitome of the cosmic order."[12]

And in the same spirit, Macdonald wrote:

"The artist must first of all study nature [to find] the hidden Laws of Nature . . . the laws which awaken in us the universal truth of all-relating harmony and the sense of unity, the laws which are found in every dep[artment] of man's activity, an expression of order, relation, unison and unity. . . . Intuitively artists create within the structural forms of nature."[13]

In paintings such as *In the White Forest* and *The Black Tusk* (1934), Macdonald began to move away from a purely representational approach to landscape, subordinating representation in order to emphasize forms as they related not only to composition and rhythm, but to the larger significance of the painted image. Macdonald also determined that the spirit of his time lay not in the history of art, and not in the interpretation of the physical world, but in himself.

---

l'artiste connaît bien les paysages nordiques de Harris. *La Défense noire* (1934) établit un parallèle encore plus étroit. Bien que les tableaux de Harris révèlent plus de hardiesse dans leur composition idéalisée que ceux de Macdonald, il reste que ce dernier s'est inspiré de la peinture de Harris et probablement de ses écrits. Dans l'article intitulé *Revelation of Art in Canada* publié dans *The Canadian Theosophist* en 1926, Harris parle de la "responsabilité de l'artiste qui consiste à infiltrer l'esprit et l'harmonie cosmique dans le chaos des apparences afin de révéler l'unité plastique de l'existence".[11] Depuis son arrivée à Vancouver, Macdonald est parvenu à une philosophie presque identique. Harris avait écrit:

"L'art est avant tout une question de rapports. L'harmonie, l'ordre de l'art, son organisation comme puissance vivante capable d'oeuvrer en nous, dépend de ses rapports intérieurs. C'est l'abrégé de l'ordre cosmique."[12]

C'est dans le même esprit que Macdonald écrit:

"L'artiste doit avant tout étudier la nature (pour découvrir) ses lois cachées . . . les lois qui nous révèlent la vérité universelle de l'harmonie des rapports entre toutes choses et le sens de l'unité, les lois que l'on retrouve dans chaque secteur de l'activité humaine, une expression d'ordre, de rapport, d'unisson et d'unité . . . Les artistes créent intuitivement à l'intérieur des formes structurales de la nature."[13]

Dans des tableaux comme *Dans la forêt blanche* et *la Défense noire* (1934), Macdonald commence à s'éloigner de la simple représentation de paysages, donnant moins d'importance à cette représentation afin de mettre en valeur les formes dans leur rapport non seulement avec la composition et le rythme, mais aussi avec la signification plus vaste de l'image peinte. Macdonald reconnaît d'ailleurs que la vision de son époque ne repose pas sur l'histoire de l'art ni sur l'interprétation du monde physique, mais en lui-même:

"L'interprétation du monde en art devient l'expression de notre subconscient; nos pensées subjectives sont exprimées à travers des observations objectives."[14]

"The interpretation of the world in art becomes expression of our inner consciousness – our subjective thoughts manifested through objective observations."[14]

Macdonald's growing awareness of spiritual concerns did not develop in a vacuum. Concerns with the transcendental and mystic were not new to the artistic world of the early twentieth century; indeed, they were the bases upon which abstract art had developed in Europe. During the post-war and Depression years, transcendentalism and spiritual philosophies attracted many North American artists. Theosophy, which had influenced the development of abstraction in Europe among such artists as Wassily Kandinsky and Piet Mondrian, gained numerous converts from the artistic community in Canada. *The Canadian Theosophist* regularly published articles by artists, like Lawren Harris, who analysed Canadian art in spiritual terms. In Toronto in 1927, Harris's close friend, Bertram Brooker, who was also influenced by the spiritual and aesthetic concerns of Wassily Kandinsky, exhibited the first abstract art ever shown by a Canadian artist,[15] and Brooker's 1928/29 *Yearbook of the Arts* was familiar to the Vancouver artistic community.[16]

The Vancouver milieu of the late 1920s and early 1930s provided an ideal setting for the spiritual growth of artistic consciousness. With the opening of the Vancouver School of Decorative and Applied Arts in 1925, aspiring artists began to consider studying in Vancouver instead of departing for San Francisco, London, or Paris. The British Columbia Art League was organized to meet the needs of local artists. The British Columbia Society of Fine Arts, of which Emily Carr had been a founding member in 1909, extended its formerly conservative parameters and displayed works in a variety of styles.[17]

In the spring of the same year that Varley and Macdonald had arrived to teach at the new school,

---

La sensibilisation croissante de Macdonald aux préoccupations spirituelles n'est pas l'effet du hasard. L'intérêt pour le transcendantal et le mystique n'est pas étranger au monde artistique du début du XXe siècle; en fait, cet intérêt constitue le fondement du développement de l'art abstrait en Europe. Pendant l'après-guerre et les années de la Dépression, le transcendantalisme et les philosophies spiritualistes attirent de nombreux artistes nord-américains. La théosophie, qui influence le développement de l'abstraction en Europe chez des artistes tels Wassily Kandinsky et Piet Mondrian, attire de nombreux néophytes dans le milieu artistique canadien. On pouvait lire régulièrement dans *The Canadian Theosophist* des articles signés par des artistes, comme Lawren Harris, qui analysaient l'art canadien en termes spiritualistes. En 1927, un ami intime de Harris, Bertram Brooker, influencé par la recherche spirituelle et esthétique de Wassily Kandinsky, est le premier artiste canadien à exposer de l'art abstrait à Toronto.[15] Le milieu artistique de Vancouver connaît bien le *1928/29 Yearbook of the Arts* de Brooker.[16]

Le milieu artistique de Vancouver, à la fin des années 20 et au début des années 30, constitue l'endroit idéal pour le développement spirituel d'une conscience artistique. Depuis l'ouverture de la *Vancouver School of Decorative and Applied Arts* en 1925, les artistes qui désirent faire carrière envisagent de faire leurs études à Vancouver au lieu de partir pour San Francisco, Londres ou Paris. La *British Columbia Art League* est créée pour venir en aide aux artistes locaux. La *British Columbia Society of Fine Arts*, dont Emily Carr était membre fondateur en 1909, procède à une refonte de ses normes, jusque-là conservatrices, et expose des oeuvres de styles divers.[17]

L'année même où Varley et Macdonald viennent enseigner à la nouvelle école, un autre nouveau venu, le photographe et esthète John Vanderpant, établit au printemps un studio de photographie commerciale et une galerie, rue Robson, où il s'adonne à "l'art comme on le pratique photographiquement".[18] Les premières oeuvres de Vanderpant témoignent de ses affinités avec les "puristes modernes"; non seulement il

another newcomer, photographer and aesthetician John Vanderpant, established a commercial photography studio and gallery on Robson Street where he engaged in "art as practised photographically."[18] Vanderpant's early works indicate his affinity with the modern "purists"; he investigated not only the technical capabilities of the camera, but portrayed, as had the American "Precisionists," mechanical, industrial, and everyday domestic subjects in a new light.[19] A refined aesthetic dominates these images, in which familiar objects are endowed with an inordinate power, removed from the everyday context by conditions of light, texture, and atmosphere. In portraiture, Vanderpant sought the spiritual qualities of his subject. A romantic evanescence is perhaps the dominant characteristic of his captivating portrait of Jock Macdonald.[20]

Shortly after their arrival in Vancouver, Vanderpant and his wife organized the Vanderpant Musicales. One evening a week, members of the art school gathered to listen to Vanderpant's extensive record collection and to discuss current artistic concerns. The primary topics of discussion were the spiritual essence of art and the artists' search for the "universal centre." In an article in the 1928 edition of *The Paintbox*, Vanderpant suggested that:

"The infinite qualities of art cannot be explained by starting on a material base, but matter may be dematerialized by accepting infinite axioms. . . . If one has established through reason and analysis firm contact of one's individual mentality with the infinite laws of life, one has created the correct attitude essential to artistic self-expression in the material appearance of Fine Art."[21]

In 1929, the members of the Musicale sponsored a visit to Vancouver by Rabindranath Tagore, the acclaimed Indian poet and philosopher. Tagore lectured about "man's personal world of reality in

---

explore les possibilités techniques de l'appareil mais encore il présente sous un jour nouveau des sujets mécaniques, industriels et quotidiens comme l'ont fait les *Precisionists* américains.[19] Une esthétique raffinée domine ces images où des objets familiers acquièrent une puissance jusque-là inégalée, isolés de leur contexte journalier grâce à des effets d'éclairage, de texture et d'atmosphère. Dans ses portraits, Vanderpant vise à exprimer la qualité spirituelle de son sujet. Il a fait un portrait captivant de Jock Macdonald dont l'évanescence romantique est peut-être le trait dominant.[20]

Peu après leur arrivée à Vancouver, Vanderpant et sa femme organisent les *Vanderpant Musicales*. Un soir par semaine, des membres de l'école des beaux-arts vont écouter quelques-uns des nombreux disques que possèdent les Vanderpant et discutent des questions artistiques du jour. Les principaux sujets de conversation sont l'essence spirituelle de l'art et le cheminement de l'artiste vers le "centre universel". Vanderpant écrit dans l'édition de 1928 de *The Paintbox*:

"Les qualités infinies de l'art ne peuvent s'expliquer à partir d'une base matérielle, mais on peut dématérialiser la matière en acceptant des axiomes infinis . . . Celui qui aura, par la raison et l'analyse, établi un contact solide entre son mode de pensée personnel et les lois infinies de la vie aura créé la bonne attitude essentielle à l'expression artistique individuelle manifestée dans les beaux-arts."[21]

En 1929, les membres de la *Musicale* invitent à Vancouver le célèbre poète et philosophe indien Rabindranath Tagore. Celui-ci parle à son public de la "perception individuelle de la réalité de chaque homme dans laquelle il se révèle à lui-même dans sa propre lumière, lumière comportant plusieurs rayons d'émotions visibles et invisibles".[22] Le domaine spirituel est l'un des sujets de conversation favoris des artistes de Vancouver.[23]

En 1932, Harry Täuber, décorateur de théâtre et costumier, arrive à Vancouver. Il accentue la propension de Macdonald au spirituel. Täuber a étudié chez Josef Hoffman à Vienne et a été le premier décorateur du *Burg Theatre*, théâtre viennois impérial et du *Deutsche Volks Theatre* à

which he is revealed to himself in his own light, the light that has numerous rays of emotions visible and invisible."[22] Spiritual auras had become a popular subject of conversation among Vancouver artists.[23]

In 1932, Harry Täuber, a stage and costume designer, arrived in Vancouver. He was to quicken Macdonald's impulse towards the spiritual. Täuber had studied with Josef Hoffman in Vienna and had worked as the first stage designer for the Viennese Imperial "Burg Theatre" and the Deutsche Volks Theatre in Vienna, Budapest and Berlin.[24] Täuber soon became a popular figure on the Vancouver scene, giving classes in a wide range of subjects. He taught yoga, meditation, and eurythmics – methods of integrating the physical and the spiritual self in the search for higher knowledge.[25]

Täuber lectured frequently on spiritualism, stressing the need to transcend the physical world and to seek an understanding of the laws of the universe. An anthroposophist, he held that materialism separated man from the one eternal truth. Täuber's philosophic and religious concerns were echoed in Macdonald's search for unity with cosmic reality.

The Vancouver scene in the late twenties and early thirties might be summed up in the words of Jack Shadbolt, who later recalled Varley's advice, to "forget anything not mystical."[26]

Vienne, Budapest et Berlin.[24] Täuber devient rapidement un personnage familier du milieu artistique de Vancouver, donnant des cours dans une grande variété de disciplines. Il enseigne le yoga, la méditation et l'eurythmie, méthode visant à intégrer l'individualité physique et spirituelle à la recherche d'un savoir supérieur.[25]

Täuber aborde souvent le domaine spirituel dans ses cours, insistant sur la nécessité de transcender le monde physique pour chercher à comprendre les lois de l'univers. Anthroposophe, il prétend que le matérialisme éloigne l'homme de la vérité éternelle. Les croyances philosophiques et religieuses de Täuber trouvent leur écho dans le cheminement de Macdonald vers l'unité avec la réalité cosmique.

L'atmosphère du milieu artistique de Vancouver, à la fin des années 20 et au début des années 30, peut être résumée dans le conseil de Varley, repris plus tard par Jack Shadbolt: "Oubliez tout ce qui n'est pas mystique."[26]

While exploring his new theories on canvas, Macdonald continued to teach at the VSDAA, but by 1933 there were disturbing rumbles of discontent. Strongly traditional, the school offered little scope for the heightened vision of men like Varley and Macdonald. In these Depression years, Charles Scott, the principal, decided that restricted funds necessitated reduced salaries for his staff; Varley and Macdonald rebelled.[1] On 25 May 1933, they announced the imminent birth of their own enterprise.[2]

On 11 September 1933, the British Columbia College of Arts opened at 1233-39 West Georgia, in Vancouver, "a marvellous place – an old car showroom . . . all fitted up most beautifully [with] Music, etc."[3] Varley was the president, Macdonald vice-president, and Täuber second vice-president. The staff included three former pupils from the VSDAA: Beatrice Lennie taught sculpture, Vera Weatherbie drawing, and Margaret Williams design.[4]

The school was dedicated "to drawing together from east and west the powerful forces of the art world and to welding them together on the British Columbia Coast."[5] Its curriculum was interdisciplinary; distinctions between art, theatre, and music blurred. Varley directed the traditional fine-arts elements of drawing, painting, portraiture, mural decoration, and book illustration. Macdonald, as head of design, oversaw industrial design, commercial advertising, colour theory, and wood carving; in addition, he was responsible for initiating children's art classes, a task that was to interest him for years after the college closed its doors.[6] Täuber, whose calling card read, "Harry Täuber, Exponent of Modern Art," taught architecture, theatre arts, and art and metaphysics.[7] He brought with him from Europe not only accounts of recent theatrical developments in Europe and a keen interest in the metaphysical – but also knowledge of the most current abstract movements: he taught "cubismus," "kineticis-

Tout en essayant ses nouvelles théories sur toile, Macdonald continue d'enseigner à la VSDAA, mais en 1933 on commence à sentir un mécontentement sourd. Profondément traditionnelle, l'école n'offre que peu de champ d'action à la largeur de vision d'hommes tels que Varley et Macdonald. Pendant ces années de crise économique, Charles Scott, directeur de l'école, décide de réduire les salaires de son personnel à cause du manque de fonds; Varley et Macdonald s'opposent à cette mesure.[1] Le 25 mai 1933, ils convoquent une assemblée dans l'auditorium de l'école pour annoncer la naissance imminente de leur propre école.[2]

Le *British Columbia College of Art* ouvre ses portes le 11 septembre 1933 aux 1233-39 ouest, rue Georgia à Vancouver, "un endroit merveilleux, une ancienne salle d'exposition de voitures . . . l'endroit a été très bien rénové, avec musique, etc."[3] Varley est président, Macdonald, vice-président, et Täuber, vice-président adjoint. Le personnel enseignant comprend trois anciens élèves de la VSDAA: Beatrice Lennie pour la sculpture, Vera Weatherbie pour le dessin et Margaret Williams pour le design.[4]

L'école a pour objectif de "rassembler sur la côte du Pacifique les forces vives du monde artistique de l'Est et de l'Ouest et d'en réaliser la fusion".[5] Le programme de l'école est pluridisciplinaire; on ne fait pas de distinction entre les beaux-arts, le théâtre et la musique. Varley dirige les disciplines traditionnelles des beaux-arts que sont le dessin, la peinture, le portrait, la décoration murale et l'illustration. Macdonald, directeur du design, a la responsabilité générale du design industriel, de la publicité, de la théorie de la couleur et de la sculpture sur bois; il se charge de plus d'organiser des classes d'art pour les enfants, tâche qui continue de l'intéresser de nombreuses années après la fermeture de l'école.[6] Täuber, dont la carte de visite se lit comme suit: "Harry Täuber, promoteur de l'art moderne", enseigne l'architecture, l'art théâtral, l'art et la métaphysique.[7] Il apporte d'Europe non seulement des comptes rendus des derniers développements dans le domaine du théâtre et un intérêt marqué pour la

mus," "vorticismus," and Russian constructivism.[8]

Metaphysics pervaded discussions inside and outside the classroom. Macdonald and Täuber organized a lecture series about Rudolf Steiner and anthroposophy. Täuber's theatre-arts class emphasized the "philosophical and religious aspects of puppetry,"[9] and recommended readings included theosophical and anthroposophical texts to promote "the understanding of certain class subjects."[10] It is likely that Täuber introduced Macdonald to the writings of Oswald Spengler, the German philosopher of history. In *The Decline of the West*, Spengler held that the key to history is the cyclic rise and fall of societies and civilizations. Using speculation and insight rather than historical methodology, he examined the interrelationship of the arts and suggested that to understand a society, one must know the theories of mathematics and science – a notion that appealed strongly to Macdonald, who was to look to mathematical and scientific discoveries for guidance in the formulation of his own artistic style.

Macdonald also became familiar with the writing of P.D. Ouspensky, whose vision brought together the spiritual, philosophic, and artistic concerns of the era. Perhaps it was Lawren Harris who had directed Macdonald's attention to Ouspensky. Harris had written:

"If anyone is not satisfied with the usual statement that art is merely an adornment of life, or is concerned with the creation of entirely fictitious happy and remote worlds . . . let him read *Tertium Organum*. For here at last we have given us a reasoned, spiritual basis for our conviction that art is the beginning of wisdom into the realm of eternal life."[11]

Tertium Organum (1912), in which Ouspensky described his theories, became a special resource text for Macdonald.[12] Ouspensky was deeply preoccupied with the problems of man's existence,

---

métaphysique, mais aussi une connaissance des mouvements abstraits les plus récents; il enseigne le cubisme, le cinétisme, le vorticisme et le constructivisme russe.[8]

La métaphysique s'infiltre dans les discussions pendant et après les classes. Macdonald et Täuber organisent une série de conférences sur Rudolf Steiner et l'anthroposophie. Le cours d'art théâtral de Täuber souligne l'importance des "aspects philosophiques et religieux de l'art de la marionnette"[9] et les lectures recommandées comprennent des textes théosophiques et anthroposophiques visant à favoriser "la compréhension de certains sujets enseignés".[10] Il est probable que Täuber ait fait connaître à Macdonald les écrits d'Oswald Spengler, philosophe allemand de l'histoire. Dans *Decline of the West*, Spengler soutient que la clé de l'histoire est le cycle de l'apogée et du déclin des sociétés et des civilisations. Par spéculation et intuition plutôt que par méthodologie historique, il examine les rapports unissant les arts et prétend que pour comprendre une société il faut d'abord connaître les théories mathématiques et scienti-fiques. Cette notion séduit Macdonald qui se tournera vers les découvertes mathématiques et scientifiques pour trouver le fil conducteur dont il a besoin dans la formulation de son propre style artistique.

Macdonald se familiarise également avec les ouvrages de P.D. Ouspensky, dont les théories font la synthèse des préoccupations spirituelles, philosophiques et artistiques de l'époque. C'est peut-être Lawren Harris qui a attiré l'attention de Macdonald sur cet auteur. Harris a écrit:

"Quiconque refuse de souscrire à la croyance populaire voulant que l'art ne soit là que pour orner la vie, quiconque s'intéresse à la création de mondes entièrement fictifs, heureux et lointains . . . devrait lire *Tertium Organum*. Dans cet ouvrage, nous trouvons enfin une base spirituelle et raisonnée à notre conviction que l'art est le commencement de la sagesse dans le royaume de la vie éternelle."[11]

Tertium Organum (1912), dans lequel Ouspensky expose ses théories, devient un ouvrage de

and his mixture of mathematical theory and spiritual precepts appealed particularly to Macdonald, who had always been concerned with the mathematical structure of nature and art.[13] Elaborating upon contemporary scientific and mathematical discoveries, particularly the significance of the theory of relativity, which, he believed, could explain the most enigmatic problems of life, Ouspensky quoted the theories of Hermann Minkowski, who had given mathematical form to the special relativity theory that demanded consideration not only of height, length, and breadth but of time – the fourth dimension.[14] The concept of the fourth and ultimately the fifth and sixth dimensions came to preoccupy Macdonald's thoughts during these years.[15] The question of space and time was, he felt, the major concern of the twentieth-century artist.[16]

Macdonald found substantiation of Ouspensky's and Minkowski's theories in *The Mysterious Universe* by Sir James Jeans.[17] A scientist who published on molecular behaviour, Jeans wrote that all creation is an expression of thought and that the visible world is an illusion.[18] In his own notes, excerpted from "Science and the Infinite" by Sydney Klein, Macdonald explored this question in great depth and wrote, "It is the Invisible which is Real [and] the visible is only its shadow or its manifestation in the Physical Universe."[19]

Ultimately, Ouspensky insisted, we must accept the universe as "thought and consciousness" rather than matter, for matter, which is finite, is but an illusion in an infinite world. Knowledge of the existence of this invisible world is the key to understanding the otherwise incomprehensible forces and relationships that control our universe: according to Kant, we know merely the form of the world – the phenomena; the "world-in-itself" – the noumena – we do not know.[20] Macdonald wrote, "Reality has all its multitudinous manifestations, every noumenon its phenomenon in the

---

référence favori pour l'artiste.[12] Ouspensky porte un vif intérêt aux problèmes de l'existence humaine. Son mélange de théorie mathématique et de préceptes spirituels séduit Macdonald qui s'intéresse depuis toujours à la structure mathématique de la nature et de l'art.[13] À partir des découvertes scientifiques et mathématiques contemporaines, surtout la théorie de la relativité dont le sens selon lui peut expliquer les problèmes les plus énigmatiques de la vie, Ouspensky cite les théories de Hermann Minkowski qui a donné une forme mathématique à la théorie spéciale de la relativité qui fait appel non seulement à la hauteur, à la longueur et à la profondeur, mais aussi au temps, la quatrième dimension.[14] Le concept de la quatrième, puis des cinquième et sixième dimensions finit par occuper une place prépondérante dans les pensées de Macdonald pendant ces années.[15] À son avis, la question de l'espace et du temps est la préoccupation principale de l'artiste du XXᵉ siècle.[16]

Macdonald découvre des preuves à l'appui des théories d'Ouspensky et de Minkowski dans *The Mysterious Universe* de Sir James Jeans.[17] Homme de science, auteur d'ouvrages sur le comportement moléculaire, Jeans écrit que la création représente l'expression de la pensée et que le monde visible est une illusion.[18] Dans ses notes personnelles, extraites de *Science and the Infinite* de Sydney Klein, Macdonald étudie attentivement cette question et écrit: "C'est l'invisible qui est le réel (et) le visible n'en est que l'ombre ou la manifestation dans l'univers physique."[19]

Finalement, insiste Ouspensky, on doit accepter l'univers comme "pensée et conscience" plutôt que comme matière, car la matière, qui est finie, n'est qu'une illusion dans un monde infini. Seule la connaissance de l'existence de ce monde invisible nous permet de comprendre les forces et les rapports contrôlant notre univers. Selon Kant, nous ne connaissons que la forme du monde, le phénomène; nous ne connaissons pas le "monde en soi", le noumène.[20] Macdonald écrit que "la réalité a d'innombrables manifestations et que chaque noumène a son phénomène dans l'univers physique".[21]

physical universe."[21]

In *Tertium Organum*, Ouspensky stressed that the noumenal world cannot be comprehended in the same way as the phenomenal world. The phenomenal represents the finite expression of a thing; but the world of noumena cannot be three-dimensional and cannot have form. To represent on canvas the world of causes, the world in which "everything must be alive, because it is life itself . . . [in which] the mystery of time penetrates all and the mystery of thought creates all and speaks of the mystery of infinity – the greatest of all mysteries"[22] – that was the goal Macdonald established for his art.

The method of achieving this goal was spelled out by Ouspensky, who wrote that the dimensions of time and space correspond with the levels of consciousness. Interpreting the fourth dimension as the "fourth form of the manifestation of consciousness – the intuitional," a form of "cosmic consciousness," Ouspensky wrote that when man reaches this stage he perceives not only the spatial sensation of time but the logic of the unity of All. With self-awareness come new sensations, higher emotions and, ultimately, direct knowledge of the universe and cosmic consciousness.[23] With heightened perception, man can achieve a mystic knowledge that imparts the sensation of the immateriality of the phenomenal visible world and an awareness of the hidden substance of things. Ultimately, he may attain inner unity and harmony with the universe.[24]

Popular among the Vancouver artistic community during the thirties, Ouspensky's theories gave direction to several artists. In 1935, in a lecture series sponsored by the British Columbia College, Harry Täuber addressed his audience on the topic of heightened perception in a lecture titled "Fourth Dimension Sight: How Man's Consciousness Develops."[25]

It is clear, from an unpublished lecture titled "Art in Relation to Nature," which he first

---

Dans *Tertium Organum*, Ouspensky insiste sur le fait que le monde nouménal ne peut se comprendre de la même manière que le monde phénoménal. Le phénoménal représente l'expression limitée d'une chose; quant au monde du noumène, il ne peut exister en trois dimensions ni avoir de forme. L'objectif que Macdonald souhaite atteindre dans son art consiste à représenter sur la toile le monde des causes, le monde dans lequel "tout doit être vivant, parce qu'il s'agit de la vie elle-même . . . (dans laquelle) le mystère du temps pénètre toute chose et où le mystère de la pensée crée toute chose et révèle le mystère de l'infini, le plus grand de tous les mystères".[22]

Ouspensky expose la marche à suivre pour atteindre ce but, en expliquant que le temps et l'espace correspondent aux niveaux de la conscience. Ouspensky interprète la quatrième dimension comme étant la "quatrième forme de la manifestation de la conscience, l'intuitif", une forme de "conscience cosmique" et écrit que lorsque l'homme atteint ce niveau, il perçoit non seulement la sensation spatiale du temps mais aussi la logique de l'unité de toute chose. La conscience du moi apporte de nouvelles sensations, des émotions plus vives et, finalement, une connaissance directe de l'univers et une conscience cosmique.[23] Avec une perception plus aiguë, l'homme accède à une connaissance mystique qui lui procure la sensation de l'immatérialité du monde phénoménal visible et une conscience de la substance cachée des choses. Il pourra finalement atteindre l'unité intérieure et l'harmonie avec l'univers[24].

Les théories d'Ouspensky sont populaires dans le milieu artistique de Vancouver pendant les années 30 et guident plusieurs artistes. En 1935, dans une série de conférences organisées par le *British Columbia College*, Harry Täuber parle de la question du raffinement de la perception dans une conférence intitulée: *Fourth Dimension Sight: How Man's Consciousness Develops*.[25]

Une conférence inédite intitulée *Art in Relation to Nature*, donnée par Macdonald en février 1940, indique clairement qu'il voit en Ouspensky un maître philosophique.[26] Il cite des passages de

delivered in February 1940, that Macdonald had recognized in Ouspensky a philosophic mentor.[26] In "Art in Relation to Nature," Macdonald quoted from *Tertium Organum* as well as from Blavatsky, the theosophists, Jeans, Minkowski, and other thinkers of consequence.

In his lecture, Macdonald also referred to the theories of Jay Hambidge, the author of *Dynamic Symmetry*, who undertook a comparative study of the basis of design in nature and in art.[27] Hambidge had concluded that there were two types of symmetry or proportion: static and dynamic. It was the active or dynamic form that excited Macdonald as it excited the author. Macdonald began to experiment with this mathematical system of composition, which was based on the relationship of the diagonal to the sides of the rectangle. His own writing reveals the enthusiasm with which he accepted Hambidge's conclusions:

"The secret of the relationship of structural form throughout all nature was rediscovered by . . . Hambidge. When the great masterpieces were examined compositionally by the test of dynamic symmetry it was found that they fitted the test exactly."[28]

During the thirties, Macdonald wrestled with issues of spiritual and of formal concern to the painter. The beliefs articulated in "Art in Relation to Nature" in 1940 were to form the artist's credo for the rest of his life.

His task would be to synthesize the concepts he had formulated and to translate his vision into plastic expression. The steps taken in *In the White Forest* and *The Black Tusk* would prove to be only the first in Macdonald's lifelong quest for abstract expression.

In 1934, Macdonald began a series of experiments intended to allow him to comprehend colour better. According to an artist and friend, Gerald Tyler, colour "was bothering him," so

---

Tertium Organum ainsi que de Blavatsky, des théosophes, de Jeans et de Minkowski ainsi que d'autres penseurs importants.

Macdonald fait également allusion dans cette conférence aux théories de Jay Hambidge, auteur de *Dynamic Symmetry*, qui a entrepris une étude comparative des bases du dessin dans la nature et en art.[27] Hambidge conclut qu'il existe deux genres de symétrie ou de proportion: statique et dynamique. La forme active ou dynamique est celle qui retient le plus l'attention de l'auteur et de Macdonald. Ce dernier se met à faire des expériences à l'aide du système mathématique de composition basé sur les rapports de la diagonale avec les côtés du rectangle. Macdonald rapporte dans ses écrits l'enthousiasme avec lequel il accepte les conclusions de Hambidge:

"Le secret des rapports de la forme structurale dans toute la nature a été redécouvert par . . . Hambidge. Si l'on étudie la composition des grands chefs-d'oeuvre en ayant recours à la symétrie dyna-mique, on se rend compte qu'ils correspondent à ce qui est avancé dans le texte."[28]

Pendant les années 30, Macdonald se débat avec les problèmes de l'esprit et de la forme qui préoccupent tous les peintres. Les croyances énoncées dans *Art in Relation to Nature* en 1940 allaient constituer le credo de l'artiste pendant le reste de sa vie.

Il lui reste à effectuer la synthèse des concepts qu'il a formulés et à traduire sa vision en une expression plastique. Les étapes parcourues dans les tableaux intitulés *Dans la forêt blanche* et *la Défense noire* ne sont que les premières dans la recherche d'une expression abstraite qui allait durer jusqu'à sa mort.

En 1934, Macdonald entreprend une série d'expériences destinées à lui procurer une meilleure compréhension de la couleur. Selon un artiste ami de Macdonald, Gerald Tyler, la couleur "le gêne", aussi Macdonald décide-t-il de se livrer à un exercice, en compagnie de ceux qui partagent son studio, au cours duquel il travaille à partir de natures mortes aux arrangements floraux. Les artistes "doivent observer une partie de l'arrange-ment et le rendre très abstraitement".[29] Il ne fait

Macdonald set up an exercise whereby he and others who shared the studio would work from a still-life arrangement of flowers. They would "look at a patch of them and deal with them quite abstractly."[29] No doubt Macdonald had in mind Kandinsky's theory that colour harmonies could be constructed without reference to natural forms.[30]

By magnifying a flower and by painting only parts of it, Macdonald broke with fidelity to representation and freed himself to experiment with colour. Former students recall that Macdonald referred them to Amédée Ozenfant's *Foundations of Modern Art*, in which Ozenfant had written:[31]

"A flower is no longer one of nature's smiles ... but magnetic waves directed along certain axes, so rapid that they become matter, colour."[32]

Two paintings survive from this time, a small oil sketch and a larger canvas titled *Formative Colour Activity* (1934). The panel sketch is composed of a central flower image with a series of undulating green areas rising diagonally from the lower right corner of the painting. The unique aspect of this semi-abstract design lies in the application of paint in finely radiating brush strokes to create a pulsating colour effect about the central image, suggesting not only the petals of a flower but a halo or aura. Colours were selected intuitively without specific reference to the actual subject. This work was only a study, and there are several very awkward passages that graphically illustrate Macdonald's struggle to tie the image to the two-dimensional surface.

Macdonald clearly recalled the creation of the canvas *Formative Colour Activity* (1934), his first semi-abstract painting:

"I sold my first automatic oil canvas in 1933 [actually 1934], I believe to a Mr. Howeiss – Librarian of the University of British Columbia.

---

pas de doute que Macdonald pense à la théorie de Kandinsky selon laquelle on peut établir des harmonies de couleur sans avoir recours à des images reconnaissables.[30]

En agrandissant une fleur ou en n'en peignant qu'une partie, Macdonald rompt avec la fidélité de l'art figuratif et se libère pour expérimenter avec la couleur. Ses anciens étudiants racontent qu'il leur recommandait la lecture d'*Art* (1934) d'Amédée Ozenfant où l'auteur déclare:[31]

"Une fleur n'est plus un sourire de la nature ... mais des ondes magnétiques orientées suivant des axes, et si rapides qu'elles deviennent matière, couleur."[32]

Deux tableaux nous sont parvenus de cette époque, une petite esquisse à l'huile et un tableau plus grand intitulé *Composition chromatique* (1934). L'esquisse sur bois se compose d'une image florale centrale accompagnée d'une série de surfaces vertes ondulantes montant en diagonale du coin inférieur droit du tableau. La particularité de ce dessin semi-abstrait réside dans l'application de coups de pinceau très délicats sous forme de rayonnement créant un effet de couleur en pulsation autour de l'image centrale, ce qui tient lieu non seulement de pétales de fleur, mais aussi de halo ou d'aura. Les couleurs ont été choisies intuitivement plutôt que selon la réalité du sujet choisi. Cette oeuvre n'est qu'une étude, si bien qu'elle comporte plusieurs maladresses qui illustrent graphiquement les difficultés éprouvées par Macdonald à rattacher l'image à une surface bidimensionnelle.

Macdonald se souvient clairement de la création de la toile *Composition chromatique* (1934), son premier tableau semi-abstrait:

"J'ai vendu ma première oeuvre automatique à l'huile en 1933 (en réalité en 1934). Je crois que c'est à un certain M. Howeiss, bibliothécaire à l'Université de la Colombie-Britannique. Ce tableau était unique, c'est la raison pour laquelle il l'acheta. Je le lui ai laissé pour quarante dollars, parce que j'étais profondément ravi que quelqu'un l'aime assez pour l'acheter. On l'avait exposé à la *Vancouver Art Gallery*. L'oeuvre suggérait des

He bought it because it was so unique and I let him have it for forty dollars as I was so elated to find someone who liked it well enough to want to buy it. It was exhibited at the Vancouver Art Gallery. . . . The idiom suggested flowers. At that time I was interested in colour and had been, for some time, carefully observing colour in flowers and plants. But I created the canvas with no preconceived planning. I drew nothing on the canvas. I just started off with pure vermilion. Well do I remember doing it. I painted the canvas from beginning to end without stopping to eat. I was in an ecstasy and was pale and exhausted but terribly exhilarated when I finished."[33]

Like the sketch, the painting does not seem particularly startling today. However, in spite of the decorative aspects that first impress the viewer, it becomes apparent that Macdonald was in fact searching for a statement of basic principles rather than representation. The floral image is extended

Flower Study, c.1934
Oil on board
45.3 x 37.9 cm
Private Collection,
Vancouver

---

fleurs. À cette époque, je m'intéressais à la couleur et j'avais, pendant un certain temps, observé soigneusement la couleur des fleurs et des plantes. Mais j'ai créé le tableau sans idée préconçue, ne dessinant rien sur la toile. J'ai simplement commencé avec du vermillon pur. Je me rappelle fort bien comment je m'y suis pris! J'ai peint le tableau du début à la fin sans m'arrêter pour manger. J'étais en extase, pâle et épuisé mais fou de joie après l'avoir terminé."[33]

Tout comme l'esquisse, le tableau n'a rien de surprenant aujourd'hui. Néanmoins, en dépit des aspects décoratifs qui sautent d'abord aux yeux, on se rend compte que Macdonald ne veut pas faire du figuratif, mais qu'il est en fait à la recherche d'une déclaration de principes fondamentaux. L'image florale est agrandie visuellement, si bien que la couleur semble déterminer la forme.

Bea Lennie raconte que le tableau a été peint un samedi alors que la famille de Macdonald était à l'extérieur de la ville. Ce soir-là, Macdonald entra en coup de vent chez elle en s'écriant: "Je pense que

Etude de fleur, vers 1934
Huile sur bois
45,3 x 37,9 cm
Collection particulière,
Vancouver

Formative Colour Activity,
1934
Oil on canvas
77.2 x 66.4 cm
National Gallery of Canada,
Ottawa

Composition chromatique, 1934
Huile sur toile
77,2 x 66,4 cm
Galerie nationale du Canada,
Ottawa

visually, and thus it is colour that seems to determine the definition of form.

Bea Lennie remembered that this work was painted on a Saturday when Macdonald's family was out of town. That evening Macdonald rushed into her house shouting, "I must be daft," and looking for reassurance that he wasn't.[34] Macdonald's own excitement and amazement at his creation signify the barrier that he had broken in its actualization.

In the application of pure colour without concern for accurate representation, the artist turned to the spirit of nature rather than the representation of a specific image. As Charles Hill observed about John Vanderpant:

"Viewing the flower or the interior of a plant with the human eye, camera, or microscope [the artist] perceived similar patterns of rhythm and design in varying dimension. Even the atoms that made up the plant moved in certain patterns as if responding to some law or purpose . . . the law of the microcosm was the law of the macrocosm and this law, since it was beyond physical observation of matter was comprehensible only through mental precepts."[35]

Formative Colour Activity is very much a designed painting. Flat and somewhat patterned in appearance, it does not yet speak fully of the artist's purpose. Yet in its intent, its echoes of Ouspensky's desire to find unity with nature's laws, it represents a key to Macdonald's future investigations.

---

j'ai perdu la boule", semblant lui demander de l'assurer du contraire.[34] L'excitation et la surprise de Macdonald provoquées par sa création témoignent de l'étape qu'il vient de franchir dans sa carrière.

En appliquant la couleur pure sans se soucier de l'exactitude de l'image, l'artiste s'intéresse à l'esprit de la nature plutôt qu'à la représentation d'un sujet spécifique. Comme l'observe Charles Hill au sujet de John Vanderpant:

"Lorsqu'il observe une fleur ou l'intérieur d'une plante, à l'oeil nu, à l'aide de la photographie ou du microscope, (l'artiste) perçoit des schémas semblables de rythmes et de dessins de diverses dimensions. Même les atomes formant la plante se déplacent d'une manière déterminée comme s'ils répondaient à quelque loi ou intention . . . La loi du microscope, (l'artiste) perçoit des schémas semblables de rythmes et de dessins de diverses matière, ne devient compréhensible qu'à l'aide d'un processus intellectuel."[35]

Composition chromatique est une peinture qui se ressent de la formation de dessinateur sur tissu de Macdonald. Elle est dépourvue de profondeur et présente une certaine régularité de motifs. Elle n'exprime pas encore complètement les intentions de l'artiste, mais dans ses grandes lignes, elle se fait l'écho du désir qu'éprouve Ouspensky de découvrir l'unité des lois de la nature. Ce tableau constitue la clé des recherches ultérieures de Macdonald.

Painted in a moment of high energy at the British Columbia College of Art, *Formative Colour Activity* reflects Macdonald's initial attempt to create a visual analogue for the ideas that had begun to obsess him. External circumstances, however, were not to allow him the freedom required for continued experimentation.

Depression-era finances afflicted the college; student fees alone could not support the young school, and only the VSDAA was eligible for government support. Despite financial assistance from friends and supporters, the college barely survived. Gerald Tyler recalls Macdonald, shovel in hand, clearing the roof of the school, fearful that it might collapse under the weight of the snow.[1] In August of 1935, a personal letter from Macdonald announced that the school would not reopen.[2] Macdonald bore the responsibility for settling accounts and ensuring that the school closed "with no bad odour."[3] Several years later, after visiting the Chouinard Art School in San Francisco and the

Arts Center in Los Angeles, he was to write that he "felt quite definitely that the British Columbia College of Art was truly offering something much finer. The failure of financial support to our efforts there is a tragedy today as it was at the time we had to pull out."[4] With the closing of the school, Macdonald sought an opportunity to rethink his future.

In the summer of 1935, Macdonald, his wife, and daughter set sail on the *S.S. Maquinna* for the remote Indian community of Nootka.[5] Unable to locate the trail to the piece of land originally reserved through government agents in Victoria, they set up residence in an abandoned cabin on a lagoon property about three miles from the Indian settlement of Friendly Cove.[6] In 1935, Macdonald painted *Russian Hermit's Cabin*, in which he portrayed a cabin flanked by garden plots. It was in this derelict cabin with its sloping floors and leaking roof that the Macdonalds camped.[7] Later, they obtained permission to cultivate this land, and

Macdonald peint *Composition chromatique* au *British Columbia College of Art* à une époque où il est plein de vitalité. Cette toile représente sa première tentative en vue de donner une forme visuelle aux idées qui commencent à l'obséder. Certaines circonstances extérieures ne lui offrent toutefois pas la liberté nécessaire pour poursuivre ses recherches.

Le manque d'argent qui sévit pendant la Dépression se fait sentir à l'école; les seuls frais d'inscription des étudiants ne suffisent pas à payer les frais de l'école, et seule la VSDAA a droit aux subsides du gouvernement. En dépit de l'aide financière de ses amis et bienfaiteurs, l'école survit à peine. Gerald Tyler se souvient de Macdonald qui, pelle en main, nettoyait le toit de l'école pour l'empêcher de s'effondrer sous le poids de la neige.[1] En août 1935, une lettre signée par Macdonald annonce que l'école ne rouvrira pas ses portes.[2] Macdonald est chargé de payer les dettes et de voir à ce que l'école ferme "sans que cela ait l'air louche".[3] Des années plus tard, après avoir visité la *Chouinard Art School* à San Francisco et l'*Arts Centre*

à Los Angeles, il écrit qu'il a "très nettement l'impression que le *British Columbia College of Arts* a vraiment offert un bien meilleur enseignement. Le fait que nos efforts n'ont pas été soutenus par une aide financière constitue une tragédie aujourd'hui, comme ce fut le cas lorsque nous avons dû fermer les portes."[4] L'école fermée, Macdonald en profite pour repenser à son avenir.

Pendant l'été de 1935, Macdonald, sa femme et sa fille s'embarquent sur le *S.S. Maquinna* à destination de la communauté indienne de Nootka, située dans une région assez éloignée.[5] Incapables de trouver le sentier conduisant au terrain qu'ils ont réservé par l'entremise de fonctionnaires à Victoria, ils s'installent dans une cabane abandonnée sur une lagune située à environ trois milles du village indien de Friendly Cove.[6] En 1935, Macdonald peint *la Cabane de l'ermite russe,* représentant une cabane entourée de potagers. Les Macdonald s'installent dans cette cabane abandonnée aux planchers vermoulus et dont le toit coule.[7] Ils obtiennent par la suite l'autorisation de cultiver la terre, ce qui leur permet d'avoir occasionnellement

Russian Hermit's Cabin,
Maquinna Point, Nootka, 1935
Oil on panel
29.2 x 36.8 cm
R.A.H. Lort

Cabane de l'ermite russe,
Maquinna Point, Nootka, 1935
Huile sur bois
29,2 x 36,8 cm
R.A.H. Lort

it occasionally provided vegetables for their table.[8] Harry Täuber, who sailed to Nootka with them, described the setting shortly after his arrival:

"It is an ideal beauty in the natural environment out here, and most inspiring . . . to deep thinking and dreaming about life reformations. . . . There is quite an interesting Indian settlement here in Friendly Cove and poles and figure remains and a burial grotto.[9]"

The group brought with them tents, saws, axes, and other basic provisions.[10] Täuber described their situation as one of "being thrown back into the Wood-age (previous to the Stone-age)."[11]

In his rowboat, weather permitting, Macdonald regularly journeyed the three miles to Nootka to pick up provisions and mail and to visit with his friends who kept the lighthouse there. He said later that the two years in Nootka had taught him to climb waves instead of mountains.[12] It was a tough life but enjoyable and in some ways idyllic. Although they existed at a subsistence level, "living was cheap and money went far."[13]

Contrary to previously published accounts, Nootka represented not an escape from poverty and disgrace but an opportunity to renew contact with nature and to seek the stimulation for revitalized artistic activity.[14] Macdonald's Nootka land- and seascapes remain as a record of these years. The sometimes hostile environment provided daily inspiration and constant challenge. *Graveyard of the Pacific* (1935) incorporates the violence of the ocean as it beat against the huge, free-standing rocks off shore. Gerald Tyler recalls Macdonald's description of the water's force: so dramatic were the waves that on occasion the artist's palette and picture were covered with sand.[15]

The autobiographical *Pacific Ocean Experience* (c. 1935), also titled *Pacific Ocean Fishing in My Nine Foot Boat*, portrays the artist, a tiny, central

---

des légumes frais.[8] Harry Täuber, qui les a accompagnés sur le bateau à Nootka, décrit ainsi l'endroit peu de temps après son arrivée:

"On retrouve ici une beauté idéale dans un environnement naturel où l'on se sent très inspiré . . . apte à réfléchir sérieusement et à rêver à la transformation de la vie . . . Il y a un village indien très intéressant à Friendly Cove et on y trouve encore des totems, des restes de sculptures et une grotte servant de lieu de sépulture."[9]

Le groupe transporte des tentes, des scies, des haches et les provisions essentielles.[10] Täuber décrit leur situation comme "un retour à un âge du bois (antérieur à l'âge de la pierre)".[11]

Lorsque le temps le permet, Macdonald parcourt régulièrement en canot les trois milles qui le séparent de Nootka pour aller y chercher des provisions et le courrier. Par la même occasion, il rend visite à des amis qui gardent le phare. Il déclarera plus tard que ses deux années à Nootka lui ont appris à surmonter des vagues plutôt que d'escalader des montagnes.[12] La vie est dure mais plaisante; certains aspects en sont même idylliques. Le groupe a tout juste de quoi vivre, mais "la vie était peu chère et on obtenait beaucoup pour son argent".[13]

Contrairement aux comptes rendus publiés précédemment, le séjour à Nootka ne représente ni un moyen d'échapper à la pauvreté ni une disgrâce, mais une occasion de reprendre contact avec la nature et de trouver la stimulation nécessaire à une activité artistique revivifiée.[14] Les paysages et les marines exécutés à Nootka par Macdonald constituent un témoignage de ces années. L'environnement parfois hostile offre à l'artiste une inspiration quotidienne et un défi constant. *Cimetière du Pacifique* (1936) exprime la violence de l'océan qui vient frapper les immenses rochers au large de la côte. Gerald Tyler se souvient de la manière dont Macdonald décrit la force des eaux: les vagues étaient tellement spectaculaires qu'il arrivait que la palette et le tableau de l'artiste soient recouverts de sable.[15]

Autobiographique, le tableau *Expérience de l'océan Pacifique* (vers 1935), aussi intitulé *Pêche sur*

Pacific Ocean Experience,
c.1935
Oil on panel
34.9 x 27.6 cm
Samuel and Janet Ajzenstat

Expérience de l'océan Pacifique,
vers 1935
Huile sur bois
34,9 x 27,6 cm
Samuel et Janet Ajzenstat

figure enclosed in the protective mandorla of the rowboat. About him surges the rhythmically pulsating sea. The diminution of the figure emphasizes the isolation of man; but he is protected by the womb of nature that engulfs him. In fact, the strange vantage point – the viewer perceives the scene from directly above – seems intended to set the stage for this symbolic image of protective nature. As in later paintings, the composition is centripetal, and the entire composition is carefully worked.

During his stay at Nootka, Macdonald took pleasure in recording the nearby Indian village and its surroundings. A watercolour painting of the lighthouse describes in detail the topology of the Friendly Cove settlement.[16] Later translated into oil as *Lighthouse at Nootka* (1936), it is interesting as a point of departure for other landscape paintings of this period.[17]

Foreground, middle ground, and distance are linked by traditional perspectival treatment to create a strongly coherent composition. The painting presents a factual transcription of the Indian village of Nootka and the lighthouse in the distance. No distortion of colour or mood is interjected to destroy the faithfulness of the representation. This was virtually the last painting in which Macdonald served as recorder; future paintings of the Indian village reflect his artistic preoccupations with both the organization of space and the desire to imbue his paintings with his personal vision.

The verso of another small oil-on-board sketch portrays the Indian church at Friendly Cove.[18] Though the painting is more a notation than a completed composition, it is instructive to compare it with Emily Carr's 1930 oil of the same subject, for the artists shared a mutual respect for the forest of British Columbia.[19] The imagery is similar: a small, white, wooden cabin with a spire and a simple picket-fenced graveyard at its side, both engulfed in the towering trees of the

---

l'océan Pacifique dans mon bateau de neuf pieds, montre l'artiste, minuscule personnage central protégé par la mandorle du canot. Une mer houleuse aux pulsations rythmiques se déchaîne autour de lui. La petitesse de l'homme souligne l'isolement de l'être humain; mais il est toutefois protégé au sein de la nature qui l'engouffre. En fait, l'angle inusité utilisé par l'artiste, le spectateur observant la scène d'en haut, semble avoir été choisi précisément pour souligner l'aspect symbolique de la nature protectrice. Comme dans des tableaux ultérieurs, la composition est centripète et exécutée minutieusement.

Pendant son séjour à Nootka, Macdonald prend plaisir à consigner dans ses oeuvres des détails du village indien voisin et de ses environs. Une aquarelle du phare décrit en détail la topologie de l'établissement de Friendly Cove.[16] Reproduite plus tard à l'huile sous le titre de *Phare de Nootka* (1936), l'oeuvre constitue un point de départ intéressant pour d'autres paysages à l'huile de cette période.[17]

Le premier plan, le plan médian et l'arrière-plan sont reliés par la perspective traditionnelle pour créer une composition forte et cohérente. La toile présente une transcription exacte du village indien de Nootka et du phare vu de loin. Aucun changement d'atmosphère ou de couleur ne vient amoindrir l'exactitude de l'image. Cette toile est presque la dernière oeuvre exécutée par Macdonald à des fins documentaires; ses prochains tableaux du village indien reflètent ses préoccupations artistiques à la fois sur le plan de l'organisation de l'espace et sur celui de son désir de produire ses tableaux avec une vision personnelle.

L'envers d'une autre petite esquisse à l'huile sur bois représente l'église de Friendly Cove.[18] Bien qu'il s'agisse plus d'une esquisse que d'une composition terminée, on apprend beaucoup en la comparant à l'huile sur toile que peint Emily Carr en 1930 sur le même thème, car les deux artistes partagent un grand respect pour la forêt de la Colombie-Britannique.[19] Les images sont semblables: une petite église blanche en bois avec un clocher et, à côté, un cimetière tout simple entouré d'une palissade, le tout dans une forêt environnante

Untitled (verso *Departing Day*), 1935
Oil on panel
34.9 x 27.6 cm
Collection of the Art Gallery of Ontario
Purchased with assistance from Wintario, 1979

Sans titre (envers de *Tombée du jour*), 1935
Huile sur bois
34,9 x 27,6 cm
Collection d   Musée des beaux-arts de l'Ontario
Achat subventionné par Wintario, 1979

surrounding forest. Macdonald situated the church in close proximity to the sea, but Carr, to heighten the effect of the massive trees, located the church in an apparent forest glade. In each instance, nature's power predominates. Man's small labours count for little in the midst of such overwhelming forces.

In addition to the oil sketches, Macdonald created a number of pen-and-pencil drawings of local scenery and of weather conditions. These tiny sketches provided visual records on which he would later draw for works of major consequence.

To bring in needed funds, Macdonald sent many of his small paintings back to Vancouver for sale through Harry Hood's Art Emporium. "Delightful oil sketches on board which sold right away," they included such paintings from 1935 as *Russian Hermit's Cabin, Driftwood,* and *Morning on Nootka Sound*.[20] In February 1936, Hood's Art Emporium organized a special exhibition of the Nootka sketches. The paintings sold so well that in 1936, at Hood's suggestion, Macdonald wrote

dense aux arbres majestueux. Macdonald situe l'église à proximité de la mer alors que Carr, pour souligner l'effet massif des arbres, place l'église dans une clairière. Dans les deux cas, la force de la nature prédomine. Les travaux infimes de l'homme comptent peu au milieu de ces forces écrasantes.

Outre ses esquisses à l'huile, Macdonald fait certains dessins à la plume et au crayon représentant des scènes locales et des conditions atmosphériques. Ces petites esquisses lui servent plus tard d'aide-mémoire pour l'élaboration d'oeuvres de grande importance.

Pour gagner un peu d'argent, Macdonald fait parvenir un grand nombre de ces petits tableaux à Vancouver où ils sont mis en vente à l'*Art Emporium* de Harry Hood. Ces derniers, "de ravissantes esquisses à l'huile sur bois qui se vendent immédiatement", comprennent à partir de 1935 des oeuvres telles *la Cabane de l'ermite russe, Bois flotté* et *Matin à Nootka Sound*. [20] En février 1936, l'*Art Emporium* de Hood organise une exposition spéciale des esquisses de Nootka. Les tableaux se vendent tellement bien qu'en 1936, à la

Gerald Tyler in Vancouver, asking for the name of a possible Montreal dealer for his work.[21]

Nootka provided Macdonald with his first opportunity to paint free from teaching obligations. The isolated environment reinforced his contact with nature, the avowed source of all his art. Macdonald's interest in the infinite or noumenal aspect of life, which had preoccupied him before his departure for Nootka, must have become more intense in this remote setting. In his landscapes, the artist began to translate the conceptual into visual experience. Ouspensky had urged his readers to approach the world with

"*wonderment*, and the *wonderment* must grow greater, greater according to our better acquaintance with it. And the better we know a certain thing or a certain relation of things – the nearer the more familiar they are to us – the greater will be our wonder at the new and the unexpected therein revealed.

"Desiring to understand the *noumenal world* we might search for the hidden meaning in everything.... In order to discover the real order of things, the noumena, one must grasp the *idea* of the inner contents, i.e., the meaning of the thing in itself."[22]

Macdonald later summarized the new comprehension of nature that he reached at Nootka:

"I felt that the curve of a wave, the breaker on the beach and the foam on the sand wasn't all of the sea. The sea has solidity and transparency, cruelty and tenderness, joy and terror, cunning and friendship, all included in visual observation."[23]

For Macdonald, representational painting could not satisfy the need to find the essence of life, the noumena of a subject. New aesthetic methods had to be found, and Nootka provided a time of experimentation crucial to their evolution. A year later, he wrote:

---

suggestion de Hood, Macdonald écrit à Gerald Tyler à Vancouver pour lui demander de lui suggérer le nom d'un marchand de tableaux de Montréal susceptible de s'intéresser à son travail. [21]

Nootka offre à Macdonald sa première occasion de peindre hors des contraintes de l'enseignement. Le fait de vivre dans une région isolée le rapproche de la nature, source avouée de tout son art. L'intérêt manifesté par Macdonald à l'égard de l'aspect infini ou nouménal de la vie, qui l'habite déjà avant son départ pour Nootka, s'accentue sans doute considérablement lors de ce séjour. Dans ses paysages, l'artiste commence à transformer le conceptuel en expérience visuelle. Ouspensky prie instamment ses lecteurs d'aborder le monde avec

"*émerveillement*, un *émerveillement* qui doit s'accroître à mesure qu'on apprend à le connaître. Et mieux nous connaissons une chose ou certains rapports entre les choses (plus les choses se rapprochent de nous plus elles deviennent familières), plus grand sera notre *émerveillement* devant la nouveauté et l'inattendu ainsi révélés.

"Désireux de comprendre le *monde nouménal*, nous pourrions chercher le sens caché de toutes choses... Pour découvrir le véritable ordre des choses, le noumène, on doit saisir *l'idée* des contenus intérieurs, soit le sens de la chose en elle-même." [22]

Macdonald résume plus tard la nouvelle compréhension de la nature qu'il atteint à Nootka:

"J'ai senti que la courbe d'une vague, les brisants sur la plage et l'écume sur le sable ne constituent pas toute la mer. La mer, c'est aussi la solidité et la transparence, la cruauté et la tendresse, la joie et la terreur, la ruse et l'amitié, toutes comprises dans l'observation visuelle." [23]

Pour Macdonald, la peinture figurative ne permet pas de découvrir l'essence de la vie, le noumène d'un thème. Il faut découvrir de nouvelles méthodes esthétiques, et Nootka lui offre le temps dont il a absolument besoin pour formuler ces méthodes. Il écrit un an plus tard:

"J'ai cherché une nouvelle expression en art et...le

"I have been searching for a new expression in art and . . . my time in Nootka has provided me with a new expression (which is yet only been born) which belongs to no school or already seen expression. To fail to follow through the force which is driving me – and which I clearly believe is a true creative art would be destruction to my very soul."[24]

Nature was the key. "In my new experiments I have to live with nature and be in constant touch with myself."[25]

Formative Colour Activity (1934) and sketches associated with that work were the precursors of the quest that matured at Nootka. The concerns that now preoccupied him found early expression in that painting's semi-abstraction, which reflected Macdonald's attempt to penetrate nature to its core.

In 1935 at Nootka, Macdonald painted the first in a series of abstract and semi-abstract works, which he originally designated "thought-expressions" and later called "modalities." The term "thought-expression" likely found its source in theosophy, which espoused a belief in "thought-forms" – unique configurations projected by every being but perceived only by those who have achieved spiritual awareness. A text titled *Thought Forms* (1901), written by Annie Besant and C. W. Leadbeater, was known to the Vancouver artists.[26] During the mid-thirties, John Vanderpant called his studies of vegetables "thought-expressions in nature,"[27] and Macdonald used such terms as "thought-expressions," "expressions of thought in relation to nature," and "thought-idioms of nature" to give concrete form to the unseen forces in nature.[28] A work of art was a thought-form made manifest. Each of these works treated some aspect of nature: a cosmic event, the seasons, or a mood created by the observation of a particular natural phenomenon. Macdonald was later to clarify:

---

temps passé à Nootka m'a fourni une nouvelle expression (qui vient à peine de naître) n'appartenant à aucune école ni à aucune expression déjà connue. Si je devais ne pas réagir à la force qui me pousse, dont je crois fermement qu'elle constitue un art de création véritable, cela reviendrait à détruire mon âme."[24]

La nature est la clé. "Dans mes nouvelles expériences, je dois vivre avec la nature et rester constamment en contact avec moi-même."[25]

Des oeuvres comme *Composition chromatique* (1934) et les esquisses reliées à ce tableau sont les signes précurseurs de la recherche qui aboutit à Nootka. Les préoccupations de l'artiste trouvent une expression antérieure dans la semi-abstraction de ce tableau, qui reflète les efforts de Macdonald pour aller jusqu'au coeur de la nature.

En 1935, toujours à Nootka, Macdonald peint la première d'une série d'oeuvres abstraites et semi-abstraites auxquelles il donne d'abord le nom de "pensée-expressions" et, plus tard, le nom de "modes". (N. de trad.: Nous avons préféré utiliser *mode,* le terme d'Ozenfant, bien que certains auteurs aient parlé de *modalités.*) Le terme de "pensée-expressions" trouve sans doute son origine dans la théosophie, laquelle reconnaît l'existence de "formes de pensée", soit des configurations uniques projetées par chaque être mais perçues seulement par ceux qui ont atteint une conscience spirituelle. Un texte intitulé *Thought Forms* (1901) et rédigé par Annie Besant et C. W. Leadbeater était connu des artistes de Vancouver.[26] Au milieu des années 30, John Vanderpant appelle ses études de légumes "expressions de pensée sur la nature"[27] et Macdonald utilise des termes tels que "expression de pensée", "pensées exprimées en rapport avec la nature" et "idiomes de pensée sur la nature" pour donner une forme concrète aux forces invisibles de la nature.[28] Une oeuvre d'art est une forme de pensée rendue manifeste. Chaque oeuvre traite d'un aspect particulier de la nature: un événement cosmique, les saisons ou une atmosphère créée par l'observation d'un phénomène naturel particulier. Macdonald explique plus tard:

"(Je) note en peinture, concrètement, mes senti-

"[I] put down in paint, in a concrete form, my feelings about the sea, wind, rain, etc. –feelings which had nothing to do with the visual effects of seas, windstorms and rainstorms. The feelings must have been something similar to those which brought Cézanne to the awareness that "the life energy of a tree does not end at the visual limitation of the tree's silhouette form."[29]

One of Macdonald's first modalities was *Etheric Form* (1935), a vivid interpretation of the artist's struggle with the concept of the nature of reality. In his notes, Macdonald wrote:

"If we wave our hand we can feel the obstruction of the air but we cannot feel the Ether. We think of our earth as very solid and we know it is rushing around the sun at the enormous speed of 60,000 miles per hour, but it finds no obstruction in the Ether, there is no retardation of its velocity; and yet the study of radio-activity has quite lately shown us that Ether is . . . millions of times denser than [iron]; and yet it permeates all matter like a sieve."[30]

Macdonald concluded that this was but one more "example of Positive and Negative, the Invisible, the Ether, as the Real plus the Visible, the Material Universe as its Negative, the Unreal," adding that "with perfect perception we should know that the only reality is the spiritual, the Here comprising of all space and the Now of all time."[31]

The lyrical *Etheric Form* is the most successful of Macdonald's early abstractions. For Macdonald, it made a symbolic statement about the nature of the universe. Its rich purple ground is crossed by a fine network of lines; a single orb is poised in the balance. Space is compressed, and imagery is reduced to a pattern on the surface of the board.

Another modality, *Departing Day* (1935), relies on simply evoked forms of nature and the tension of their placement in the composition. In his notes, Macdonald discussed recent scientific

---

ments sur la mer, le vent, la pluie, etc., des sentiments n'ayant rien à voir avec les effets visuels de la mer, des tempêtes ni des orages. Ces sentiments doivent ressembler un peu à ceux qui ont révélé à Cézanne que "l'énergie vitale d'un arbre ne s'arrête pas à la limite visuelle de la silhouette de l'arbre."[29]

L'un des premiers modes de Macdonald, *Forme éthérée* (1935), est une manifestation éclatante de la lutte que l'artiste soutient avec le concept de la nature de la réalité. Macdonald écrit dans ses notes:

"Si nous agitons notre main, nous pouvons sentir la résistance de l'air, mais nous ne pouvons pas sentir l'espace. Nous pensons que notre terre est très solide et nous savons qu'elle tourne autour du soleil à la vitesse incroyable de 60 000 milles à l'heure, mais qu'elle ne trouve aucune résistance dans l'éther, et il ne se produit aucun ralentissement de sa vélocité; pourtant, l'étude de la radioactivité nous a tout récemment démontré que l'éther est . . . plusieurs millions de fois plus dense que (le fer); pourtant, il filtre toute matière comme un tamis."[30]

Macdonald en conclut que cela ne représente qu'un autre "exemple du positif et du négatif, l'invisible, l'éther constitue le réel, l'univers matériel constitue son négatif, l'irréel", ajoutant que "si nous jouissions d'une parfaite puissance de perception, nous saurions que la seule réalité est la réalité spirituelle, l'ICI représentant le spatial et le MAINTENANT, le temporel".[31]

Le tableau lyrique *Forme éthérée* est le mieux réussi des premières oeuvres abstraites de Macdonald. Pour l'artiste, cette toile symbolise la nature de l'univers. Le champ d'un mauve riche est traversé d'un réseau délicat de lignes; une sphère solitaire est mise en équilibre. L'espace est comprimé et l'image se résume à un motif tracé à la surface du panneau.

Tombée du jour (1935), un autre mode, repose sur des formes reconnaissables évoquées avec simplicité et sur la tension créée par leur disposition dans la composition. Dans ses notes, Macdonald discute de récentes découvertes scientifiques sur le système solaire, soulignant les propriétés phy- siques des planètes, les distances qui les séparent et "suivant l'espace jusqu'aux confins de la concep-

Etheric Form, 1935
Oil on panel
38.1 x 30.5 cm
Private Collection

Forme éthérée, 1935
Huile sur bois
38,1 x 30,5 cm
Collection particulière

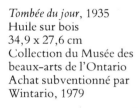

Departing Day, 1935
Oil on panel
34.9 x 27.6 cm
Collection of the Art Gallery
of Ontario
Purchase with assistance
from Wintario, 1979

Tombée du jour, 1935
Huile sur bois
34,9 x 27,6 cm
Collection du Musée des
beaux-arts de l'Ontario
Achat subventionné par
Wintario, 1979

discoveries about the solar system, outlining the physical properties of the planets, their distance from one another, and "tracing space to the utmost limit of human conception."[32] In this painting, he again goes beyond representation: he portrays the concept of the cosmic. The imagery, which was clearly influenced by contemporary scientific photography, is flat and geometric.[33] Volume is obliterated, and the forms become symbols. It is primarily the tension created by juxtaposing and overlapping circles of different diameters that accounts for the success of this painting.

In *May Morning* (c. 1935), the canvas is divided bilaterally by two swelling forms suggesting earth formations or perhaps waves. Each is surrounded by its own aura of orange and yellow. In the top left-hand corner, a disc of light is enclosed within a larger circle of blue, its brush strokes radiating outwards. (Such radiating brush work was present in the early sketch for *Formative Colour Activity*, and there is little doubt that it had

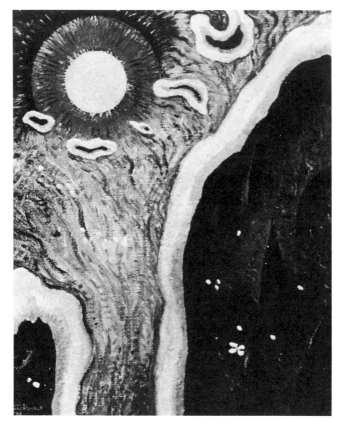

May Morning, c.1935
Oil on canvas
55.9 x 47 cm
Location unknown

Matin de mai, vers 1935
Huile sur toile
55,9 x 47 cm
Propriétaire inconnu

tion humaine".[32] Dans ce tableau, l'artiste va à nouveau plus loin que l'art figuratif: il illustre le concept du cosmique. L'imagerie, nettement influencée par les photographies scientifiques de l'époque, est sans profondeur et géométrique.[33] Le volume est inexistant et les formes deviennent des symboles. C'est surtout la tension créée par la juxtaposition et le chevauchement de cercles de divers diamètres qui explique la réussite de ce tableau.

Dans *Matin de mai* (vers 1935), le tableau est divisé bilatéralement par deux formes renflées évoquant des formations terrestres ou peut-être des vagues. Chaque forme est entourée d'une aura orange et jaune. Dans le coin supérieur gauche, un disque de lumière est compris dans un cercle bleu, des coups de pinceau formant les rayons. (Ces coups de pinceau en forme de rayons apparaissent déjà dans l'esquisse pour *Composition chromatique,* et il ne fait aucun doute que cette technique est devenue pour Macdonald un raccourci visuel servant à exprimer les auras de couleur et les vibrations.) Au premier plan flottent des formes

become for Macdonald a visual shorthand for colour auras and vibrations.) In front float cloud-like amoebic shapes. The painting seems to suggest the macrocosm; in its harmony of colour and form is contained the harmony of all nature.

During 1935, Macdonald painted another oil on board, which was amplified four years later on canvas. The original sketch is no longer extant. The painting is titled *The Wave* (c. 1939) but has at various times been called *The Pacific Wave* and *The Pacific Sea*.[34] Bisected diagonally into light and dark areas by an irregular arc, the composition is simple but elegant. Against the wave, the spray of water has been stylized into three sperm-like drops that float upwards from dark to light to be encircled by aura-like lines of motion. In these shapes Macdonald portrays the cyclical aspect of nature: the spray will, through evaporation and rain, renew itself. Grains of sand are incorporated into the painted ground, and in the lower part of the composition is a stylized representation of

water. The undulating lines, in sharp contrast to the angled, linear arc, recall Macdonald's study of symbols and suggest the "earthly water" that he had described in his notes.[35] As Macdonald had intended, this is a painting not so much of one wave but of all waves.

"The sea moves. In that infinite monotony nothing catches the eye. Suddenly a wave unfurls its perfect spirals. The sea is performing a precise act. It is as though the whole ocean were compact in that perfect wave. Sometimes nature seems to have attained the creation of a perfect type: that is, has objectified a conception clearly formulated. A law has been closely adhered to."[36]

At Nootka, Macdonald sought to understand the laws of nature and to transmit them to canvas. Upon his return to Vancouver, he would explore the unique forms that he had found through his study of nature.

---

amibiennes rappelant des nuages. Le tableau semble évoquer le macrocosme; l'harmonie de ses couleurs et de sa forme renferme l'harmonie de la nature toute entière.

En 1935, Macdonald peint une autre huile sur bois qui est amplifiée quatre ans plus tard sur toile. L'esquisse originale a aujourd'hui disparu. Le tableau s'intitule *la Vague* (vers 1939), mais il a déjà porté les titres de *Vague du Pacifique* et de *le Pacifique*.[34] Un arc irrégulier coupe diagonalement la toile en parties claires et sombres; la composition est simple mais élégante. Sur la vague, l'écume est stylisée, semblable à trois gouttes de sperme qui flottent dans un mouvement ascendant pour se diriger de l'ombre à la lumière. Ces gouttes sont encerclées par des mouvements en forme d'aura. Macdonald se sert de ces formes pour exprimer l'aspect cyclique de la nature: l'écume, grâce à l'évaporation et à la pluie, se renouvelle. Des grains de sables sont incorporés dans la représentation du sol et on retrouve au bas de la composition une représentation stylisée de l'eau. Les lignes ondulées, qui provoquent un contraste frappant avec

l'arc linéaire traversant le tableau, évoquent l'étude de symboles familière à Macdonald et suggèrent "l'eau terrestre" qu'il décrit dans ses notes.[35] Comme il le souhaite d'ailleurs, ce tableau représente moins *une* vague que *la* vague.

"La mer remue; dans l'infini monotone rien ne fixe notre regard; tout à coup une vague déroule sa conque parfaite. La mer accomplit un geste exact. On dirait que tout l'océan se résume en cette vague réussie. La nature parfois semble atteindre au type, c'est-à-dire réaliser une idée claire. Une loi est bien suivie, nous lisons un vers régulier de la nature qui rime bien avec notre géométrie."[36]

À Nootka, Macdonald cherche à comprendre les lois de la nature et à les rendre dans ses tableaux. Ce n'est que de retour à Vancouver qu'il explorera plus à fond les formes uniques que lui a fait découvrir son étude de la nature.

The Wave, 1939
Oil on canvas
101.6 x 81.3 cm
Collection of Dr. & Mrs.
Keith Macleod,
Windsor, Ontario

La Vague, 1939
Huile sur toile
101,6 x 81,3 cm
Collection du docteur et de
Mme Keith Macleod,
Windsor (Ontario)

The Macdonalds had intended to stay two years in Nootka but in the fall of 1936, after only fifteen months, they returned to Vancouver. A troublesome back injury discouraged Macdonald from spending another winter in Nootka, "fell[ing] trees, buck[ing] logs and pack[ing] supplies."[1] Before departing for Vancouver, Macdonald and his family visited the lighthouse by the Friendly Cove settlement where they assisted the lighthouse keeper; this respite provided not only an interesting change of scene and closer contact with Friendly Cove but also enabled Macdonald to obtain new subjects for future work.[2]

Barbara Macdonald suggests that her husband was not overly distressed at the prospect of returning to Vancouver, for "he liked the art world and liked people."[3] But the transition proved less carefree than he might have wished, for in the midst of the Depression jobs were scarce. The Macdonalds had left Vancouver with few funds and had subsisted on the land and the meagre returns from the pictures that were sold. Fortunately, Mrs. Bernulf Clegg, a friend and patron, offered the Macdonalds a comfortable home for a month, alleviating somewhat the immediate pressure to find work.[4]

Although Macdonald was still mentally and spiritually absorbed with the artistic experiments he began in Nootka, his first concern was to find employment.

In spite of assistance he solicited from both Harry McCurry at the National Gallery of Canada in Ottawa and A.Y. Jackson in Toronto, he was unable to secure a full-time teaching position.[5] Ultimately he compromised and took a part-time job at the Canadian Institute of Associated Arts, a privately operated vocational art school that had opened a few months previously. At first he was optimistic; in December 1936, he wrote, "I am feeling my way with its possibilities and hope in time to again give some attention to the development of enthusiasm in art matters in this

THE INDIAN LANDSCAPES

6

LES PAYSAGES INDIENS

Les Macdonald comptaient passer deux ans à Nootka, mais il rentrent à Vancouver pendant l'automne 1936 après seulement quinze mois d'absence. Une blessure au dos empêche le peintre de passer un autre hiver à Nootka à "abattre des arbres, à scier du bois et à emballer des provisions".[1] Avant de partir pour Vancouver, Macdonald et sa famille se rendent au phare de Friendly Cove, où ils prêtent main-forte au gardien du phare; ce séjour reposant permet à Macdonald non seulement de changer d'air et de renouer ses liens avec Friendly Cove, mais lui donne aussi l'occasion de découvrir de nouveaux sujets pour ses oeuvres ultérieures.[2]

Barbara Macdonald signale que son mari ne semblait pas trop affligé à l'idée de rentrer à Vancouver car il "aimait le milieu artistique et les gens".[3] Mais la transition est moins aisée qu'il ne l'aurait souhaité étant donné qu'au milieu de la Dépression les emplois sont rares. Les Macdonald avaient quitté Vancouver avec quelques économies et avaient vécu des produits de leur jardin et de la vente de quelques tableaux. Heureusement pour eux, Mme Bernulf Clegg, leur amie et bienfaitrice, leur fournit une maison confortable le premier mois, donnant ainsi à l'artiste le temps de se chercher un emploi.[4]

Bien que Macdonald soit encore absorbé mentalement et spirituellement par les expériences artistiques entamées à Nootka, son premier souci est de se trouver un emploi.

En dépit de l'assistance qu'il demande à Harry McCurry de la Galerie nationale du Canada et à A.Y. Jackson de Toronto, il ne parvient pas à s'assurer un poste de professeur à temps plein.[5] Il finit par accepter un poste à temps partiel au *Canadian Institute of Associated Arts,* une école privée d'arts et métiers qui vient d'ouvrir ses portes. Au début, l'avenir semble brillant, Macdonald écrit en décembre 1936: "J'essaie de me familiariser avec toutes les possibilités qu'offre cette école et j'espère pouvoir en temps et lieu me consacrer à susciter un enthousiasme pour les arts dans cette ville."[6] Dès mars 1937, il écrit toutefois: "Il est impossible que cette école ait du succès, et qu'elle en vaille la peine."[7]

71

city."[6] By March 1937, however, he wrote, "the school I am in now cannot possibly succeed and be worthwhile."[7]

Since the job at the institute paid Macdonald only about forty dollars a month, he began also to give private instruction, often to former students of the British Columbia College of Arts. Many of his assignments echoed the interdisciplinary fervour of the old B.C. College. For Macdonald this teaching was rewarding, since he used it to "enrich his own painting technique."[8]

At the same time, Macdonald determined to paint works that represented his Nootka sojourn – landscapes he felt the public would accept –and to keep his thoughts on experimental work entirely to himself for the present.[9] He approached his landscape painting with an almost missionary zeal. He wrote to John Varley, "Perhaps I am not worthy of carrying on the excellent work your father did in painting in Vancouver but I feel I may be better able to do so than any other here and I wish to do all I can to keep in the forefront of Canadian Painting."[10] In the landscape paintings done after his return to Vancouver, Macdonald abandoned the starkness of earlier landscapes for a new clarity of light and heightened colour values. His new paintings depicted his impressions of events or scenes observed at Nootka. Their primary stylistic characteristic is their uniformity of treatment: Macdonald ties his landscape to the surface by carefully articulating elements of the composition in patterns on the surface of the canvas. Landscape details are seen in relief against the dominant foreground motif. The compositions are more decorative in their imagery and in the overall patterning of the surface; yet, strange though it may seem, they are more timeless. By reorganizing elements of the scene in tightly knit hieratic compositions, Macdonald creates statements that, like his modalities, represent the essence of a scene or an event rather than any particular moment in space or time.

Comme son salaire n'est que d'une quarantaine de dollars par mois, Macdonald commence à donner des cours privés, souvent à d'anciens étudiants du *British Columbia College of Arts*. La plupart des devoirs qu'il donne à ses élèves reflètent la ferveur interdisciplinaire de cette école. Cet enseignement est des plus gratifiant pour Macdonald car il l'utilise pour "enrichir sa technique".[8]

Macdonald décide au même moment de peindre des oeuvres décrivant son séjour à Nootka, des paysages susceptibles d'être acceptés du public, et de garder secrètes, pour l'instant, ses pensées sur tout travail expérimental.[9] Il aborde la peinture de ses paysages avec un zèle quasi religieux. Il écrit à John Varley: "Peut-être ne suis-je pas digne de poursuivre l'excellente oeuvre de votre père à Vancouver, mais j'ai l'impression de l'être plus que tout autre ici et je souhaite faire tout mon possible pour rester au nombre des grands peintres canadiens."[10] Dans les oeuvres peintes après son retour à Vancouver, Macdonald abandonne l'austérité de ses paysages précédents pour une nouvelle clarté et des couleurs intensifiées. Ses nouveaux tableaux décrivent ses perceptions d'événements ou de scènes qu'il a observés à Nootka. La caractéristique principale du style est l'uniformité de traitement: Macdonald agence son paysage à la surface du tableau en combinant soigneusement les éléments de la composition en motifs. Les détails du paysage se détachent sur le motif dominant du premier plan. Les compositions sont plus décoratives dans leur imagerie et dans l'organisation générale des motifs de la surface; pourtant, aussi étrange que cela puisse paraître, ces oeuvres sont plus intemporelles. En réorganisant les éléments de la scène en des compositions hiératiques étroitement unies, Macdonald crée des impressions qui, tels ses modes, représentent l'essence d'une scène ou d'un événement plutôt qu'un moment particulier dans l'espace ou le temps.

Peu après son retour de Nootka, Macdonald vend à sa bienfaitrice, Mme Clegg, le premier de ces grands paysages. Dans *Friendly Cove, Nootka Sound, C. –B.* (1935), l'artiste utilise un style empesé et dramatique. La courbe de la baie à l'arrière-plan complète la ligne verticale imposante

Friendly Cove, Nootka Sound,
B.C., 1935
Oil on canvas
63.8 x 82.6 cm
Mr. & Mrs. Kenneth Caple

Friendly Cove, Nootka Sound,
C.-B., 1935
Huile sur toile
63,8 x 82,6 cm
M. et Mme Kenneth Caple

Shortly after his return from Nootka, Macdonald sold to his patron, Mrs. Clegg, the first of these large landscape paintings. In *Friendly Cove, Nootka Sound, B.C.* (1935), a formal dramatic style prevails. The curve of the bay in the background complements the strong vertical of the central totem pole. Reminiscent of Emily Carr's paintings, this work presents a compromise between Carr's descriptive Indian village scenes and her monumentally formalized paintings of the late twenties, in which a single image, extracted from the larger scene, dominates the composition. Macdonald also focuses on a powerful totemic image, but he maintains the descriptive, narrative elements surrounding it. Thus he establishes a tension between the synergized forces of nature and the central figure; the final result is one of dynamic symmetry.

In 1937, Macdonald completed another major landscape, *Indian Burial, Nootka,* purchased by the Vancouver Art Gallery in 1938. Based on the

que crée le totem. Rappelant les tableaux d'Emily Carr, cette oeuvre se situe à mi-chemin entre les scènes qui décrivent le village indien de Carr et ses tableaux aux formes monumentales de la fin des années 20, dans lesquels une simple image extraite d'une scène plus vaste domine la composition. Macdonald accorde aussi toute l'importance à l'image impressionnante du totem, tout en conservant les éléments descriptifs et narratifs environnants. Il établit ainsi une tension entre les forces synergiques de la nature et la figure centrale; le résultat final est une symétrie dynamique.

En 1937, Macdonald termine un autre paysage important, *Enterrement indien, Nootka,* acquis par la *Vancouver Art Gallery* en 1938. Inspiré de son séjour à Nootka, ce tableau provient d'un croquis sur le vif que Macdonald avait fait à cet endroit. L'organisation de l'oeuvre est spectaculaire. L'image centrale représente une série de terrains de sépulture clôturés. Au tout premier plan, des personnes endeuillées et un masque aux couleurs vives entourent une fosse fraîchement creusée. Le prêtre, les bras levés au ciel, crée un

Nootka years, the painting derives from a thumbnail sketch Macdonald made during his sojourn there. The work is striking in its organization. A number of fenced burial plots form the dominant central image. In the immediate foreground, mourners and a vivid mask surround a newly excavated grave. The priest, his hand raised, creates a strong vertical focus. As in all his major landscape paintings, Macdonald carefully controls the viewer's eye movement. In the centre foreground, a blue cross on the casket provides a complementary image for the two clearly defined, rigorously vertical crosses in the immediate centre of the middle ground. Despite the strongly recessive elements and the perspectival reduction in the size of the images, depth is counteracted by the strong patterning of the scene. Blues are complemented by the red and yellow chequerboard of the central grave. The composition displays a designer's delight in carefully balanced areas of colour. It is interesting to note how the organization and handling of this composition resembles Jean Paul Lemieux's *Lazare* (1941), and one can but wonder if Lemieux had seen Macdonald's painting reproduced on the cover of the Vancouver Art Gallery *Bulletin*.[11]

These were stressful years for Macdonald. In March 1937, he wrote to McCurry, again inquiring about job possibilities elsewhere in Canada and spoke of "ek[ing] out a near starvation existence."[12] He found the Canadian Institute impossible and had decided that, if nothing better arose, he would abandon the institute and turn to private classes. He had "to earn money in order to live... the financial side of it has been hell and still is."[13]

During this difficult period, a strange painting entitled *Pilgrimage* (1937) emerged; Macdonald said it came to him in a dream. The canvas is penetrated by descending rays of light; the trees arch to enclose the central pathway and create a natural sanctuary. In the foreground, boats are drawn up as if on a shore. It is obviously a forest glade, but

effet imposant de verticalité. Comme dans le reste de ses paysages, Macdonald contrôle soigneusement le mouvement de l'oeil du spectateur. Au centre du premier plan, une croix bleue sur le cerceuil s'ajoute aux deux croix nettement dessinées et rigoureusement verticales que l'on aperçoit au centre du plan médian. Malgré les éléments en retrait et la réduction en perspective de la taille des images, l'effet de profondeur est diminué par la netteté des motifs de la scène. Aux bleus répondent le rouge et le jaune du damier de la tombe centrale. La composition indique le plaisir de dessinateur éprouvé par le peintre à équilibrer soigneusement ses champs de couleur. Il est intéressant de noter les ressemblances de cette composition avec *Lazare* de Jean-Paul Lemieux (1941) et on peut se demander si Lemieux avait vu la reproduction d'*Enterrement indien, Nootka,* sur la couverture du *Vancouver Art Gallery Bulletin.*[11]

Ces années sont difficiles pour Macdonald. En mars 1937, il écrit une fois de plus à McCurry pour s'informer des possibilités d'emplois ailleurs au Canada en précisant qu'il "gagne presque un salaire de famine."[12] Il trouve le *Canadian Institute* impossible et décide que si rien de mieux ne se présente il quittera cette institution pour donner des cours privés. Il lui faut "gagner de l'argent pour vivre... côté financier, c'était et c'est encore infernal".[13]

Une étrange toile intitulée *Pèlerinage* (1937) remonte à cette période difficile. Macdonald en attribue la naissance à un rêve. La toile est traversée de rayons de lumière descendants; les arbres se rejoignent pour former l'arche centrale et créer un sanctuaire naturel. Au premier plan, des bateaux sont tirés comme s'ils reposaient sur une rive. Il est évident que nous sommes dans une clairière, mais l'espace sans air et la stylisation des images de la nature nous plongent dans un monde onirique plutôt que de nous rappeler une scène précise. L'atmosphère de ce tableau traduit sûrement le désir de Macdonald de se libérer des tracas provoqués par les difficultés financières, la maladie et la fatigue qu'il a connues au cours de l'année qui suit son retour de Nootka. Reconnaissant le caractère exceptionnel de ce tableau dans son

right:
Indian Burial, Nootka, 1937
Oil on canvas
92.6 x 71.9 cm
The Vancouver Art Gallery

à droite:
Enterrement indien, Nootka,
1937
Huile sur toile
92,6 x 71,9 cm
Vancouver Art Gallery

above:
Sketch for *Indian Burial at
Nootka*, c.1935
Ink on paper with pencil grid
laid on top
4 x 3 cm
Private Collection

ci-dessus:
Esquisse pour *Enterrement
indien, Nootka*, vers 1935
Encre sur papier recouverte
d'une grille au crayon
4 x 3 cm
Collection particulière

75

the airless space and stylized images of nature suggest a dream world rather than the recollection of a specific scene. The mood of this painting must surely reflect Macdonald's longing to be out of the anguish that financial strain, ill health, and exhaustion had created in the year after his return from Nootka. Recognizing its anomalous position within his work, Macdonald wrote of this painting that it "might not be conservative enough" for a national exhibition.[14]

Already burdened with physical and psychological frustrations, Macdonald suffered a collapsed lung in April 1937. Upon his recovery in the summer of 1937, the Macdonalds travelled to California. In San Francisco they spent a day at an exhibition, where he admired Cézanne's painting:

"Cézanne is undoubtedly a magnificent colourist, exact and sure, in a very mellow beauty and yet of rich purity. I was surprised to find how thinly he painted his landscapes and how exceedingly heavy the pigment was palette knifed on in his portraits."[15]

In his Okanagan paintings of 1943, Macdonald would hearken back to Cézanne's landscapes for a vision more perfectly suited to this new terrain, and later he would speak of Cézanne's perfect understanding of the spirit that guides art.[16]

In Los Angeles, Macdonald saw an exhibition of works by "the world's recognized leaders in modern art movement."[17] The exhibition, which included works by Picasso, Braque, Modigliani, Derain, Ernst, Kandinsky, and Archipenko, was held in a private gallery and organized by two New York dealers.[18] Having himself experimented with "modern expression," Macdonald submitted two of his own works for consideration and was encouraged by the favourable response he received.[19]

In Pomona he saw an exhibition of work done by leading American artists during 1936, but

---

oeuvre, Macdonald écrit que ce dernier "pourrait ne pas être assez traditionnel" pour une exposition nationale.[14]

Déjà aux prises avec des frustrations physiques et psychologiques, Macdonald souffre d'une perforation de la plèvre en avril 1937. Après s'être rétabli pendant l'été 1937, Macdonald part avec sa famille en Californie. À San Francisco, ils passent la journée dans une exposition:

"Cézanne est indubitablement un magnifique coloriste, précis et sûr, dont les oeuvres sont empreintes de douce beauté et rayonnantes de pureté. J'ai été très surpris de voir à quel point la couche de peinture était mince dans ses paysages et très épaisse dans ses portraits, où la peinture est posée hardiment au couteau à palette."[15]

Dans ses tableaux peints dans la vallée de l'Okanagan en 1943, Macdonald s'inspire des paysages de Cézanne pour obtenir une vision mieux adaptée à l'endroit. Il parlera plus tard de la compréhension parfaite qu'a Cézanne de l'esprit qui guide l'art.[16]

À Los Angeles, Macdonald visite une exposition de peinture comprenant des oeuvres réalisées par "les chefs de file des mouvements d'art moderne reconnus dans le monde entier".[17] L'exposition, qui comprend des oeuvres de Picasso, Braque, Modigliani, Derain, Max Ernst, Kandinsky et Archipenko, est présentée par une galerie privée et organisée par deux marchands de tableaux new-yorkais.[18] Ayant déjà fait personnellement l'expérience de "l'expression moderne", Macdonald soumet deux de ses oeuvres et est ravi de l'accueil favorable qu'on lui réserve.[19]

En 1936, il voit à Pomona une exposition d'oeuvres réalisées par de grands artistes américains, mais est déçu de constater que l'art pratiqué aux États-Unis ne révèle la présence d'aucun esprit particulier, qu'il n'existe pas "l'unité nécessaire à un Art américain bien précis".[20] Une telle unité tient fortement à coeur à Macdonald qui, lorsqu'il en a l'occasion, ne manque jamais de replacer son oeuvre au sein de l'école paysagiste canadienne, reconnaissant Varley comme étant son maître et son bienfaiteur spirituel.

Pilgrimage, 1937
Oil on canvas
78.7 x 61 cm
National Gallery of Canada,
Ottawa

Pèlerinage, 1937
Huile sur toile
78,7 x 61 cm
Galerie nationale du Canada,
Ottawa

he observed that no single spirit informed that country's art, no "unity for a definite American Art."[20] Such unity was something Macdonald identified with strongly, and at every opportunity he placed his own work clearly within the Canadian landscape school, naming Varley as his mentor and spiritual benefactor.

Macdonald considered moving south, but after weighing the relative advantages of the United States and Canada, he concluded that "British Columbia is the land of inspiration. British Columbia has that vapour quality that seems to me to be much more clairvoyant in its inspiration than that blazing and relentless sunshine down south! Canada is the land for artists to find the environment for true creative activity."[21] He decided to remain in Canada and continue painting in the Canadian tradition established by Varley and the Group of Seven.

It is difficult to assess the exact impact of the California exhibitions on Macdonald. Landscape studies of the Okanagan in the forties suggest, in their handling of space and colour, that Macdonald was aware of Cézanne's *St. Victoire* studies. Certainly he was impressed by the Cézannes he saw in San Francisco. It is less likely, however, that he was influenced much by the abstract works he saw. Macdonald had developed his abstract style several years before he visited California. In fact, he considered his own work comparable to that which he admired by distinguished Europeans. It is more than likely that the opportunity to see such works first-hand simply renewed his own commitment to abstraction.

After his return to Vancouver, Macdonald painted only one more Indian landscape, *Drying Herring Roe* (1938), which he considered to be "the best picture [he] ever painted. Typically west coast, much purer in colour [and] in directing composition."[22]

Macdonald clearly felt a strong need to explicate in words the subject of *Drying Herring*

Macdonald est tenté d'aller vivre aux États-Unis, mais comparant la vie aux États-Unis avec celle au Canada, il conclut que "la Colombie-Britannique est le pays de l'inspiration. La Colombie-Britannique baigne dans une atmosphère vaporeuse qui inspire tellement plus que le soleil ardent et implacable du Sud! Le Canada est le pays où les artistes peuvent trouver un milieu qui convient à la véritable activité créatrice."[21] Macdonald décide donc de demeurer au Canada et de continuer à peindre dans la tradition canadienne, celle de Varley et du Groupe des Sept.

Il est difficile d'évaluer l'influence de ces expositions californiennes sur Macdonald. Les paysages de l'Okanagan pendant les années 40 indiquent, par le traitement de l'espace et de la couleur, que Macdonald connaît la *Sainte-Victoire* de Cézanne. Il ne fait aucun doute qu'il est impressionné par les Cézanne admirés à San Francisco. Il est toutefois moins probable qu'il ait été très influencé par les oeuvres abstraites qu'il a vues. Il a mis au point son style abstrait plusieurs années avant son voyage en Californie. En fait, il considère ses propres oeuvres comme comparables à celles des Européens réputés qu'il admire. Il est plus plausible que l'occasion qui lui est donnée de voir de telles oeuvres renouvelle sa vocation de peintre abstrait.

Après son retour à Vancouver, Macdonald ne peint qu'un seul autre paysage indien, *Séchage des oeufs de hareng* (1938), qu'il considère comme "le meilleur tableau qu'il ait peint, très typique de la côte du Pacifique, dont les couleurs et la composition générale sont beaucoup plus pures".[22]

Macdonald ressent clairement le besoin d'expliquer par écrit le *Séchage des oeufs de hareng*. Il craint que son tableau soit mécompris à cause du caractère inusité du sujet et de la couleur étrange utilisée pour les oeufs de hareng blanchis. Il explique l'arrière-plan de la toile en détail:

"Au moment où le hareng s'apprête à frayer, les Indiens coupent de longues branches d'épinette ou de cèdre de vingt pieds, les transportent en canot en eaux profondes jusqu'à l'extrémité des pointes de terre, puis les enfoncent dans vingt pieds d'eau.

Séchage des oeufs de hareng,
1938
Huile sur toile
71,1 x 81,3 cm
M. et Mme F. Schaeffer

Roe. He worried that the painting would not be understood because of its unusual subject matter and the unfamiliar colour of the bleached herring roe. He explained the background of the canvas at some length:

"About the time the herring are due to spawn, the Indians cut long twenty foot branches from spruce and cedar trees, take them out in canoes to deep water close to headlands and sink them twenty feet in the water. In two weeks the branches are raised up, plastered with herring eggs. They are taken to the villages and hung up on wires, ropes, etc.; to dry out and cure in the sun. The village is festooned with masses of mimosa coloured (yellowish) hanging foliage . . . branches are taken down, the eggs shaken off and packed for winter food. Eggs are boiled before eating."[23]

Emphatically structured, the work presents a clear pictorial statement of the Indian village as the artist remembered it. Colour values in it are even stronger than in previous works. Macdonald creates a decorative surface pattern with the roe, which integrates the foreground and the middle ground and links diverse compositional elements. It is not incidental that this work, like *Friendly Cove* and *Indian Burial*, was conceived in the studio and based only remotely on sketches made outdoors in Nootka. *Lighthouse at Nootka*, on the other hand, was literally transcribed from an *in situ* water-colour. The naturalism of the latter work is replaced, in the Indian paintings, by a decorative composition in which Macdonald captures the spirit of Nootka and its life rather than accurately portraying a particular scene.

Drying Herring Roe completed, Macdonald determined to return to his greatest passion, and wrote "now I can get back to my modalities which are for me much more exciting than landscapes."[24]

Deux semaines plus tard, on retire les branches recouvertes d'oeufs de hareng. On les apporte au village et on les fait sécher au soleil en les suspendant à des fils de métal, à des cordes, etc. Le village est pavoisé d'innombrables feuillages suspendus dont la couleur ressemble aux mimosas (jaunâtre) . . . on décroche les branches, on les secoue pour faire tomber les oeufs que l'on conserve pour l'hiver. On fait bouillir les oeufs avant de les manger."[23]

Structurée énergiquement, l'oeuvre représente une illustration du village indien tel que Macdonald se le rappelle. Les contrastes de couleur y sont encore plus frappants que dans les tableaux précédents de l'artiste. Macdonald crée un motif décoratif à l'aide des oeufs, qui réunit le premier plan au plan médian et sert de trait d'union aux divers éléments de la composition. Ce n'est pas par accident si cette oeuvre, comme *Friendly Cove* et *Enterrement indien*, est conçue en studio en ne s'inspirant que de vagues croquis réalisés en plein air à Nootka. *Phare de Nootka,* par ailleurs, représente la transcription fidèle d'une aquarelle réalisée sur place. Le souci du naturel caractérisant cette dernière oeuvre fait place dans les paysages indiens à une composition décorative dans laquelle Macdonald dépeint l'esprit et la vie de Nootka sans tâcher de reproduire fidèlement une scène particulière.

Après avoir peint *Séchage des oeufs de hareng*, Macdonald se décide à retourner à sa plus grande passion. Il écrit à ce sujet: "Je peux maintenant revenir à mes modes, qui me passionnent beaucoup plus que les paysages."[24]

The modalities had preoccupied Macdonald's thoughts since he had first conceived of them in Nootka in 1935. During the last years of the decade, they became his chief concern. "I am still doing landscape, but find my semi-abstracts or what I name 'Modalities' a deeper value to me."[1] These works remained secret, known only to a small circle of artists, yet it was they that lifted Macdonald to the heights of new discoveries and exaltation.[2]

At least one man in Vancouver shared Macdonald's interest in the development of abstraction. John Vanderpant, who also sought a spiritual awareness he could depict in his own art, was immediately sympathetic to Macdonald's search.

"John Vanderpant seems to be the only 'living' being I have met so far. He radiates personality more than ever, his work steadily increases in aesthetics and I can see him in time producing things much more spiritual –that is if it can be done with the camera."[3]

Macdonald envied Vanderpant and "the way he [could] lift himself out of his environment here and live in his own world. Perhaps I could do the same if I had money for paint and canvas."[4] Vanderpant, in turn, offered Macdonald encouragement in his explorations and assurance that his search was not in vain:

"I enjoyed an evening with Vanderpant, saw all his new photographs and tried him out on my new painting experiments. We had as full an evening together as we ever had and I believe we found that our thoughts ran along very similar lines in relation to expressive impulses. His most recent works are amazingly spiritual."[5]

One other artist whom Macdonald consulted about his "modernities"[6] and who shared his interest and excitement was Emily Carr, whom he

Les modes accaparent les pensées de Macdonald depuis qu'il en a eu l'idée à Nootka en 1935. Ils vont même constituer sa principale préoccupation vers la fin des années 30: "Je fais toujours du paysage, mais je me rends compte que mes oeuvres semi-abstraites, que j'appelle des "modes", ont plus de valeur pour moi."[1] Ces oeuvres restent secrètes, connues d'à peine quelques artistes, mais elles permettent à Macdonald de faire de nouvelles découvertes et de connaître des joies inégalées.[2]

Au moins une personne à Vancouver partage l'intérêt de Macdonald pour l'art abstrait, John Vanderpant. Cet artiste, également en quête d'une spiritualité qu'il pourrait faire ressortir dans son art, approuve immédiatement la démarche de Macdonald.

"John Vanderpant semble être le seul être "vivant" que j'aie rencontré jusqu'ici. Sa personnalité rayonne plus que jamais, son travail est toujours plus esthétique et je peux déjà l'imaginer créant à l'avenir des choses beaucoup plus spirituelles, pourvu que ce soit possible avec un appareil-photo."[3]

Macdonald envie Vanderpant et "la façon dont il peut se détacher de son milieu et vivre dans un monde à lui. Je ferais peut-être la même chose si j'avais assez d'argent pour acheter de la peinture et des toiles."[4] Vanderpant, quant à lui, encourage Macdonald à poursuivre ses tentatives et l'assure que sa recherche n'est pas inutile:

"J'ai passé une belle soirée avec Vanderpant, j'ai vu toutes ses nouvelles photos et j'ai essayé de voir comment il réagissait à mes nouvelles expériences en peinture. Nous avons eu une soirée des plus enrichissantes, et je pense que nous nous sommes rendu compte que nos pensées convergeaient en matière d'impulsions créatrices. Ses dernières oeuvres sont étonnamment spirituelles."[5]

Macdonald consulte également une autre artiste sur ses "modernités",[6] qui partage son intérêt et son enthousiasme, Emily Carr. Macdonald la considère comme la plus grande artiste canadienne de l'époque, "un génie, sans l'ombre d'un doute".[7] Dans ses lettres, il lui parle d'art abstrait ou d'autres formes d'art, discutant des conseils que Lawren

considered to be Canada's greatest living artist, "a genius without question."[7] He corresponded with her about art and abstraction, discussing Lawren Harris's advice to her in this regard. But for Emily Carr, the path would lead in other directions. She wrote:

"Lawren Harris is now deep in abstract form and has written me long letters on the subject wanting me to try it out but I have no desire to . . . . I can't get the link up . . . it is something that has stopped and so lost its interpretive meaning and become empty. What is the good of inventing a new language if there is no one to talk to. Perhaps I may come to see things differently some day. Our work is always changing without one consciously knowing anything about it."[8]

Like Harris, Macdonald was deeply involved in abstraction; during these years, he sought to articulate his aesthetic goals. He defined his new paintings as

"expressions of *thought* in relation to nature' . . . considered by Kant to relate to creative expressions which could not be said to relate to nature (objectively); nor relate to abstract thoughts (subjectively) about nature, but rather included both expressions."[9]

Macdonald first employed the term modality in 1938,[10] and there is some debate about its source.[11] It seems likely that Ozenfant's *Foundations of Modern Art*, which Macdonald had recommended to his students, served as inspiration. In a chapter titled "Modalities," Ozenfant describes the word as signifying "typical forms of feeling and thinking."[12] His description of a modality and Macdonald's interpretation do not differ in principle; in describing his work, however, Macdonald expanded Ozenfant's definition to include Ouspensky's theories about time and space. He referred to his paintings as

"idioms of nature –not completely geometrical, but

Harris lui a donnés sur l'art abstrait. Mais sa démarche la conduit ailleurs. Elle écrit d'ailleurs à ce sujet:

"Lawren Harris est maintenant très pris par l'art abstrait et m'a écrit de longues lettres sur le sujet dans l'intention de me convaincre de m'y adonner, mais ça ne m'intéresse pas . . . je n'arrive pas à faire le lien . . . quelque chose s'est arrêté dans cette forme d'art, a perdu de sa signification et s'est vidé de son contenu. À quoi bon inventer une nouvelle langue s'il n'y a personne à qui parler? Peut-être un jour finirai-je par voir les choses autrement. Notre travail ne cesse d'évoluer sans que l'on s'en aperçoive."[8]

Tout comme Harris, Macdonald s'intéresse très activement à l'art abstrait et c'est à cette époque qu'il cherche à exprimer ses objectifs esthétiques. Il définit alors ses nouvelles toiles comme des

"expressions de *pensée* en rapport avec la nature . . . considérées par Kant comme se rapportant à des expressions créatrices dont on ne peut dire qu'elles

ont trait à la nature (objectivement) ni aux pensées abstraites sur la nature (subjectivement), mais plutôt qu'elles portent sur les deux."[9]

Macdonald emploie le terme de modes pour la première fois en 1938[10] et on ne s'entend toujours pas sur l'origine de l'expression.[11] Il semble qu'il soit tiré de la version anglaise de l'ouvrage d'Ozenfant intitulé *Art*, que Macdonald recommandait à ses étudiants. L'auteur définit ce terme, dans un chapitre intitulé *Modes*, "comme des façons-type de sentir et de penser".[12] Cette définition et l'interprétation qu'en donne Macdonald ne diffèrent pas en principe; dans la description de ses oeuvres, toutefois, Macdonald ajoute à la définition d'Ozenfant les théories d'Ouspensky sur le temps et l'espace. Macdonald considère ses tableaux comme des

"idiomes de la nature, pas entièrement géométriques, mais comprenant en plus une forme naturelle. C'est comme dire que la quatrième dimension est un prolongement de la troisième; elle contient l'essence de la troisième, mais elle se

containing a nature form in extension. It means the same as saying the 4th dimension is an extension of the third dimension; it contains an essence of the 3rd, but has a different space and a different time, and through its added value of motion, it is an entirely new dimension."[13]

In April 1938, Macdonald exhibited four of his modalities, *Rain, Chrysanthemum, Daybreak*, and *Winter*, at the Vancouver Art Gallery. "They stimulated a surprising amount of visitors to [the] studio –demanding private views of others and numerous requests for purchases."[14] Each of the four works presented a different aspect of Macdonald's explorations. They were, however, hung as a group, and it is clear that Macdonald intended them to work in unison. He later refrained from sending the paintings east until there were enough of them to clearly indicate his intent –"a wholeness to the interpretation" on first viewing.[15]

In these works, Macdonald sought to explore, through material means, the immaterial aspects of nature. He sought to portray not rain itself but the image of rain, not "the material shadow" but the spiritual essence of his subjects. *Rain* is a poetic mood statement, a restrained composition in which stylized motifs suggesting water, raindrops, and the rainbow are organized in a flat, colourful design. Hard, cloud-like shapes contrast with feathery trees. *Rain* is characterized by both vertical colour bands and drops of falling water. The sweep of the rainbow across the lower section provides a dynamic counterpoint. Like its companion pieces, *Rain* indicates a search for a visual analogue to portray the transcendental, unaffected by time and space. As he had in the Nootka landscapes, Macdonald found in decorative abstractions of nature a statement he believed embodied the essence of the experience portrayed.

In *Chrysanthemum*, Macdonald dissects and fractures the flower imagery of his earlier paintings

---

caractérise par des réalités spatiales et temporelles différentes, et le mouvement y ajoute une valeur qui en fait une dimension entièrement nouvelle."[13]

En avril 1938, Macdonald expose quatre oeuvres, *Pluie, Chrysanthème, le Point du jour* et *Hiver* à la *Vancouver Art Gallery*. Elles attirent un nombre étonnant de visiteurs au studio; ceux-ci demandent à voir d'autres oeuvres en privé et plusieurs veulent même en acheter.[14] Chacune de ces quatre oeuvres présente un aspect différent des recherches de Macdonald. Elles sont toutefois exposées en groupe, et il est clair que telle est la volonté de Macdonald. Il décide plus tard d'attendre avant de les exposer dans l'Est. Il veut en effet avoir assez de tableaux pour qu'à première vue, on ait une "unité d'interprétation"[15] de ses oeuvres.

Dans ces tableaux, Macdonald tente d'explorer par des moyens matériels les aspects immatériels de la nature. Il tâche de représenter non pas la pluie elle-même, mais l'image de la pluie, non pas "l'ombre matérielle", mais l'essence spirituelle de ses sujets. *Pluie* est une représentation d'état d'âme

poétique, une composition très sobre dans laquelle des motifs stylisés rappellent l'eau, des gouttes de pluie et un arc-en-ciel agencés sans autre profondeur que celle que suggère la couleur. Les contours nets des nuages forment un contraste avec les feuillages plumeux. *Pluie* se caractérise par des bandes de couleur verticales et par des gouttes d'eau qui tombent. L'arc-en-ciel surplombant la partie inférieure de la composition en assure l'équilibre dynamique. Comme les tableaux qui l'accompagnent, *Pluie* représente une démarche vers une analogie visuelle capable d'exprimer le transcendantal, au-delà du temps et de l'espace. Comme dans ses paysages de Nootka, Macdonald a recours au traitement abstrait et décoratif de la nature pour exprimer ce qui représente selon lui l'essence du sujet traité.

Dans *Chrysanthème*, Macdonald dissèque et fragmente l'imagerie florale de ses tableaux antérieurs à un point tel que les motifs obtenus sont semblables à ceux qu'il a transcrits dans son étude de l'histoire de l'ornementation.[16] La figure centrale, selon les notes de Macdonald sur

Rain, 1938
Oil on canvas
55.9 x 45.7 cm
Collection of Judith Brown

Pluie, 1938
Huile sur toile
55,9 x 45,7 cm
Collection de Judith Brown

Chrysanthemum, 1938
Oil on canvas
56.5 x 46.1 cm
Private Collection

Chrysanthème, 1938
Huile sur toile
56,5 x 46,1 cm
Collection particulière

Flight, 1939
Oil on canvas
56.5 x 46.4 cm
Private Collection

Envol, 1939
Huile sur toile
56,5 x 46,4 cm
Collection particulière

until the motif is reduced to a pattern similar to that which he had transcribed in his study of the history of ornament.[16] The central figure, according to Macdonald's notes on "Symbolism in Decoration," represents movement;[17] the painting is one of intense activity that is ultimately resolved by the co-ordination and counterbalancing of the dominant spiral motifs. Swirling lines and inter-penetrating diagonals, encompassed by parallel lines of motion that bisect the canvas, create a scene of frenetic action.

The depiction of exploding forces in *Chrysanthemum* shows a clear awareness of futurist techniques. Similarly, a later work, *Flight* (1939), in which geometric forms do battle in a futuristic space, indicates that Macdonald was well versed in the styles of the international art world. Täuber had taught contemporary art movements at the British Columbia College of Art, and Macdonald was familiar with current art publications. But he drew on stylistic devices such as the futurists' "force-

---

Symbolism in Decoration, indique le mouvement;[17] le tableau représente une activité intense qui culmine dans la coordination et l'équilibre des motifs en spirale dominant l'oeuvre. Des lignes tourbillonnantes et des diagonales qui se chevauchent sont traversées par des lignes bissectrices parallèles pour créer une impression d'action frénétique.

La représentation des forces dynamiques de *Chrysanthème* indique une connaissance certaine des techniques futuristes. Une oeuvre ultérieure, *Envol* (1939), où des formes géométriques se livrent bataille dans un paysage futuriste, indique que Macdonald est très au courant des styles du monde artistique international. Täuber a enseigné les mouvements artistiques internationaux au *British Columbia College of Art*, et Macdonald connaît bien les publications artistiques de l'heure. Mais il n'a recours aux procédés stylistiques des futuristes, tel celui des "lignes de force", que lorsque ce style lui permet mieux que tout autre de trouver une solution esthétique au problème qui l'intéresse. Aucun mouvement ne l'emporte en particulier,

lines" only when the style reflected the best possible aesthetic solution to the problem at hand. No single movement prevailed, and Macdonald explored pointillism and cubism as well as futurism in his investigations.

In *Winter*, a stylized feather/leaf figures as the central motif. Repeating the central solid image in broken and reflecting forms, Macdonald creates a subtle harmony of whites and pinks to weaken the materiality of the image. His paint is applied in small pointillist brush strokes, indicating a statement of mood rather than concrete imagery. His search is for the spiritual through the material.

The most monumental of Macdonald's modalities is *Fall Modality 16* (1937). It suggests that Macdonald, perhaps stimulated by Emily Carr, looked to Lawren Harris's abstracts of these years for inspiration, and it is instructive to compare their paintings. It was at this time that Macdonald wrote to Ottawa:

"I would like to have seen an abstract or semi-abstract canvas included in the selection as I think England is quite sufficiently advanced to expect some suggestions of such expressions from this country. I am not referring to my own studies in this direction but to those of Lawren Harris."[18]

In the fall of 1938, Harris had moved to Santa Fe, New Mexico, to join the newly formed "Transcendental Painting Group." Recognizing its roots in the art of Kandinsky and contemporary transcendental literature, the members of the group sought, as Macdonald did, to express the immaterial by means of their art and thus to carry painting into the realm of the spiritual.[19]

In Harris's *White Triangle* (1939, NGC) the artist avoids all reference to nature. The elements in the composition are geometric shapes laid one above the other in a shallow space. The central triangle is the theosophic symbol for the three principles of life –spirit, force, and matter –and its

---

Macdonald étudiant aussi bien le pointillisme et le cubisme que le futurisme.

Dans *Hiver*, une feuille-plume stylisée constitue le motif principal du tableau. Macdonald répète ce thème central dominant à l'aide de formes fragmentées et réfléchissantes, créant ainsi une subtile harmonie de blancs et de roses qui affaiblissent la matérialité de l'image. La peinture est appliquée par petits coups de pinceau, à la manière pointilliste, évoquant ainsi un état d'âme plutôt qu'une image concrète. Une fois de plus, l'artiste se sert du matériel pour chercher à atteindre le spirituel.

Le plus important des modes de Macdonald a pour titre *Automne* (1937). Ce tableau permet de croire que Macdonald, peut-être sur les conseils d'Emily Carr, a pu s'inspirer des tableaux abstraits peints alors par Lawren Harris. La comparaison en est intéressante. C'est à cette époque que Macdonald écrit dans une lettre à Ottawa:

"J'aurais aimé que le choix de tableaux comprenne une toile abstraite ou semi-abstraite, car je crois que l'Angleterre est assez en avance pour s'attendre à une forme quelconque de ces expressions en provenance de notre pays. Je ne songe pas à mes propres oeuvres dans cette voie, mais à celles de Lawren Harris."[18]

Au cours de l'automne de 1938, Harris déménage à Santa Fe, au Nouveau-Mexique, pour adhérer au *Transcendental Painting Group*, nouvellement formé. Reconnaissant que ses origines remontent à l'art de Kandinsky et à la littérature transcendantale contemporaine, le groupe cherche, comme le fait Macdonald, à exprimer l'immatériel par l'art et ainsi à placer la peinture dans le domaine du spirituel.[19]

Harris, dans un tableau comme *Triangle blanc* (1939, GNC), évite toute référence à la nature, les éléments de sa composition étant des formes géométriques placées les unes au-dessus des autres dans un espace peu profond. Le triangle central représente le symbole théosophique des trois principes de la vie: l'esprit, la force et la matière. Le blanc symbolise la pureté et le silence. Le tableau,

Winter, 1938
Oil on canvas
56 x 45.9 cm
Collection of the Art Gallery
of Ontario
Gift of Miss Jessie A. B.
Staunton in
Memory of her parents, Mr.
& Mrs. V. C. Staunton, 1961

Hiver, 1938
Huile sur toile
56 x 45,9 cm
Collection du Musée des
beaux-arts de l'Ontario
Don de Mlle Jessie A. B.
Staunton à la mémoire des ses
parents, M. et Mme V. C.
Staunton, 1961

white colour symbolizes purity and silence. The painting is laden with symbolic meaning.

Superficially similar, *Fall* also employs the triangle as a principal motif, and Macdonald's interlocking ascending white and yellow triangles and interpenetrating circles recall the geometric shapes of Harris's painting, echoing their common mentors –Blavatsky, Kandinsky, and even Hambidge. Harris's shapes are centrally located and, although thin, are weight-bearing and positioned to overlap in the space the artist has created. In Macdonald's composition, the abstract elements are disposed evenly across the surface; the composition is more complicated and more decorative than Harris's.

The only suggestions of representation in *Fall* are the sparse tree, leaf, and butterfly motifs that adorn the surface, but these stylized art-deco elements are totally alien to Harris. While Macdonald's complicated colour harmony suggests autumnal richness, Harris's colours are

---

chargé de symbolisme, est une invitation à la "lecture".

Apparemment semblable à cette toile, *Automne* a également comme principal motif le triangle; ses triangles blancs et jaunes ascendants et ses cercles qui s'interpénètrent font songer aux formes géométriques de la toile de Harris et aux maîtres des deux artistes, Blavatsky, Kandinsky et même Hambidge. Les formes de Harris sont centrées et, en dépit de leur minceur, elles font poids et sont placées par l'artiste pour se chevaucher dans l'espace. Les éléments abstraits de Macdonald sont disposés régulièrement sur la surface dans une composition plus complexe et plus décorative que celle de Harris.

Les seuls rappels de la réalité dans *Automne* sont les motifs sobres de l'arbre, de la feuille et du papillon décorant la surface. Ce genre d'éléments stylisés à la manière des arts décoratifs est tout à fait étranger à Harris qui ne choisit ses couleurs qu'en raison de leur valeur symbolique abstraite, alors que Macdonald veut évoquer par l'harmonie complexe de ses couleurs la richesse de l'automne.

Lawren Harris
White Triangle, c.1939
Oil on canvas
129.9 x 93 cm
National Gallery of Canada,
Ottawa

Lawren Harris
Triangle blanc, vers 1939
Huile sur toile
129,9 x 93 cm
Galerie nationale du Canada,
Ottawa

Fall (Modality 16), 1937
Oil on canvas
71.1 x 61 cm
Private Collection

Automne (Mode 16), 1937
Huile sur toile
71,1 x 61 cm
Collection particulière

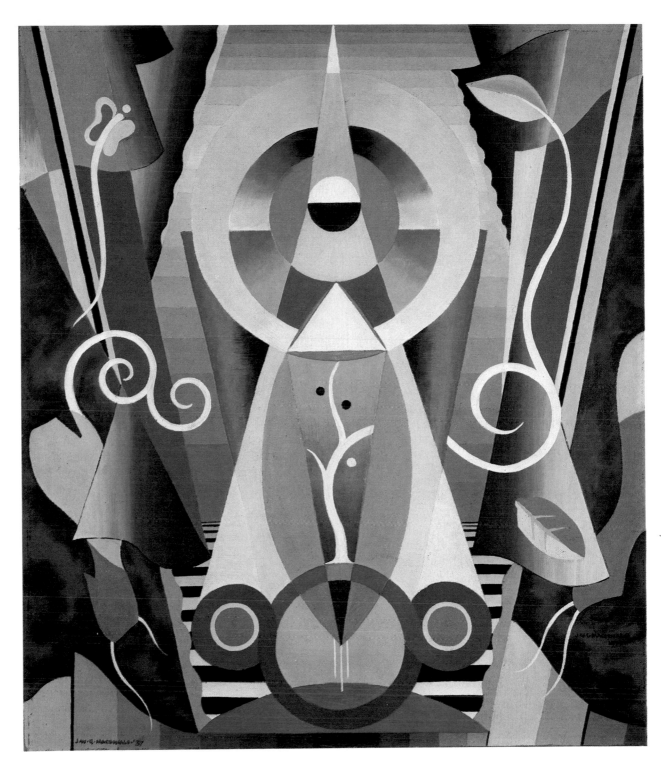

chosen solely for their abstract symbolic values. Although both seek an infinite and timeless statement, Macdonald's space is not the shallow space of Harris's paintings. Calling upon his experience as a textile designer, Macdonald has succeeded in creating a stage in which every element is strongly tied to the surface of the canvas. Only through the pattern of the central striated area does the painting speak to the infinite and timeless world –the fourth, fifth, and sixth dimensions. Though certainly similar in intent, Harris's handling of space, emphatic use of symbolic colour, and total reliance on geometric abstraction reveal a refinement of direction quite distinct from Macdonald's. Macdonald never abandoned his reference to nature. Two other paintings –*Spring Awakening* (1938), reproduced on the cover of the Vancouver Art Gallery Bulletin in 1938, and another unlocated abstract composition, in which the colours reflect winter –suggest that *Fall* was part of a larger group of geometrically

conceived abstract paintings probably intended to represent the seasons.[20]

In *Birth of Spring*, Macdonald takes a different approach to the season. Whereas the shapes in *Spring Awakening* are geometric and closed in a definitive linear design, the images of *Birth of Spring* are organic in nature. Lightness is created through the manipulation of softly flowing shapes against a white ground. The forms, which symbolize birth and growth, emerge from swelling billows of blue and green, which surely represent the world of earth and sky. In colour and mood, the imagery is intended to create an expressionistic interpretation of a season. The composition is evocative of Kandinsky's improvisations, and its intention is similar. As Kandinsky had recognized, a painting could no longer be understood as the representation of an object but must be seen as the creation of a mood –as pure painting.[21]

One further landscape evolved from the

Untitled Modality, c.1938
Medium, size and location unknown

Mode, sans titre, vers 1938
Médium, dimensions et propriétaire inconnus

Spring Awakening
Medium, size and location unknown
Reproduced on Vancouver Art Gallery Brochure, 1938

Réveil du printemps
Médium, dimensions et propriétaire inconnus
Reproduit sur un programme de la *Vancouver Art Gallery*, 1938

Tous deux cherchent à exprimer l'infini et l'intemporalité, mais Macdonald y arrive dans un espace ayant plus de profondeur que celui de Harris. Faisant appel à son expérience de dessinateur en tissu, Macdonald arrive à créer une scène où chaque élément occupe la place qui lui revient sur le tableau. Seul l'espace strié du centre permet à la toile de déboucher sur le monde de l'infini et de l'intemporel, les quatrième, cinquième et sixième dimensions. Quoique recherchant sans doute le même effet, Harris, par son traitement de la surface, son recours exclusif à la couleur-symbole et à l'abstraction géométrique, trahit une orientation beaucoup plus précise et très différente de celle de Macdonald qui continue de se référer à la nature. L'existence de deux autres tableaux, *Réveil du printemps* (1938), reproduit sur la couverture du bulletin de l'*Art Gallery of Vancouver* en 1938, et une autre composition abstraite aux couleurs d'hiver, aujourd'hui disparue, permet de croire qu'*Automne* s'inscrit dans un groupe de tableaux géométriques abstraits probablement destinés à évoquer les saisons. Dans *Naissance du printemps*, Macdonald

aborde cette saison d'une façon différente.[20]

Alors que les formes de *Réveil du printemps* sont géométriques et contenues dans un dessin linéaire définitif, les images de *Naissance du printemps* sont de nature organique. L'effet de légèreté est suggéré par des formes flottant doucement sur un fond blanc. Ces formes, qui symbolisent la naissance et la croissance, émergent de fortes vagues bleues et vertes qui représentent clairement le ciel et la terre. Dans ses couleurs comme dans sa configuration, l'imagerie a pour but de créer une interprétation expressionniste de la saison. La composition fait songer aux improvisations de Kandinsky, l'intention est semblable. Comme le déclare Kandinsky, l'observateur doit voir dans un tableau une création d'état d'âme et non pas la représentation d'un objet, en un mot, de la peinture pour l'art.[21]

Un autre paysage découle de la vie à Nootka. Avec Bea Lennie, Charles Comfort et Lilias Farley, Macdonald obtient des Chemins de fer nationaux du Canada et des architectes une commande pour la décoration du nouvel Hôtel Vancouver.[22]

Birth of Spring, 1939
Oil on panel
38.4 x 30.5
Anonymous Loan

Naissance du printemps, 1939
Huile sur bois
38,4 x 30,5 cm
Prêt anonyme

Nootka experience. Along with Bea Lennie, Charles Comfort, and Lilias Farley, Macdonald was commissioned by the Canadian National Railway and the architects of the new Hotel Vancouver to decorate the hotel.[22] Macdonald was asked to do a large mural for the dining room; he chose for his theme a composite study of the Nootka landscape. The subject is an Indian village in a forest; two natives stand in the foreground surrounded by a landscape in which fish and birds abound. The landscape and figurative elements in the composition are treated so that the mural is flat and decorative.

The mural medium excited and challenged Macdonald. He enjoyed the experience of putting on the undercoat –"all the trees crimson, blues, reds, pinks, yellow and so on . . . . It was marvellously delightful."[23] He was impressed by the flow of pure colour, and the pastel quality of the mural medium.

It is unlikely that Macdonald intended in this mural to make a social comment on the Indians' situation. However, in describing the composition, he noted that the central characters in the painting were "more stooped and sadder" than in the preliminary sketch.[24] These were Depression years, and the rôle of art as an instrument of social policy was being hotly debated, but there is no evidence that Macdonald had political comment in mind. He did not believe that the artist's rôle was political. He argued strenuously that social realism had no place in the vocabulary of the artist, whose task was to lead by spiritually uplifting society, not by graphically illustrating its ills.[25]

Most certainly his intent was to create a mood that reflected the spiritual condition he had observed rather than to portray specific images or situations. A contemporary review describes the painting as "lyrical rather than monumental, a fantasia on British Columbia characteristics –the sea, the beach and mountain, fog and raincloud and the pouring sun, the life of the Indians –the forms

---

Macdonald est invité à réaliser une grande peinture murale pour la salle à manger; comme thème, il choisit une étude composite du paysage de Nootka. L'oeuvre représente un village indien en forêt; deux Indiens sont au premier plan dans un paysage où les poissons et les oiseaux abondent. Le paysage et les éléments figuratifs de la composition sont traités pour donner à la peinture murale un aspect plat et décoratif.

La réalisation de cette peinture emballe Macdonald. Il relève ce défi avec grande joie dès la pose de la couche de fond: "tous ces arbres cramoisis, les bleus, les rouges, les roses, les jaunes et ainsi de suite . . . Ce fut tout simplement merveilleux."[23] Il est impressionné par l'abondance de couleurs pures et l'aspect pastel du médium de la peinture murale.

Il est peu probable que Macdonald ait profité de cette oeuvre pour faire passer un message social sur la situation des Indiens. Il observe toutefois, dans une description de sa composition, que les personnages centraux sont "plus voûtés et plus tristes" que dans le croquis préliminaire.[24] On est alors à l'époque de la Dépression, et la question d'utiliser l'art comme instrument de politique sociale est chaudement débattue, mais rien n'indique que Macdonald ait songé à faire le moindre commentaire politique. Il ne croit pas que le rôle de l'artiste soit politique. Il est ardemment opposé à l'idée du réalisme social dans le vocabulaire de l'artiste dont la tâche, selon lui, consiste à être à l'avant-garde de la société pour l'élever spirituellement et non pas illustrer ses maux.[25]

Macdonald tient très probablement à créer une atmosphère reflétant la condition spirituelle qu'il observe plutôt qu'à illustrer une image ou une situation donnée. Un compte rendu contemporain décrit le tableau comme étant "lyrique plutôt que monumental, une fantaisie sur les caractéristiques de la Colombie-Britannique: la mer, la plage et la montagne, le brouillard, les nuages et le soleil éclatant, la vie des Indiens, des formes plus symboliques que fidèles à la réalité, le tout s'entremêlant dans un rythme continu de vagues".[26] Comme dans les modes, la surface du

symbolic rather than actual and all intermingled in a continuous wavelike rhythm."[26] As in the modalities, the surface of the painting is worked almost uniformly. Elements of landscapes merge and interpenetrate in the continuous extension of discrete forms to create the effect of cubist simultaneity.

In a shallow, cubist-futurist space, the flowing waves meld with the earth. Trees are stylized and merge with mountains, here reduced to symbolic triangles. The transparent bird forms in lower right and upper left penetrate and incorporate the elements of sea and sky. The composition is entirely dominated by the encompassing sweep of shapes from top right down to the centre foreground and up to the top left. In the centre, the imagery is vertical, as figures, totems, houses, trees, and mountains aspire heavenwards. Through the extension of forms, the overlapping of colour projections, and the abstracting of natural elements, Macdonald creates a realm that trans-cends the dimensions of time and space.

Later, Macdonald wrote of this work that it was

"I am sure one of the first 'semi-abstract' murals done in Canada, if not the first. York Wilson's large Standard Oil Mural [1956] is designed in an exactly similar way as mine of 1939 – in the extension of forms, one into another the overlapping of colour projections, etc."[27]

During the academic year 1938–39, Macdonald taught at Templeton Junior High School in Vancouver and enjoyed a certain amount of financial security. Even in that short period of time, his influence was felt. Former students fondly remember his art classes and the lino-cutting club he established.[28]

In the summer of 1939, the Macdonalds travelled south again to visit the international art exhibition at the San Francisco Golden Gate International Exposition, where Macdonald's

---

tableau est traitée de façon quasi-uniforme. Des éléments de paysage se fusionnent et s'interpé-nètrent dans le prolongement continu de formes discrètes pour créer un effet de simultanéité cubiste.

Dans un espace cubiste-futuriste peu profond, des vagues ondulantes se mêlent à la terre. Les arbres stylisés se fondent à des montagnes réduites ici à des triangles symboliques. Les formes d'oiseaux transparentes de la partie inférieure droite et de la partie supérieure gauche pénètrent et incorporent les éléments de la mer et du ciel. La composition est entièrement dominée par le mouvement ininterrompu des formes du tableau qui partent du coin supérieur droit, descendent jusqu'au centre de l'avant-plan, puis remontent jusqu'au coin supérieur gauche. Au centre, l'imagerie est verticale, les personnages, totems, maisons, arbres et montagnes étant tournés vers le ciel. En agrandissant les formes, en faisant chevaucher les prolongements de couleur et en traitant abstraitement les éléments naturels, Macdonald crée un domaine qui transcende les dimensions du temps et de l'espace.

Macdonald écrira plus tard qu'il est persuadé que cette murale était

"l'une des premières peintures murales "semi-abstraites" faites au Canada, sinon la première. La grande oeuvre murale de York Wilson pour la Standard Oil (1956) est conçue exactement de la même manière que la mienne, qui remonte à 1939, dans le prolongement des formes les unes dans les autres, le chevauchement des projections de couleur, etc."[27]

Pendant l'année scolaire 1938-1939, Macdonald enseigne au Templeton Junior High School à Vancouver, ce qui lui assure une certaine sécurité financière. Malgré ce court laps de temps, l'artiste réussit à laisser sa marque. Plusieurs anciens élèves gardent d'excellents souvenirs de ses classes d'art et du club de linogravure qu'il a fondé.[28]

Pendant l'été de 1939, les Macdonald re-prennent la route du Sud pour visiter l'exposition artistique internationale de la San Francisco Golden Gate International Exposition, où l'Enterrement indien

Sketch for Hotel Vancouver
Mural, 1939
From a photo in the artist's
estate
Medium and size unknown,
no longer extant

*Esquisse pour la peinture murale
de l'hôtel Vancouver*, 1939
Médium et dimensions inconnus, aujourd'hui disparue

Peinture murale, principale salle
à manger de l'hôtel Vancouver,
vers 1939
Huile sur toile
3,5 x 5 m
Photo: C.N.

Indian Burial was included in the Canadian section.[29] After his initial shock at the poor setting in which the Canadian exhibition was hung, Macdonald explored the fair. His attention was drawn less by the displays from individual countries than by the exhibition of *European Art in American Collections*. Of it he wrote: "It was simply excellent –quite the finest collections of work I have ever seen –fine collection of original van Goghs, two Gauguins, several Braques (an amazing aesthetic artist in design and colour), Matisse, Picasso, Léger, Marc, Kandinsky and every other notable."[30] The range of works included in the exhibition was indeed broad. *Table* (1928) by Braque was a consummate cubist painting. Among the Picassos were included MOMA's *Still Life with Fruit* (1927) and the Toledo Museum's *Woman and Crow* (1904). Kandinsky's *With White Ovals* (1921) was included, and Chagall was represented by a painting entitled *Between Heaven and Earth*. Macdonald was overwhelmed

and he wrote: "There is not the slightest doubt that the Continental artists of this century set standards that this Dominion has not arrived at yet except in one or two instances."[31]

In Los Angeles, he went to see Picasso's *Guernica* and commented on the "tremendous effect" of its "tortured buildings, insane humans, and human-looking bull," which he determined was "the only natural-looking subject –a form of animalism."[32] No doubt he was particularly interested because of his own recently completed mural. These visits served as nourishment to a soul who found himself very much alone on his quest for a "modern" artistic expression.

---

de Macdonald fait partie de la section canadienne.[29] Après s'être remis du choc que lui cause le piètre emplacement réservé à l'exposition canadienne, Macdonald visite l'exposition, s'intéressant moins aux expositions particulières des pays participants qu'à l'exposition intitulée *European Art in American Collections*. Il écrit à ce sujet: "Ce fut tout simplement excellent, l'une des plus belles collections d'oeuvres que j'aie jamais vue, une collection superbe de Van Gogh, deux Gauguin, plusieurs Braque (un artiste renommé pour ses recherches esthétiques des formes et des couleurs), Matisse, Picasso, Léger, Marc, Kandinsky et autres oeuvres de peintres célèbres."[30] Les tableaux exposés à cette occasion sont en effet très variés. *Table* (1928) est un tableau cubiste de Braque dans toute la force du terme. Parmi les Picasso, on remarque la *Nature morte aux fruits* (1927) du musée d'Art moderne de New York et la *Femme au corbeau* (1904) du musée de Tolède. On remarque de plus *With White Ovals* (1921) de Kandinsky, et Chagall est représenté par un tableau intitulé *Entre ciel et terre*. Macdonald est renversé: "Il n'y a pas le moindre doute que les

artistes européens du XXe siècle établissent des normes que notre pays n'a pas encore atteintes, sauf dans un ou deux cas."[31]

À Los Angeles, il va voir *Guernica* de Picasso et parle de la vive impression qu'il a ressentie à la vue de ces "immeubles torturés, ces fous et ce taureau à forme humaine", lequel, selon lui, représente "le seul sujet du tableau à avoir l'air naturel, une forme d'animalisme".[32] Il ne fait pas de doute que ce tableau l'intéresse particulièrement, vu qu'il vient de terminer lui-même une oeuvre murale. Ces visites servent de nourriture spirituelle à un être qui se sent très seul dans la recherche d'une expression artistique "moderne".

In September 1939, Macdonald took a position at the Vancouver Technical High School. After just one week he wrote:

"I have been a week there, and my feelings are that I could truthfully disappear. . . . I have got rid of the laborious checking I had to do at the last school but now I feel myself absolutely closed in opportunity to give the kids knowledge of my teaching. I will have to give the kids period furniture styles for their elementary carpentry classes, little designs for ashtrays for their metal work classes, a letter inside a two inch square for their lead cutting classes. I am fairly certain that I will burst wide open and give them just what I want. . . . Damn money anyway!!! Why the devil has one to hang on to mentally stagnating jobs in order to exist? This existence is a peculiar business isn't it?"[1]

The job gave him "little happiness and not much scope . . . [but] did keep [him] supplied with the necessities of life."[2] The outbreak of war frustrated and depressed him, as did the materialism of the society in which he lived.

John Vanderpant had died in 1938. Varley and Täuber had left Vancouver; there were virtually no artists in the city who shared Macdonald's interest in abstraction. One of his few confidantes was the now ailing Emily Carr. She was no more pleased with Victoria than he with Vancouver, writing, "Victoria is really *hopeless*, and our art society is a disgrace to the west."[3] Anxious for a challenging teaching opportunity, Macdonald would have readily left Vancouver if a position had come available, but it was wartime and art departments did not seem to be hiring.[4]

A veteran of World War I, Macdonald eloquently expressed the artist's position in the face of destruction:

"The first reaction of the degradation which has been thrust by humanity on the world brought a feeling to most artists, I believe, that the continued

En septembre 1939, Macdonald se joint au personnel enseignant du *Vancouver Technical High School*. À peine une semaine plus tard, il écrit:

"Je suis là depuis une semaine et je sens que je pourrais carrément partir . . . Je me suis peut-être débarrassé des laborieuses corrections que je devais faire à la dernière école où j'ai enseigné, mais maintenant je n'entrevois pas la moindre chance de transmettre aux élèves mon enseignement. Je vais devoir les initier aux styles de meubles d'époque pour leur classe élémentaire de menuiserie, leur fournir quelques modèles de cendriers pour leur classe de métal ouvré et leur apprendre à dessiner une lettre sur une feuille métallique de deux pouces pour leur cours de typographie. Je suis presque certain d'éclater et de leur donner exactement ce que je veux . . . Maudit argent, quand même!!! Pourquoi diable faut-il s'accrocher à des emplois qui sclérosent l'esprit pour pouvoir exister? Cette façon de vivre est étrange, ne trouvez-vous pas?"[1]

L'emploi lui procure "peu de bonheur et lui laisse très peu de latitude . . . mais lui permet de subvenir à ses besoins".[2] La déclaration de la guerre est cause de frustration et de dépression chez l'artiste, tout comme le matérialisme de la société dans laquelle il vit.

John Vanderpant est mort en 1938. Varley et Täuber ont quitté Vancouver; la ville ne compte presque aucun artiste partageant son intérêt pour l'abstrait. Emily Carr, l'une de ses seules confidentes, est malade. Elle ne se plaît pas plus à Victoria que lui, à Vancouver; elle écrit d'ailleurs: "Victoria est vraiment une ville *sans espoir* et notre société artistique constitue une disgrâce pour l'Ouest."[3] S'il pouvait trouver dans l'enseignement un poste qui puisse le passionner, Macdonald quitterait volontiers Vancouver, mais c'est la guerre, et les départements de beaux-arts n'engagent pas de personnel.[4]

Vétéran de la Grande Guerre, Macdonald exprime éloquemment la position de l'artiste face à la destruction:

"La première réaction des artistes face à la dégradation imposée au monde par l'humanité en

search for an understanding of life through art would be impossible. It is amazing to find that after the 1st shock had been withstood the artist realized that expression of beauty and truth are the most essential qualities of life and that this endeavour of study must not be smothered under any conditions. I hear from our own very splendid artist, A.Y. Jackson, his reaction is, that he must paint in happier and brighter colours and he believes that his energy has been increased. Emily Carr feels that she has renewed strength to continue her search and it is true that she is brighter in enthusiasm than she was twelve months ago. Weston in his studio feels strongly the desire to give value to his expression. In my own case, after a few weeks of war, I felt that I must start with a new outlook and I changed my studio from the north side of the Vancouver block to the east side where I could see the sun, the life giver in the mornings. My enthusiasm grows for expression in the semi-abstracts – or my "modalities" – which I

find lift me out of the earthliness, the material mire, of our civilization."[5]

Unfit for the army because of his war injuries, Macdonald became an active member of a civil defence organization and considered ways in which he might make an artistic contribution to the war.

"One feels that all personal ambitions in expressing oneself should take second place to national duties."[6]

In the spring of 1940, the Macdonalds moved from their cramped attic quarters on Barclay Street in the city to Capilano, across the Lion's Gate Bridge, where Jock had new space for working "surrounded by big tall trees and lulled to sleep with the rush of the Capilano River."[7] Here he joined several other artist friends in "the solitude of the surrounding nature."[8]
   Macdonald's main concern during this period was abstraction. In February 1940, he delivered the

---

est une d'inconfort. Je pense que la recherche continue d'une compréhension de la vie à travers l'art serait impossible. Il est fascinant de constater qu'après avoir fait face au choc initial, l'artiste s'est rendu compte que l'essentiel dans la vie consiste à exprimer la beauté et la vérité et qu'il ne faut surtout pas étouffer cette préoccupation constante sous aucun prétexte. J'apprends de notre remarquable artiste, A.Y. Jackson, qu'il doit par réaction peindre dans des couleurs plus gaies et plus vives, croyant, dit-il, que ses énergies se sont accrues. Emily Carr se sent une force renouvelée pour continuer sa recherche et, de fait, son enthousiasme est plus grand qu'il y a douze mois. Weston, dans son studio, sent le besoin profond de valoriser son expression. Quant à moi, après quelques semaines de guerre, j'ai senti le besoin d'une nouvelle perspective. J'ai donc déménagé mon studio du côté nord du *Vancouver Block* au côté est, où je pouvais voir le soleil qui est pour moi une source de vie tous les matins. Mon enthousiasme grandit pour les formes d'expression semi-abstraites, ou modes, qui me permettent de m'arracher au

matérialisme qui caractérise notre civilisation."[5]

Exclu de l'armée à cause de ses anciennes blessures de guerre, Macdonald s'engage dans une organisation de la défense civile et envisage des façons personnelles d'offrir un apport artistique à la guerre.

"On a l'impression que toute ambition d'expression personnelle devrait céder le pas aux devoirs nationaux."[6]

Au printemps 1940, les Macdonald quittent leur appartement exigu sous les combles, rue Barclay, à Vancouver pour s'installer à Capilano, de l'autre côté du pont Lion's Gate où le peintre travaille "entouré de grands arbres et bercé par le courant impétueux de la rivière Capilano".[7] C'est là qu'il se joint à plusieurs amis artistes dans "la solitude de la nature environnante".[8]
   À cette époque, Macdonald s'intéresse principalement à l'abstrait. En février 1940, il donne une conférence intitulée *Art in Relation to Nature*, au cours de laquelle il fait la synthèse de ses théories

speech titled "Art in Relation to Nature," which brought together all his theories about abstract art, his investigation of spirituality in art, and his efforts to integrate scientific and mathematical principles into a new artistic vision.[9]

In April of 1941, the Art Gallery of Toronto included Macdonald in a four-man show.[10] A major event for Macdonald, the show represented his first opportunity to exhibit a wide range of his work in the east. The eighteen paintings shown included the Indian landscapes *Drying Herring Roe* and *Indian Burial, Nootka*, a photograph of his Hotel Vancouver mural, scenes from Garibaldi, and several modalities.

It is interesting to note that, although Macdonald stated in private correspondence that he considered the modalities to be his most important artistic concern, the Indian landscapes and the hotel mural were most frequently exhibited – the mural represented by a photograph. More than any of his other landscapes, these works took painting beyond representation and incorporated the breadth of his aesthetic interests. Although the modalities represented his artistic goal, the public considered the landscapes to be his major oeuvre. By 1941, his three Indian landscapes were in public or corporate collections,[11] while the modalities, which had occupied him for five years, were not even exhibited before 1938 and remained until the end "experimental."

In May 1941, Macdonald had his first one-man show at the Vancouver Art Gallery.[12] This exhibition of forty landscapes and modalities offered the public its first opportunity to assess his artistic evolution. The exhibition was, for the most part, well reviewed in the Vancouver press. The art critic for the Vancouver *Sun* described Macdonald's reputation in international terms, noting that *The Black Tusk* had attracted much attention at the New York World's Fair, and that his Indian landscapes had received praise "from here to London."[13] The critic described the abstracts as

---

sur l'art abstrait, de son investigation de la spiritualité dans l'art et de ses efforts pour intégrer les principes scientifiques et mathématiques dans une nouvelle vision artistique. [9]

En avril 1941, Macdonald participe à une exposition collective regroupant quatre artistes, à l'*Art Gallery of Toronto* [10]. Cette exposition importante pour l'artiste lui permet enfin de faire voir une grande variété de ses oeuvres dans l'Est. Les dix-huit oeuvres choisies comprennent entre autres les paysages indiens *Séchage des oeufs de hareng* et *Enterrement indien, Nootka*, une photographie de sa peinture murale de l'hôtel Vancouver, des scènes du parc Garibaldi et plusieurs modes.

Il est intéressant de noter que même si Macdonald déclare dans sa correspondance privée que, selon lui, les modes constituent ses préoccupations artistiques principales, ce sont surtout ses paysages indiens et sa peinture murale qu'on expose, cette dernière étant représentée par une photographie. Plus que tous ses autres paysages, ces oeuvres poussent l'art du peintre au-delà du fituratif et présentent l'étendue de ses préoccupations esthétiques. Bien que les modes soient son but premier, pour le public, la réussite la plus importante de Macdonald demeure ses paysages. Dès 1941, trois paysages indiens font partie de collections publiques ou de collections appartenant à des sociétés, [11] tandis que les modes, qui ont accaparé l'artiste pendant cinq ans, ne sont même pas exposés avant 1938 et demeurent jusqu'à la fin au stade "expérimental".

En mai 1941, Macdonald fait sa première exposition solo à la *Vancouver Art Gallery* [12]. Cette exposition de quarante paysages et modes permet enfin au public de constater l'évolution artistique du peintre. La presse de Vancouver en fait, dans l'ensemble, une critique favorable. Le critique artistique du *Vancouver Sun* décrit Macdonald comme un artiste de réputation internationale, signalant que son tableau *la Défense noire* a été très remarqué à l'Exposition internationale de New York et que ses paysages indiens ont fait l'objet d'éloges "jusqu'à Londres". [13] Le critique ajoute que les tableaux abstraits "rappellent un peu ceux de Kandinsky, . . . admirables pour la variété des

"recalling somewhat those of Kandinsky, . . . admirable in their variety of form and colour," and he singled out for particular comment *The Wave* and *Autumn (Fall)*.[14] It is not strange that Macdonald's modalities were compared to Kandinsky's paintings, for Kandinsky represented the leader of the expressionistic, non-objective European school and was, in Vancouver, by far the best-known of the European abstract artists. Macdonald was aware of Kandinsky's work, and shared his interest in abstraction and in the spirituality of painting, with one crucial difference. While Kandinsky insisted that abstract art had to escape from nature to find its own source, Macdonald reiterated throughout his life that his art was firmly rooted in nature:

"Nature is still my medium for study and I believe as definitely as ever that there can be no art with aesthetic values which has no contact with nature."[15]

Stylistically, their works are often similar. If *Birth of Spring* owes its expressionist flowing forms to the same intention as Kandinsky's 1913 paintings, then *Fall* and *Spring Awakening* may be likened to Kandinsky's geometricized Bauhaus paintings. But Kandinsky's works are usually centrifugal; Macdonald's are centripetal. Macdonald was tied to an all-over composition, working his surface evenly and giving relatively equal weight to each area. In Kandinsky's painting, colour has freedom, but the forms and colours of Macdonald's modalities are tied to the symbolism of the paintings.

It is indeed this involvement with a symbolist message that places Macdonald's modalities firmly in the North American context of the 1930s, for Europe had discovered symbolism and theosophy a generation earlier. Macdonald's artistic counterparts are Emil Bisttram and Lawren Harris, proponents of the transcendental movement, working in the United States and Canada, who shared his interest in the spirituality of art.[16]

---

formes et des couleurs", réservant des commentaires particuliers aux oeuvres *la Vague* et *Automne*.[14] Il n'est pas étonnant qu'on compare les modes aux tableaux de Kandinsky puisque celui-ci, considéré comme principal représentant de l'expressionnisme abstrait européen est, à Vancouver, le plus connu des artistes de ce mouvement. Macdonald connaît l'oeuvre de Kandinsky et partage son intérêt pour l'abstrait et la spiritualité dans la peinture, mais avec une nette différence. Tandis que Kandinsky prétend que l'art abstrait doit se libérer de la nature pour trouver sa source propre, Macdonald répète pendant toute sa vie que son art prend naissance dans la nature:

"La nature demeure mon instrument de recherche et je crois toujours fermement qu'il ne saurait exister d'art ayant des valeurs esthétiques sans contact avec la nature."[15]

Leurs oeuvres se rapprochent souvent par le style. Si *Naissance du printemps* doit ses formes expressionnistes fluides aux mêmes intentions que celles de Kandinsky dans ses tableaux de 1913, *Automne*

et *Réveil du printemps* peuvent se comparer aux tableaux géométriques de Kandinsky à l'époque du Bauhaus. Mais les oeuvres de ce dernier sont généralement centrifuges, tandis que celles de Macdonald sont centripètes. Celui-ci s'attache à l'ensemble de la composition du tableau, travaillant sa surface uniformément et accordant plus ou moins la même importance à chacune de ses parties. Chez Kandinsky, la couleur reste libre, alors que les formes et les couleurs de Macdonald sont assujetties au symbolisme du tableau.

C'est précisément cet attachement au message symbolique qui plonge fermement les modes de Macdonald dans le contexte nord-américain des années 30, l'Europe ayant fait la découverte du symbolisme et de la théosophie une génération plus tôt. La démarche de Macdonald se rattache plutôt à celle de l'Américain Emil Bisttram et du Canadien Lawren Harris, défenseurs du mouvement transcendantal, qui partagent avec lui un intérêt profond pour la spiritualité dans l'art.[16]

C'est dans un article rédigé plus tard, au sujet de la peinture sur la côte du Pacifique, que sans

Perhaps Macdonald summarized his goals most succinctly in an article about painting on the west coast written some years later. In it he defined the aesthetic goal of western art as an "aware[ness] of the new space consciousness of our time, the psychological reactions to vibrant colour and the dynamic force of modern composition."[17] To find visual expression for these lofty aims was no small task.

In the summer of 1941, Macdonald finally had the chance to travel east. As president of the British Columbia Society of Fine Arts, he was a western delegate to the Kingston Conference, charged with bringing greetings from the British Columbia group.[18] During the long train ride, Macdonald and Jack Shadbolt debated one of the most crucial issues of the day – the relationship of socialism and art. Macdonald remained adamant in his conviction that the artist's rôle was not to depict political events or to espouse political causes but to fulfil the demands of his inner conscience.[19] The

doute Macdonald expose ses objectifs avec le plus de concision. Dans ce texte, il définit l'objectif esthétique de l'art occidental comme étant "la nouvelle conscience spatiale de notre époque, les réactions psychologiques aux couleurs éclatantes et la force dynamique de la composition moderne".[17] Trouver un moyen visuel d'expression pour atteindre ces objectifs élevés n'est pas une tâche facile.

Pendant l'été 1941, Macdonald a finalement l'occasion de se rendre dans l'Est du pays. À titre de président de la *British Columbia Society of Fine Arts*, il fait partie de la délégation de l'Ouest au congrès de Kingston, où il est chargé de transmettre les salutations de son groupe.[18] Durant le long trajet en train, Macdonald et Jack Shadbolt discutent de l'une des questions les plus débattues de l'heure: les rapports entre le socialisme et l'art. Macdonald reste foncièrement convaincu que le rôle de l'artiste n'est pas de dépeindre des événements politiques ni d'épouser des causes politiques, mais bien de satisfaire aux exigences de son subconscient.[19] Ce congrès, organisé par

Ice Forms –Columbia Ice Fields,
1941
Oil on panel
30.5 x 38.1 cm
Private Collection

Relief de glace — Champ de glace Columbia, 1941
Huile sur bois
30,5 x 38,1 cm
Collection particulière

conference, organized by André Biéler, became the progenitor of the Canada Council, and offered Macdonald a much needed opportunity to share his ideas with fellow artists.

When Lawren Harris moved to Vancouver in the early 1940s, Macdonald once more discovered an artist/confidant with whom he could share his deepest concerns about the nature of art. Like Macdonald, Harris was deeply absorbed in a search for art that transcended the mundane, seeking "material correspondences for spiritual guidance along the ascending path of life towards cosmic consciousness."[20]

Macdonald and Harris became close friends and eventually shared a studio and went on sketching expeditions together. They spent most of the summer of 1941 in the Rockies. At Lake O'Hara, the mighty glaciers offered what Harris described as "a channel into our essential inner life, a door to our deepest understanding, wherein we have a capacity for universal experience."[21]

Twenty-two sketches of the Rockies were exhibited in Macdonald's one-man exhibition at the Vancouver Art Gallery in September 1941, on his return from the mountains.

The summers of 1942 and 1943 were spent in Garibaldi Park. In his paintings of the mountain range, Macdonald sought once again to integrate the spiritual and formal concerns of his art. Among the glaciers he found the silence of nature and oneness with the universe.

"The Sphinx Glacier was the most powerful force I have ever seen outside the mountainous waters of the open Pacific.[22]

"Previously the glaciers I visited in the park were disappointing as they just slithered down to the tongue in dirty brown ice, and expressed no glorious celestial blues, greens and pinks! I crossed the lake to examine Sphinx and there I found what I inwardly felt glaciers should be –simply marvellous in tortured forms, block massed ice, iridescent

---

Columbia Ice Fields, Glacier, Alberta, c.1941
Oil on panel
30.5 x 38.1 cm
Dr Hamish McIntosh,
Vancouver

Champ de glace Columbia, Parc des Glaciers, Alberta, vers 1941
Huile sur bois
30,5 x 38,1 cm
Docteur Hamish McIntosh,
Vancouver

André Biéler, est à l'origine du Conseil des Arts du Canada; pour Macdonald, il représente la chance longuement attendue de faire partager ses idées à d'autres artistes.

Lorsque Lawren Harris s'établit à Vancouver au début des années 40, Macdonald retrouve un artiste et un confident avec qui il peut partager ses préoccupations les plus profondes concernant la nature de l'art. Comme Macdonald, Harris est en quête d'un art qui transcende la réalité du monde, cherchant "des correspondances matérielles qui peuvent servir de guide spirituel sur la route ascendante menant à la conscience cosmique".[20]

Macdonald et Harris se lient d'amitié et finissent par partager un studio; ils font aussi ensemble maintes excursions au cours desquelles ils dessinent des croquis. Ils passent la plus grande partie de 1941 dans les Rocheuses. Les glaciers imposants du lac O'Hara représentent pour Harris "un passage vers l'essence de notre vie intérieure, une porte s'ouvrant sur notre entendement le plus profond, nous permettant d'atteindre à l'expérience universelle".[21] Vingt-deux croquis des

Rocheuses composent l'exposition solo de Macdonald à la *Vancouver Art Gallery* en septembre 1941, à son retour des montagnes.

Les étés 1942 et 1943 marquent un retour au parc Garibaldi. Dans ses tableaux de la chaîne de montagnes, Macdonald cherche une fois de plus à intégrer dans son art ses aspirations tant sur le plan spirituel que formel. Les glaciers lui offrent le silence de la nature et la sensation de ne faire qu'un avec l'univers.

"Le glacier du Sphynx m'a fait vivre ma plus puissante expérience depuis les eaux déchaînées du Pacifique."[22]

"Les glaciers que j'avais vus jusqu'à présent dans le parc étaient décevants; ils se terminaient en une langue de glace d'un brun sale sans jamais refléter les couleurs éclatantes de bleus célestes, de verts et de roses! J'ai donc traversé le lac pour regarder de plus près le Sphynx et c'est à ce moment-là que s'est confirmée l'idée que je m'étais faite d'un glacier: un spectacle de toute beauté, des formes torturées, des masses de glace, des cavernes

Mt. Lefroy, Lake O'Hara,
1944
Oil on canvas
101.6 x 81.3 cm
University of British
Columbia

Mont Lefroy, lac O'Hara, 1944
Huile sur toile
101,6 x 81,3 cm
University of British
Columbia

Lake O'Hara Looking East,
1941
Oil on panel
30.5 x 38.1 cm
Private Collection

Lac O'Hara, vue de l'est, 1941
Huile sur bois
30,5 x 38,1 cm
Collection particulière

Castle Towers Garibaldi Park,
1943
Oil on canvas
71.8 x 96.5 cm
Private Collection

Castle Towers, parc Garibaldi,
1943
Huile sur toile
71,8 x 96,5 cm
Collection particulière

caves and constant thunderous crashes of ice walls some twenty or thirty feet high."[23]

The landscape at this altitude provided spiritual inspiration. There is a clarity of atmosphere, a preciseness of forms, and a fascination with light and atmosphere in paintings such as *Tantalus Range from Garibaldi Park*. Although the deep space of earlier works has disappeared, this painting is dominated by a sense of openness and grandeur. A brief comparison between *The Tusk* (1932) and this painting reveals the new freedom that prevails. In *Tantalus Range from Garibaldi Park* (1939) and *Castle Towers, Garibaldi Park* (1943), the stiffness of paint and composition and the austerity of the 1930s landscapes has given way to an ease of handling and freshness of colour. These paintings reveal both the majesty of the mountain scenery and the cosmic harmony that Macdonald sought in his abstractions.

In 1943, the provincial government arranged a $1,000 grant to the Vancouver Art Gallery for children's art classes.[24] Macdonald was charged with staffing and organizing Saturday morning sessions. He arranged to have the "use of the Symphony's gramophone and records in order to have a little good music vibrating through the gallery rooms."[25] In his opinion, music enriched the atmosphere for art instruction, and might "bring at least a suggestion to some children of the unity of the arts."[26] Macdonald looked forward to these Saturday morning classes: "If we could only break through with a similar environment in our dayschool art classes."[27]

In the same year, Macdonald was commissioned by the National Gallery of Canada to design a silkscreen poster for the Defence Services. *British Columbia Indian Village* hearkens back to the earlier Nootka landscapes and represents a synthesis of the pictorial elements of those works. It is likely that Macdonald selected these themes as a typical west coast scene in order to contribute to the sense of a

---

iridescentes et le grondement constant des murs de glace d'une hauteur de vingt ou trente pieds qui se détachent et s'écrasent."[23]

Le paysage offre à cette altitude une inspiration spirituelle. Il se dégage en effet une impression de clarté, une précision de formes et un souci de luminosité dans des tableaux comme *Tantalus Range, parc Garibaldi*. Même sans l'impression de profondeur des oeuvres antérieures, ce tableau n'est qu'espace et grandeur. Une brève comparaison entre *la Défense noire* (1932) et ce tableau révèle une liberté toute nouvelle. Dans *Tantalus Range, parc Garibaldi* (1939) et *Castle Towers, Garibaldi* (1943), la rigidité du traitement pictural et de la composition et l'austérité des paysages des années 30 font place à l'aisance de la peinture et à la fraîcheur des coloris. Ces tableaux évoquent à la fois la majesté du paysage montagneux et l'harmonie cosmique que recherche Macdonald dans ses oeuvres abstraites.

En 1943, le gouvernement provincial accorde une subvention de $1 000 à la *Vancouver Art Gallery* pour des classes d'art données aux enfants.[24] Macdonald est chargé d'engager le personnel et d'organiser les séances du samedi matin. Il demande la permission "d'utiliser le phonographe et les disques de l'orchestre symphonique pour qu'on entende un peu de bonne musique dans les salles de la galerie".[25] Selon l'artiste, la musique enrichit l'atmosphère d'un cours d'art et permet "au moins de donner à quelques enfants une vague idée du lien qui existe entre les différentes formes d'art".[26] Macdonald a toujours hâte aux classes du samedi matin et souhaite pouvoir "réussir à créer la même ambiance pour les classes de jour."[27]

Cette année-là, la Galerie nationale du Canada demande à Macdonald de dessiner une affiche devant être reproduite en sérigraphie pour le ministère de la Défense nationale. *Village indien de Colombie-Britannique* rappelle les anciens paysages de Nootka et représente une synthèse des éléments picturaux de ces oeuvres. L'artiste a sans doute choisi ce sujet afin de contribuer à la création d'une conscience nationale qui lui tient à coeur. Malgré les "moments d'agonie passés à s'accommoder

Tantalus Range from Garibaldi Park, 1939
Oil on canvas
74.9 x 86.4 cm
Private Collection

Tantalus Range, parc Garibaldi,
1939
Huile sur toile
74,9 x 86,4 cm
Collection particulière

Kelowna Landscape, 1944
Oil on canvas
76.2 x 91.4 cm
Mr. M. Sharf

Paysage de Kelowna, 1944
Huile sur toile
76,2 x 91,4 cm
M.M. Sharf

national consciousness that he sought. In spite of the "moments of 'agony' pulling through on the limited number of colours," the assignment provided a "great deal of pleasure."[28] Three hundred posters were run off for the Armed Forces, and the National Gallery took two hundred for sale to schools.[29]

Macdonald considered himself a strong nationalist since his arrival in Canada, and he held a firm belief that the artist had a rôle in developing a national consciousness. The poster commission offered Macdonald an opportunity to identify with "that unity of wholeness in the cultural and spiritual showing in the arts of Canada" that he always sought to foster.[30] Each move towards national unity –for example, the Canadian Artists' Federation and the National Gallery of Canada's policy to circulate works of art across Canada – inspired him to new eloquence. When the first issue of *Canadian Art* magazine was published in 1943, Macdonald found it a "first rate development and another new highlight along the road of art consciousness –purely Canadian –which will further cement the steadily increasing unity of culture."[31]

Macdonald spent the summer of 1944 in the Okanagan Valley. He brought back several large oils and a number of small sketches, which reflect the softer, more intimate quality of the landscape. The Okanagan seems to have elicited a new vision, and the grandeur of the Rockies and of Garibaldi gave way to softer forms. The darkening clouds of a summer storm or the brilliant light of the summer sun along with a rich, brightly coloured palette create vibrant colour harmonies to unify these paintings. The deep space of earlier landscapes is replaced in the Okanagan works by a Cézanne-like organization of forms parallel to and complementing the picture plane. In November 1944, the Vancouver Art Gallery mounted a one-man show of the Okanagan paintings.[32] The reviewer for the *Daily Province* wrote: "For the first

d'un nombre limité de couleurs", Macdonald éprouve "beaucoup de plaisir" à exécuter la commande.[28] L'affiche est reproduite à trois cents exemplaires pour les Forces armées, et la Galerie nationale en commande deux cents pour les vendre dans les écoles.[29]

Macdonald, qui se considère comme un nationaliste ardent depuis son arrivée au Canada, croit profondément au rôle de l'artiste dans le développement d'une conscience nationale. La commande de l'affiche lui offre donc l'occasion de s'identifier à "cette unité des manifestations culturelles et spirituelles de l'art au Canada" qu'il cherche depuis toujours à favoriser.[30] Tout mouvement favorable à l'unité nationale, par exemple, la politique de la *Canadian Artists' Federation* et de la Galerie nationale du Canada visant à faire connaître les oeuvres d'art en les exposant partout au Canada, l'inspire au plus haut point. Lors de la publication du premier numéro de la revue *Canadian Art* en 1943, Macdonald salue une "nouveauté de premier ordre et un autre jalon important conduisant à une prise de conscience artistique purement canadienne, qui cimentera davantage l'unité de la culture".[31]

Macdonald passe l'été 1944 dans la vallée de l'Okanagan. Il en rapporte plusieurs grandes huiles et divers croquis de petite taille reflétant les aspects plus délicats et plus intimes du paysage. L'Okanagan semble avoir suscité chez l'artiste une vision nouvelle, la majesté des Rocheuses et du parc Garibaldi faisant désormais place à des formes plus harmonieuses. Le ciel d'orage ou la lumière radieuse d'un soleil d'été, accompagnés d'une palette riche et brillante, créent des harmonies de couleurs donnant plus d'unité aux tableaux. La profondeur de l'espace des paysages précédents fait place, dans les tableaux de l'Okanagan, à une organisation des formes à la manière de Cézanne, celles-ci étant rangées parallèlement à un plan pictural qu'elles complètent. En novembre 1944, la *Vancouver Art Gallery* organise une exposition solo de ses tableaux de l'Okanagan.[32] Le critique du *Daily Province* écrit: "Pour la première fois, un de nos plus grands artistes a entrepris de dépeindre cette région de la Colombie-Britannique et ses

time one of our leading artists has undertaken to depict this particular region of British Columbia and his effort has resulted in great success."[33]

Despite the success of his landscapes, Macdonald was still preoccupied by his modalities. His correspondence and other writings make clear that they were his major concern as late as 1943, but he did not seem able to resolve the problems involved in translating theory into practice.

"I still do my utmost to keep painting – at least something every week. I am still doing landscape, but *find* my semi-abstracts, or what I name "modalities," a deeper value to me. . . . For me, abstract and semi-abstract creations of pure idiom, are statements of the new awakening consciousness. Thus, I have more than a surface interest in the experiments I make on the extension of nature forms."[34]

It appears that, in refining the theory, Macdonald had lost the spontaneity required for creation: the process had become so intellectualized as to make new work impossible. Few artists in Canada had committed themselves to abstraction; fewer still had maintained that commitment. In his modalities, Macdonald had developed a unique personal expression. Unlike Bertram Brooker, who had turned away from abstraction, perhaps due to his need for an informed audience, Macdonald's determination did not falter. When he did turn from the modalities, it was to other modes of abstract expression.

---

efforts sont couronnés de succès."[33]

Malgré le succès de ses paysages, Macdonald continue de s'intéresser à ses modes. Sa correspondance et ses autres écrits indiquent clairement que ceux-ci constituent sa préoccupation principale jusqu'en 1943, mais l'artiste ne semble pas trouver le moyen de mettre sa théorie en pratique:

"Je fais toujours l'impossible pour continuer à peindre, au moins un tableau chaque semaine. Je fais encore des paysages, mais je *trouve* que mes oeuvres semi-abstraites, ou ce que je nomme "modes", ont pour moi plus d'importance . . . À mon avis, les créations abstraites et semi-abstraites sont la pure manifestation picturale d'une conscience nouvelle qui s'éveille. J'éprouve donc un intérêt plus que superficiel pour les expériences que je réalise sur le prolongement des formes de la nature."[34]

Il semble qu'en raffinant sa théorie Macdonald perd la spontanéité nécessaire à la création: le processus s'est tellement intellectualisé que la création de nouvelles oeuvres est devenue impossible. Peu d'artistes au Canada se sont consacrés à l'abstrait et moins encore y sont restés fidèles. Macdonald a mis au point dans ses modes une expression personnelle unique. Contrairement à Bertram Brooker qui s'était détourné de l'abstrait, peut-être faute d'un public averti, Macdonald reste fermement ancré dans sa démarche. Il ne quittera désormais ses modes que pour embrasser d'autres moyens d'expression abstraite.

The isolationism that characterized America in the thirties was not to last another decade. World War II brought to the United States Hans Hofmann, Josef Albers, Piet Mondrian, and Fernand Léger, as well as the leaders of the European surrealist movement – Max Ernst, Yves Tanguy, André Masson, and André Breton. The centre of the contemporary art world began its shift from Paris to New York. Cut off from Europe, the surrealists were to provide a major influence on American painting; artists like Jackson Pollock, Arshile Gorky, Willem de Kooning, Robert Motherwell, Mark Rothko, and Adolph Gottlieb were to fall under its spell. In 1942, Paul-Emile Borduas held a one-man exhibition in Montreal titled *Peintures surréalistes*. [1] In 1943, Fernand Léger travelled to Montreal from New York to screen a surrealist film and to lecture. In the same year, a surrealist artist appeared in Vancouver. Her arrival could not have been timed more propitiously: Grace Pailthorpe had close links with the British surrealist movement [2] and, within a few months, had introduced Macdonald to a new approach to abstraction – automatism. [3]

Born in 1882 in Surrey, England, Pailthorpe came to surrealist painting in a less than orthodox manner. A physician and a surgeon during World War I, she became a Freudian analyst in 1922. She then embarked on an intensive research project to examine criminal psychology. [4]

In 1935, Pailthorpe met the surrealist artist and poet Reuben Mednikoff, a graduate of the St. Martins School of Art, who became her lifelong companion. With him, she began to research the therapeutic value of art in psychiatry, and as a part of her research she began to paint. [5] She adopted automatic expression with the intention of discovering the state of inner consciousness. Her approach provoked great controversy in contemporary British art circles: some believed the work authentic and valid; others feared that the imposition of analysis and literal interpretation of

L'isolationnisme qui caractérise l'Amérique des années 30 va disparaître au cours de la décennie suivante. La deuxième guerre mondiale amène aux États-Unis Hans Hofmann, Josef Albers, Piet Mondrian et Fernand Léger ainsi que les chefs de file du mouvement surréaliste européen: Max Ernst, Yves Tanguy, André Masson et André Breton. Le centre du monde artistique contemporain commence à se déplacer de Paris à New York. Séparés de l'Europe, les surréalistes vont exercer une influence marquée sur la peinture américaine; des artistes comme Jackson Pollock, Arshile Gorky, Willem de Kooning, Robert Motherwell, Mark Rothko et Adolph Gottlieb vont être séduits. En 1942, Paul-Émile Borduas tient à Montréal une exposition intitulée *Peintures surréalistes*. [1] L'année suivante, Fernand Léger vient à Montréal de New York pour projeter un film surréaliste et donner une conférence. Toujours en 1943, une artiste surréaliste s'installe à Vancouver. Son arrivée ne pourrait se produire à un meilleur moment. Grace Pailthorpe a des liens étroits avec le mouvement surréaliste britannique; [2] elle ne met que quelques mois pour indiquer à Macdonald une nouvelle approche à l'abstraction et à l'automatisme. [3]

Née en 1882 à Surrey, Angleterre, Pailthorpe arrive à la peinture surréaliste de manière fort peu orthodoxe. Médecin et chirurgien pendant la première guerre mondiale, elle devient psychanalyste freudienne en 1922. Elle entame ensuite un long projet de recherche en psychologie criminelle. [4]

En 1935, Pailthorpe fait la connaissance de l'artiste et poète surréaliste Reuben Mednikoff, diplômé de la *St. Martins School of Art*, qui restera son compagnon sa vie durant. Avec lui, elle entreprend des recherches sur les vertus thérapeutiques de l'art en psychiatrie et, dans le cadre de cette exploration, elle commence à peindre. [5] Elle adopte l'expression automatique afin d'explorer le subconscient. Ses idées provoquent une controverse animée dans les cercles artistiques britanniques de l'époque: certains considèrent sa démarche authentique et valable, d'autres expriment la crainte que le fait de procéder à l'analyse et l'interprétation littérale de l'imagerie surréaliste ne

Grace Pailthorpe
The Spotted Oozle, 1942
Oil on canvas
35 x 20 cm
The Mayor Gallery, London,
England

Grace Pailthorpe
The Spotted Oozle, 1942
Huile sur toile
35 x 20 cm
The Mayor Gallery, Londres

surrealist imagery would suck the lifeblood of spontaneity from the automatic style.[6]

Pailthorpe participated in London's 1936 *International Surrealist Exhibition*, and her work was greatly admired by André Breton, the poet laureate of surrealism.[7] In that same year, both she and Mednikoff were represented in the definitive American surrealist exhibition, the Museum of Modern Art's *Fantastic Art, Dada and Surrealism*. Subsequently, she became part of the British surrealists' inner circle and participated in most of their major group exhibitions.

In January 1939, Pailthorpe exhibited jointly with Mednikoff at the Guggenheim-Jeune Gallery in London.[8] The exhibition included results of their research and provoked both praise and concern in artistic circles, where art as the handmaiden to medicine was definitely suspect. Many of her drawings appear to have been studies for analytic texts. Her handling of paint was dry and stiff, and her images were often literal

---

vident le style automatique de toute spontanéité.[6]

Pailthorpe participe à l'*International Surrealist Exhibition* de Londres en 1936 et son oeuvre suscite la profonde admiration d'André Breton, poète célèbre du surréalisme.[7] Cette même année, ses oeuvres et celles de Mednikoff sont représentées à l'exposition surréaliste américaine *Fantastic Dada and Surrealism* du musée d'Art moderne de New York. Elle se joint plus tard au cénacle des surréalistes britanniques et participe à la plupart de leurs grandes expositions collectives.

En janvier 1939, Pailthorpe expose ses oeuvres avec Mednikoff à la *Guggenheim-Jeune Gallery* de Londres.[8] L'exposition comprend des oeuvres issues de leur recherche et provoque autant d'admiration que d'inquiétude dans les milieux artistiques où l'on considère comme très suspect l'art au service de la médecine.[9] D'étranges créatures biomorphiques peuplent un espace soigneusement construit qui crée une illusion d'optique. Après que l'artiste s'est suffisamment libérée pour travailler dans un style véritablement automatique, ses dessins pourraient contenir des

translations into paint of figures from her drawings.[9] Strange biomorphic creatures people a carefully articulated illusionistic space. When she freed herself to work in a truly automatic style, her drawings could produce monster images unleashed from the unconscious.

At the onset of war, probably at the suggestion of Peggy Guggenheim, Pailthorpe and Mednikoff left Britain for New York.[10] Some three years later, their travels took them to Vancouver.

In April 1944, an exhibition of Pailthorpe's paintings was held at the Vancouver Art Gallery.[11] In conjunction with the exhibition, she lectured on her work in "the first lecture ever given at the Vancouver Art Gallery by a surrealist."[12] In her talk, she summarized the conclusions that she and Mednikoff had reached about art and psychoanalysis. Attempting to synthesize her theories about art and science in the *London Bulletin* in 1936, Pailthorpe had defined surrealism in psycho-medical terminology:[13]

"Surrealism is one of the outcomes of a demand for complete liberation from all filters which prevent full expression. . . . It is a biological necessity. . . .

"Psycho-analysis . . . also strives to free the psychology of the individual from internal conflict so that she or he may function freely. Thus it can be assumed that the final goal of Surrealism and Psycho-analysis is the same – the liberation of man."[14]

She had clearly familiarized herself with the history of surrealism, and her premise was fortified by Breton's definition of surrealist automatism as it appeared in the *First Surrealist Manifesto:*

"Pure psychic automatism, by which is intended to express verbally in writing or by other means the real *process* of thought. Thought dictation in the absence of all control exercised by the reason and outside all aesthetic or moral preoccupations."[15]

---

images monstrueuses provenant du subconscient.

Au début de la guerre, probablement sur les conseils de Peggy Guggenheim, Pailthorpe et Mednikoff quittent la Grande-Bretagne pour venir à New York.[10] Trois ans plus tard, leurs pérégrinations les conduisent à Vancouver.

En avril 1944, la *Vancouver Art Gallery* présente une exposition de tableaux de Pailthorpe.[11] L'artiste donne à cette occasion une conférence sur son oeuvre, "la première conférence donnée à la *Vancouver Art Gallery* par une surréaliste".[12] Dans son texte, celle-ci résume ses conclusions sur l'art et la psychanalyse, conclusions qui sont également celles de Mednikoff. Dans une tentative de synthèse de ses théories sur l'art et les sciences dans le *London Bulletin* en 1936, Pailthorpe définit le surréalisme en termes psycho-médicaux:[13]

"Le surréalisme est un des résultats du besoin que l'on éprouve de se libérer complètement de tout filtre empêchant l'expression totale . . . C'est une nécessité biologique . . .

"La psychanalyse . . . cherche aussi à libérer l'individu de tout conflit interne de sorte qu'il puisse fonctionner librement. Ainsi, on peut supposer que le surréalisme et la psychanalyse usent le même objectif ultime: la libération de l'homme."[14]

L'artiste s'est manifestement familiarisée avec l'histoire du surréalisme, et la définition de Breton du surréalisme et de l'automatisme, telle que nous la trouvons dans le premier *Manifeste du surréalisme,* vient étayer ses théories:

"Automatisme psychique pur par lequel on se propose d'exprimer, soit verbalement, soit par écrit, soit de toute autre manière, le *fonctionnement* réel de la pensée. Dictée de la pensée, en l'absence de tout contrôle exercé par la raison, en dehors de toute préoccupation esthétique ou morale."[15]

Selon Pailthorpe, le surréalisme constitue la seule méthode logique pour comprendre l'univers, et son prosélytisme en faveur de l'automatisme psychique fascine Macdonald. Comme si elle avait

According to Pailthorpe, surrealism was the logical methodology for the comprehension of the universe, and her proselytizing approach to psychic automatism fascinated Macdonald. And, as if in response to Macdonald's quest for a means of expressing his theories about abstraction, she had written:

"Surrealism can lead to a greater understanding of the world around and within us . . . . It is impossible to create a well-organized external world *unless at the same time* the inner mental world is harmonized, since it is only through mental acquiescence on the part of the units that go to form the whole machinery of civilisation that it can function smoothly. Further, the understanding of the world around us is reached by means of our sense organs and if these are not functioning freely we are not capable of getting an accurate focus."[16]

The operative words here are "reached by means of our sense organs." In the past, Macdonald had striven to make contact with the world on a consciously intellectualized spiritual level; but when he did so, the modalities he painted, though abstract, were often rigid analogies for the living subject he wished to express. Pailthorpe offered the artist a method of direct expression, replacing observation by intuition.

"Simplicity, directness and lucidity are Surrealism's aims. It conforms to all that has vitality, perfection of rhythm and composition."[17]

When complete freedom is possible, the results may be perfect in balance, design, colour, and rhythm, and they may possess a vitality not found anywhere outside surrealism.[18]

In her talk at the Vancouver Art Gallery, Pailthorpe explained that "surrealist art is purely psychic and automatic, intended to express the real process of thought . . . the expression of the subconscious."[19] Like her friend Herbert Read, she

voulu l'aider à découvrir un moyen d'exprimer ses théories sur l'abstraction, elle écrit:

"Le surréalisme peut mener à une meilleure compréhension du monde autour de nous et en nous . . . Il est impossible de créer un monde externe bien organisé *sans qu'en même temps* le monde mental interne soit harmonisé puisque c'est seulement grâce au consentement mental de chaque unité que l'ensemble de la machine de la civilisation peut bien fonctionner. De plus, la compréhension du monde qui nous entoures'obtient à l'aide de nos sens et si ces derniers ne fonctionnent pas librement, nous sommes incapables d'en avoir une perception claire."[16]

Les mot à retenir ici sont "s'obtient à l'aide de nos sens". Dans le passé, Macdonald a cherché à établir un contact avec le monde à un niveau spirituel consciemment intellectualisé; mais en procédant de la sorte, les modes qu'il peint, bien qu'abstraits, représentent souvent des analogies rigides avec le sujet vivant qu'il souhaite exprimer. Pailthorpe

offre à l'artiste une méthode d'expression directe substituant l'intuition à l'observation.

"La simplicité, la lucidité et l'approche directe, voilà les objectifs du surréalisme. Celui-ci correspond à tout ce qui offre de la vitalité, de la perfection de rythme et de composition."[17]

Lorsqu'on jouit d'une liberté complète, les résultats peuvent être parfaits dans l'équilibre, la forme, la couleur et le rythme; les oeuvres possèdent ainsi une vitalité introuvable en dehors du surréalisme.

Dans sa conférence à la *Vancouver Art Gallery*, Pailthorpe explique que "l'art surréaliste est purement psychique et automatique, qu'il vise à exprimer le fonctionnement réel de la pensée . . . l'expression du subconscient".[19] À l'instar de son ami Herbert Read, elle est convaincue que le remède aux maux de la société repose sur le concept de spontanéité et elle décrit une méthode d'éducation qui encourage la créativité et qui peut s'appliquer universellement.[20]

Les théories de Pailthorpe séduisent Macdo-

was convinced that the cure for society's ills lay in the concept of spontaneity, and she described a method of creative education that might be universally applied.[20]

Pailthorpe's theories were immensely appealing to Macdonald. He later wrote that he had found in her a "spiritual awareness . . . and quality of consciousness of true value to humanity,"[21] describing her work as "spiritual research."[22] He must have perceived it to be akin to his own search for awareness as expressed in the modalities.

Macdonald asked Pailthorpe to criticize his work. She concluded that his modalities were still strongly influenced by his design training, and that his preoccupation with surface details and compositional structure accounted for the rigidity and the lack of ease in his style. She proposed that Macdonald try her approach to painting.[23]

Pailthorpe's analysis cannot be faulted. Several years later, Hans Hofmann was to make similar observations, urging Macdonald to free his painting from the constriction of line. Hofmann deemed the lines crutches in the paintings, and he encouraged Macdonald to rely on colour instead of a linear structure. In a similar manner, Varley had encouraged Macdonald to stop drawing and to begin to paint. Although Macdonald's use of colour had become freer and his use of paint less inhibited during the intervening years, he still relied on line to structure his compositions. The linear element apparent in his Indian landscapes was also used in his modalities to tie his images to the surface of the canvases. Decorative linear motifs were almost never absent – even from the most abstract modalities.

Recognizing the accuracy of Pailthorpe's conclusions, Macdonald began, under her tutelage, his investigations into automatic art. Gerald Tyler, who also worked with Pailthorpe, described the experience. Provided with large sheets of wet paper, ink and aniline colour, Tyler was instructed to "just take a brush and put on a great big splash,"

---

nald au plus haut point. Il écrit plus tard qu'il a découvert chez elle une "vigilance spirituelle . . . et une compréhension d'une grande valeur pour l'humanité".[21] Il décrit l'oeuvre de Pailthorpe comme une "recherche spirituelle".[22] Il considère sans doute que cette oeuvre est apparentée à sa recherche d'une conscience élargie, comme en témoignent ses modes.

Macdonald demande à Pailthorpe de faire la critique de ses oeuvres. Elle en conclut que ses modes portent encore nettement la marque de sa formation de dessinateur et que la minutie avec laquelle il travaille les détails de surface et la structure de ses compositions explique la rigidité et le manque d'aisance de son style. Elle lui recommande d'expérimenter son approche de la peinture.[23]

L'analyse de Pailthorpe ne saurait être mise en défaut. Hans Hofmann fera les mêmes observations quelques années plus tard, exhortant Macdonald à libérer sa peinture des contraintes linéaires. Selon Hofmann, en peinture, la ligne fait office de béquille; il encourage Macdonald à recourir à la couleur plutôt qu'à une structure linéaire. Dans la même veine, Varley a recommandé à Macdonald de cesser de dessiner et de commencer à peindre. Bien que, dans l'intervalle Macdonald se soit un peu libéré sur le plan de la couleur et de l'utilisation de la peinture, il compte toujours sur la ligne pour structurer ses compositions. L'élément linéaire évident dans ses paysages indiens est aussi utilisé dans ses modes pour assujettir les images à la surface de la toile. Les motifs linéaires décoratifs sont presque toujours présents, même dans les modes les plus abstraits.

Reconnaissant l'exactitude des conclusions de Pailthorpe, Macdonald commence, sous sa direction, des expériences en art automatique. Gerald Tyler, qui travaillait lui aussi avec Pailthorpe, décrit la démarche. Utilisant de grandes feuilles de papier mouillé, de l'encre et des teintures d'aniline, on lui demande de "prendre tout simplement un pinceau, de faire une grosse tache" et de s'arrêter dès que l'effort conscient fait place à l'inconscient.[24] L'approche de Pailthorpe fait pendant, en peinture, à la technique d'écriture automatique

Fish Family, 1943
Watercolour on paper
40 x 48.3 cm
Hart House Permanent
Collection
University of Toronto

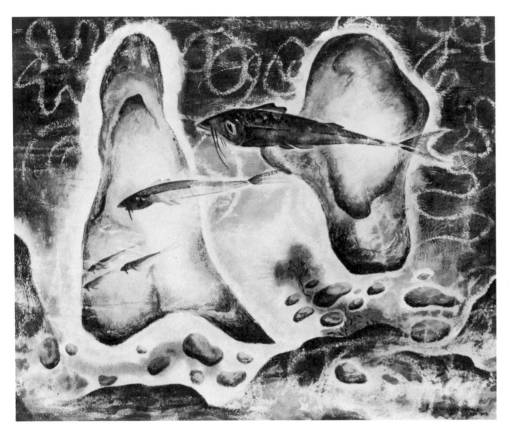

Famille de poissons, 1943
Aquarelle sur papier
40 x 48,3 cm
Collection permanente de
Hart House
University of Toronto

and to stop working as soon as conscious effort took over from the unconscious.[24] Pailthorpe's approach echoed Breton's automatic writing technique described in his "Secrets of the Magical Surrealist Art." Breton had written:

"After you have settled yourself in a place as favourable as possible to the concentration of the mind upon itself, have writing materials brought to you. Put yourself in as passive or receptive a state of mind as you can . . . write quickly without any preconceived subject. Go on as long as you like. Put your trust in the inexhaustible nature of the murmur."[25]

The watercolour *Fish Family* (1943), one of Macdonald's first works under Pailthorpe's influence, is a tentative venture, the work of an artist in transition. Not yet free enough to practise automatism completely, Macdonald created a surrealistic underwater dreamworld where brightly coloured pebbles float and strange

décrite par Breton dans *Secrets de l'art magique surréaliste* :

"Faites-vous apporter de quoi écrire, après vous être établi en un lieu aussi favorable que possible à la concentration de votre esprit sur lui-même. Placez-vous dans l'état le plus passif, ou réceptif, que vous pourrez . . . Écrivez vite sans sujet préconçu . . . Continuez autant qu'il vous plaira. Fiez-vous au caractère inépuisable du murmure."[25]

L'aquarelle intitulée *Famille de poissons* (1943), l'une des premières à être réalisées par Macdonald sous l'influence de Pailthorpe, est une entreprise incertaine, une oeuvre d'artiste en transition. Pas encore assez libéré pour se lancer complètement dans l'automatisme, Macdonald crée un univers de rêve aquatique et surréaliste où flottent des galets de couleurs vives et où d'étranges rochers anthropomorphes vibrent à l'intérieur de halos blancs. Un banc de poissons dessinés avec précision nagent dans un monde fluide aussi profond que spacieux. S'éloignant du sujet ou du style de ses oeuvres antérieures, le milieu dépeint

anthropomorphic rocks vibrate in surrounding halos of white. A school of carefully drawn fish swims in a deep and spacious watery world. Unlike any of his earlier works in subject or style, the environment suggests the strange dreamworld of Yves Tanguy. Line is apparent in an abstracted, decorative motif that encompasses the submarine landscape. Symbolic intentions are also present here, as they had been in his modalities. Macdonald wrote later that in this painting he had portrayed not specific fish but "a symbolic composition" of all fish.[26]

Although the concept of automatism may have been new to Macdonald, the experience was not entirely strange; he was later to describe the creation of *Formative Colour Activity* (1934), his first semi-abstract canvas and precursor of the modalities, as a work created in a mood of "ecstasy" and totally lacking in preconception.[27] Whether his description of that experience, written some twenty years later, was tempered by the interven-

ing experience of automatism is hard to say. There is no formal suggestion of automatism, although Bea Lennie's recollections reinforce Macdonald's account that the painting had found its source in an inspired state.

In an article on Macdonald's work, Maxwell Bates summed up the transition from landscape painting to the modalities and subsequently the automatics:

"What Macdonald wanted to express could not be expressed in naturalistic or objective terms. He realized this before he did his first automatic paintings . . . but for some time he could find no satisfactory means. Automatic painting opened up unsuspected ways of showing his feelings. . . . These feelings and intuitive impressions disappeared at once if the approach was objective."[28]

Pailthorpe's approach provided the means to a breakthrough, the significance of which is inestimable. Within a few months, Macdonald's artistic

---

évoque l'étrange univers onirique d'Yves Tanguy. La ligne apparaît dans un motif décoratif abstrait que l'on retrouve dans tout le paysage sous-marin. On décèle dans le tableau des intentions symboliques rappelant les modes. Macdonald écrit plus tard que, dans ce tableau, il n'a pas cherché à représenter un poisson en particulier, mais à représenter symboliquement tous les poissons.[26]

Bien que le concept de l'automatisme soit nouveau pour Macdonald, l'expérience pratique l'est moins; il parlera plus tard de *Composition chromatique* (1934), son premier tableau semi-abstrait et précurseur des modes, comme d'une oeuvre créée dans un état "d'extase" sans la moindre idée préconçue.[27] On ne saurait dire avec certitude si cette description, consignée une vingtaine d'années après la création du tableau, est influencée par ses expériences automatiques survenues entre temps. Le fait est qu'on n'y retrouve aucune trace d'automatisme formel bien que Bea Lennie confirme de son côté que le tableau fut réalisé dans un état d'inspiration complète.

Maxwell Bates résume dans un article sur

l'oeuvre de Macdonald la transition entre les paysages et les modes et, plus tard, les oeuvres automatiques:

"Ce que Macdonald cherchait à exprimer ne pouvait s'énoncer en termes naturalistes ou objectifs. Il s'en était rendu compte avant la création de ses premières peintures automatiques . . . mais il fut pendant un certain temps incapable de trouver des moyens satisfaisants. La peinture automatique ouvrit des voies insoupçonnées à l'expression de ses sentiments . . . Ces sentiments et impressions intuitives disparaissaient sur-le-champ dès que l'approche se faisait objective."[28]

L'approche de Pailthorpe permet à Macdonald d'effectuer une percée d'une importance inestimable. En quelques mois à peine celui-ci se donne un vocabulaire artistique radicalement différent et sa méthode de composition change de façon spectaculaire. Alors qu'il peignait surtout des huiles, il se consacre presque exclusivement aux aquarelles, travaillant à peu près continuellement lorsqu'il se sent inspiré. À peine quelques mois plus

Automatic (Untitled), 1946
Watercolour on paper
17.5 x 24.8 cm
Private Collection,
Vancouver

vocabulary altered radically, and his method of constructing a painting changed dramatically. He moved from working primarily in oils to the almost exclusive use of watercolours, and he found that he could paint almost continuously when the mood was right. Only a few months earlier, he had had to "do his utmost to keep painting – at least something every week."[29] Macdonald's discovery of automatism is the key to all of his future painting. For him, nature's hidden laws emerged from internal sources; they were no longer interpreted objectively from outside subjects.

An examination of Macdonald's early automatic works quickly reveals the freedom that the watercolour medium allowed him. The key distinction between the modalities and the automatics is the artist's shift from line to colour as an expressive medium. In the early automatics, line is usually an afterthought; the work is conceived in painterly terms. The effect of space is no longer determined by a consciously imposed structure;

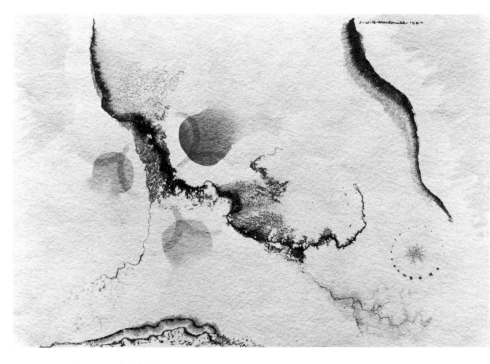

Automatique (sans titre), 1946
Aquarelle sur papier
17,5 x 24,8 cm
Collection particulière, Vancouver

tôt, il lui a fallu faire "l'impossible pour continuer à peindre, au moins un tableau chaque semaine". [29] La découverte de l'automatisme est la clé expliquant toutes les oeuvres postérieures de Macdonald. Pour lui, les lois cachées de la nature émanent désormais de sources intérieures; on ne peut plus les interpréter objectivement à partir de sujets extérieurs.

Un bref examen des premières oeuvres automatiques de Macdonald révèle la liberté que lui permet l'aquarelle. La principale différence entre les modes et les oeuvres automatiques réside dans le fait que son moyen d'expression n'est plus la ligne, mais la couleur. Dans les premières oeuvres automatiques, la ligne est généralement tracée après coup; l'oeuvre est conçue en termes de peinture. L'impression d'espace n'est plus produite par l'utilisation consciente d'une structure pré-imposée; l'artiste obtient plutôt des effets plastiques au moyen de modulations de couleur et du chevauchement de plans colorés. Macdonald suit l'enseignement de Pailthorpe religieusement, attendant qu'une oeuvre soit terminée avant de la

Arctic Vibrations, 1945
Watercolour on paper
26 x 36.8 cm
Anonymous Loan

Vibrations arctiques, 1945
Aquarelle sur papier
26 x 36,8 cm
Prêt anonyme

instead, plastic effects are obtained by means of colour modulation, and overlapping colour planes. Macdonald followed Pailthorpe's dicta religiously; only after the painting was finished did he embellish the work with brush or pen. In many works, no obvious subject matter is evident; in other paintings, recognizable images still appear. In *Untitled* (1946), the colours are organized in overlapping planes set against the white ground to form the basis of a painting in which the ground becomes palpable space. The work is embellished with an intricate linear design to suggest intertwined whale, frog, and fish. As the automatic method demanded, Macdonald began the work with no subject in mind, but with his pen he drew forth from the painted surface a forked tongue, a decorative eye, and a feathery tail to elaborate upon the painting's hidden forms.

Continuous creation and free activity provided a new and stimulating format. Lilias Farley recalls that Macdonald

"was doing them [the automatics] with a great amount of joy, more or less experimenting and getting a great kick out of doing them. It was a fantasy type of world that he was generating, the psychology and the freedom of the mind-whimsy was relating to the mind-expression."[30]

By 1944, he was sending "automatic" Christmas cards –tiny works on paper, usually only four or five inches square – to his friends; and by 1945, he was almost totally absorbed in his automatics. It was not, however, until the summer of 1946 that he began to exhibit these new works. A review of the British Columbia Society of Fine Arts exhibition at the Vancouver Art Gallery in June 1946 commented on Macdonald's "colourful and intriguing series of watercolours executed in subconscious automatic mode of expression."[31] In September, the Vancouver Art Gallery held a one-man show of these works.[32]

In the fall of 1946, Macdonald left Vancouver

Card, 1945
Watercolour on paper
11.4 x 8.6 cm
Private Collection,
Vancouver
Photo: Robert Keziere

Carte de Noël, 1945
Aquarelle sur papier
11,4 x 8,5 cm
Collection particulière, Vancouver
Photo: Robert Keziere

finir au pinceau ou à la plume. Dans plusieurs oeuvres, aucun sujet n'est apparent; dans d'autres, on peut reconnaître certaines images. Dans *Sans titre* (1946), les couleurs sont appliquées en plans qui se chevauchent sur un fond blanc pour former la base d'un tableau dont l'arrière-plan devient palpable. L'oeuvre est embellie d'un réseau délicat de lignes suggérant l'imbrication d'une baleine, d'une grenouille et d'un poisson. Comme l'exige la méthode automatique, Macdonald commence à peindre sans sujet préconçu, traçant plus tard à la plume sur la surface peinte une langue fourchue, un oeil décoratif et une queue plumeuse pour faire ressortir les formes cachées de la peinture.

La création continue et l'activité libérée favorise une production nouvelle et stimulante. Lilias Farley observe que Macdonald

"les faisait (les peintures automatiques) avec beaucoup de joie, expérimentant plus ou moins et s'amusant follement à les faire. C'était un monde de rêves qu'il produisait, la psychologie et la liberté de l'esprit-fantaisie se faisaient esprit-expression."[30]

Dès 1944, Macdonald envoie à ses amis des cartes de Noël "automatiques", oeuvres sur papier d'environ quatre ou cinq pouces carrés; et en 1945, il est presque complètement absorbé par ses oeuvres automatiques. Ce n'est cependant qu'au cours de l'été 1946 que Macdonald commence à exposer ces nouvelles oeuvres. Un compte rendu de l'exposition de la *British Columbia Society of Fine Arts* à la *Vancouver Art Gallery* en juin 1946 mentionne des aquarelles "hautes en couleurs et fascinantes exécutées selon un mode d'expression automatique subconscient".[31] En septembre, la *Vancouver Art Gallery* organise une exposition solo de ses oeuvres.[32]

Pendant l'automne 1946, Macdonald quitte Vancouver pour aller enseigner au *Provincial Institute of Technology* de Calgary. Là, il continue à utiliser l'automatisme dans son oeuvre; pendant cinq mois, il peint quotidiennement des aquarelles. La nouvelle méthode de Macdonald commence à susciter de l'intérêt. En 1945, il rencontre à la *Banff School of Fine Arts* Alexandra Luke qui, sous sa direction, apprend à peindre dans le style

Automatic (Untitled), 1946
Watercolour on paper
17.8 x 25.4 cm
Private Collection,
Vancouver, B.C.

Automatique (sans titre), 1946
Aquarelle sur papier
17,8 x 25,4 cm
Collection particulière,
Vancouver

to take up a teaching position at the Provincial Institute of Technology in Calgary. There, he continued to work in the automatic style; during one five-month period he produced watercolours daily. Macdonald's new method began to attract interest. At the Banff School of Fine Arts, in 1945, Macdonald had met Alexandra Luke, who, under his tutelage, learned about automatic painting and never abandoned the freedom it offered her. [33] Their shared interest secured a friendship that would strengthen during the next fifteen years. Luke's own automatic work so resembled Macdonald's that the Robert McLaughlin Gallery, cataloguing her work, identified an untitled painting with the designation "Stylistically Jock Macdonald-like." [34] Macdonald also introduced Marion Nicoll, a colleague at the technical school in Calgary, to automatic drawing. She describes his instructions:

"You take a pencil, you are in a quiet place, you put the pencil on the paper and you sit there until your hand moves of its own accord. You do that every day. . . . You keep doing it. It will happen without any effort on your part." [35]

She filled dozens of sketchbooks with automatic drawings, which made a "path to the subconscious. They open things up wide." [36] Later Macdonald wrote to her; his letters revealed not only his gentle enthusiasm as a teacher but his own enthralment with the automatic form of artistic expression.

"Ha! Ha! This is interesting news about what is happening in your automatic paintings. Things are beginning to move. They will continue to move as long as you work continuously –sometimes every day or nearly every day. One cannot account for what comes forth and in truth it doesn't matter. However, now that you find things definitely suggestive of nature forms, you can be sure that

Marion Nicoll
Page from Sketchbook
Pencil on paper
30 x 22.6 cm

Marion Nicoll
Page de cahier de croquis
Crayon sur papier
30 x 22,6 cm

automatique et n'abandonne jamais la liberté que lui offre ce style. [33] Leur intérêt commun est la base d'une amitié dont les liens vont se resserrer au cours des quinze années à venir. Les oeuvres automatiques de Luke ressemblent tant à celles de Macdonald que la *Robert McLaughlin Gallery*, préparant un jour un catalogue de ses oeuvres, joint à une toile qui n'avait pas de titre l'inscription "De style Jock Macdonald". [34] Macdonald fait également connaître le dessin automatique à Marion Nicoll, une collègue à la *Technical School* de Calgary. Elle résume ainsi ses conseils:

"Prenez un crayon, installez-vous dans un endroit tranquille, posez le crayon sur le papier et attendez que votre main commence à bouger. Faites ça tous les jours . . . et persistez. Ça se produira sans aucun effort de votre part." [35]

Elle remplit des dizaines de carnets de dessins automatiques qui révèlent "la voie du subconscient. Ils ouvrent toutes grandes les portes." [36] Macdonald lui écrit plus tard des lettres dévoilant non seulement son enthousiasme bienveillant de

maître, mais aussi l'enthousiasme que suscite en lui la forme automatique.

"Ha! Ha! Voilà des nouvelles intéressantes sur ce qui se passe dans vos peintures automatiques. Les choses commencent à bouger. Elles continueront à bouger aussi longtemps que vous travaillerez sans relâche, parfois tous les jours ou presque. On ne sait pas vraiment ce qui va apparaître et au fond peu importe. Cependant, maintenant que vous découvrez des choses évoquant nettement des formes naturelles, soyez sûre que la porte est désormais ouverte. Excellent!" [37]

Grace Morley, alors directrice du *San Francisco Museum of Art*, se trouve parmi les visiteurs de l'exposition des oeuvres automatiques de Macdonald à Vancouver. Enchantée, elle offre à l'artiste de préparer une exposition à San Francisco. On met un an à l'organiser; peu de temps avant le vernissage, Macdonald écrit:

"L'exposition de mes oeuvres commence à San Francisco en août. Je m'affaire à y expédier mon

The Oyster, 1942 (?)
Watercolour on paper
25.4 x 34.9 cm
Amy and Clair Stewart

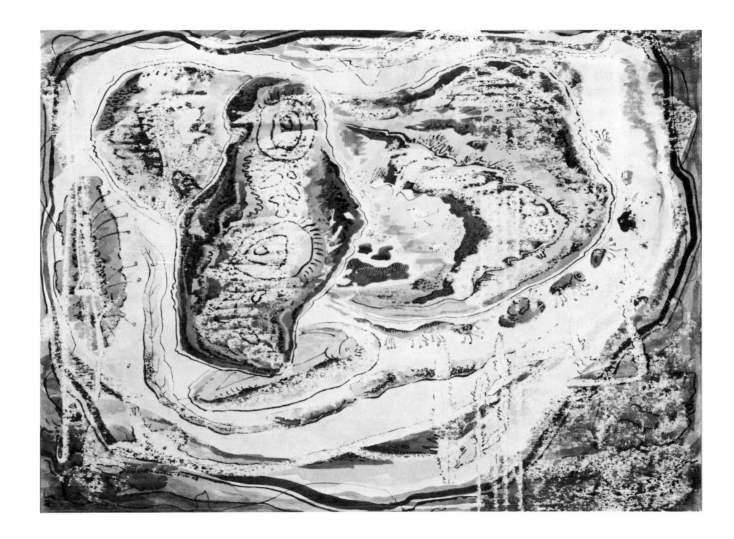

L'Huître, 1942 (?)
Aquarelle sur papier
25,4 x 34,9 cm
Amy et Clair Stewart

the door is now open – Excellent!"[37]

One of those who saw Macdonald's automatics in Vancouver was Dr. Grace Morley, then director of the San Francisco Museum of Art.[38] Excited by what she had seen, she offered Macdonald an exhibition in San Francisco. It took a year for the show to materialize, and just before it opened, Macdonald wrote:

"My one man show is coming off in San Francisco in August. I am now fussing about getting my stuff away. I thought that August would be a poor month but I see that Henry Moore has a show in the same gallery, at the same time. So he should draw a crowd."[39]

The exhibition, *Paintings by James W.G. Macdonald*, was held at the San Francisco Museum of Art from August 5 – 31, 1947. Forty-eight watercolours were included, and Macdonald was thrilled with the positive response to the exhibition.[40] One reviewer wrote that

---

matériel. J'avais cru que le mois d'août serait un mauvais moment, mais on me dit que Henry Moore a une exposition dans la même galerie en même temps. Il devrait donc attirer les foules."[39]

L'exposition, intitulée *Paintings by James W.G. Macdonald*, a lieu au *San Francisco Museum of Art* du 5 au 31 août 1947. On y retrouve quarante-huit aquarelles. Macdonald est ravi de la réaction favorable à cette exposition. Un critique écrit:

"Les aquarelles de James W.G. Macdonald . . . ont souvent pour fondement le fantastique que l'artiste traite généralement avec charme et originalité. Les couleurs sont éclatantes et le dessin, bien qu'il ait tendance à mettre l'accent sur le détail, reste la plupart du temps précis et solide."[41]

Les tableaux exposés sont exclusivement des oeuvres automatiques de 1945 et 1946. L'imagerie correspond à celle qui dominera la peinture de Macdonald pendant les dix prochaines années: vie marine, oiseaux, rêves d'enfant. Certains tableaux portent un titre explicite *(Poisson et têtard)* alors que

Prehistoric World, 1945
Watercolour on paper
16.5 x 24.1 cm
Collection of Mr. & Mrs. J.
D. Turner, Calgary

Monde préhistorique, 1945
Aquarelle sur papier
16,5 x 24,1 cm
Collection de M. et Mme
J.D. Turner, Calgary

New Fruit, 1946
Watercolour on paper
16.5 x 24.1 cm
Collection of Mr. & Mrs. J.
D. Turner, Calgary

Fruits nouveaux, 1946
Aquarelle sur papier
16,5 x 24,1 cm
Collection de M. et Mme
J.D. Turner, Calgary

Automatic (Untitled), 1945
Watercolour on paper
24.1 x 34.3 cm
Private Collection

Automatique (sans titre), 1945
Aquarelle sur papier
24,1 x 34,3 cm
Collection particulière

"The watercolours of James W.G. Macdonald . . . rely much upon fantasy, which the artist usually handles with charm and originality. His colours are brilliant, and his designs, though inclined to emphasis on detail, manage most of the time to be clean cut and solid."[41]

The paintings exhibited were all automatics from 1945 and 1946. The imagery was consistent with that which would dominate Macdonald's painting for the next ten years: marine life, birds, and childhood fantasies. Some paintings had explicit titles *(Fish and Pollywog)*, while others suggested less specific content *(Colour Forms)*. Most were very small – many only 4 1/2″ by 9 3/4″ – yet, despite their size, they represented a mature form of expression. A cross-section of works from that exhibition gives an indication of the scope and intent of Macdonald's early automatics.

In *Prehistoric World* (1945), Macdonald followed Pailthorpe's edict by taking the brush and laying on paint. Only when this initial phase was complete did the artist embellish the painting with a whimsical flourish. A strange hybrid form emerges from the painted surface. To elaborate this form, Macdonald added the antenna-like details. The compositional format of this painting is of special interest, for it was one that Macdonald was to employ frequently in future years. In order to fill out the rectangle, he encircled the central image with an irregular, closed shape, which frames it against the white ground. That device, often abutting the edge of the pictorial frame, is in turn enclosed in a border of colours, which echo those of the central character.[42] It seems apparent that Macdonald worked his composition from the centre to the periphery, not only filling out the rectangle with the framing device but also establishing a sense of motion through a system of expansive lines and the extension of shapes. This elaborate triple framing enhances what is, in reality, a very small painting,

d'autres ont un titre plus vague *(Formes chromatiques)*. La plupart des oeuvres sont de très petite taille, certaines ne mesurant que 4 1/2 po sur 9 3/4 po, mais il s'agit d'oeuvres d'un peintre qui a atteint une certaine maturité. L'étude de certaines d'entre elles suffit à donner une idée de la portée et des intentions des premières oeuvres automatiques de Macdonald.

Dans *Monde préhistorique* (1945), Macdonald suit les instructions de Pailthorpe, prend son pinceau et étale sa peinture. Ce n'est qu'après cette étape que l'artiste est à même d'embellir son tableau à l'aide de fioritures fantastiques. Une étrange forme hybride ressort de la surface peinte: Macdonald ajoute des traits évoquant des antennes. La composition de ce tableau présente un intérêt particulier étant donné que Macdonald devait y revenir souvent au cours des années. Pour étoffer le rectangle, le peintre encercle l'image centrale d'une forme irrégulière fermée qui le fait ressortir sur le fond blanc du tableau. Cette forme, qui touche souvent les bords de la toile, est elle-même entourée d'une bande de couleurs rappelant celles du motif central.[42] Cela indique que Macdonald procède du centre vers la périphérie, non seulement en encadrant son rectangle, mais aussi en créant une impression de mouvement par le truchement d'un réseau de courbes concentriques et par l'extension des formes. Ce triple encadrement complexe met en valeur ce qui est en réalité un très petit tableau.

Dans *Composition abstraite —centre vermillon* (1946), couleur et ligne se séparent. Ce tableau ne contient aucune élaboration de créature mythique, pas plus que dans *Composition abstraite —lignes et espaces* (1946), dont le procédé de composition rappelle *Monde préhistorique* et où les formes ne rappellent pas la réalité sensible. Semblable aux oeuvres de Kandinsky à l'époque du Bauhaus, *Composition abstraite —lignes et espaces* utilise des formes et des lignes géométriques choisies pour elles-mêmes et révèle un souci profond d'organisation plastique dans son recours à la transparence de peintures à l'eau pour créer des rapports entre les plans.[43] Il est intéressant de noter que, dans les oeuvres non objectives, l'artiste utilise le fond

In *Abstract-Vermilion Centre* (1946), colour and line have been allowed to stand on their own. There is no elaboration of mythical creatures in this, or in *Abstract Lines and Spaces* (1946), where the compositional device echoes that of *Prehistoric World* and the shapes offer no illusion of perceptual reality. Reminiscent of Kandinsky's Bauhaus work, *Abstract Lines and Spaces* employs geometric forms and lines for their own sake, exhibiting a strong concern for plastic organization in the use of the transparent watercolour medium to create planar relationships.[43] It is interesting to note how, in the works that remain non-objective, the artist uses the white ground and the play of forms against the ground to suggest space.

Russian Fantasy (1946) is typical of the automatic paintings portraying a private world inhabited by fantastic creatures. Through over-lapping wet washes and by grading deep purple through Prussian blue, the artist attains an exquisite richness. The brilliance of his colour

---

blanc et le jeu des formes pour évoquer l'espace.

Fantaisie russe (1946) constitue un excellent exemple des tableaux automatiques représentant un monde personnel peuplé de créatures fantastiques. L'artiste obtient de riches coloris grâce à des lavis qui se chevauchent et au passage progressif du mauve foncé au bleu de Prusse. Une extraordinaire maîtrise de la couleur donne à l'oeuvre une surface qui respire. Faisant lentement effectuer au tableau un tour complet, Macdonald fait apparaître au milieu des formes colorées, des créatures imaginaires, des élaborations humoristiques sur les configurations abstraites de la peinture. La surface est ensuite décorée avec des signes et des symboles hiéroglyphiques restés dans la mémoire de l'artiste depuis ses cours d'histoire de l'ornementation. Finalement, ce sont les lignes qui donnent une certaine unité aux éléments disparates de *Fantaisie russe*. Tel n'est pas le cas du *Bélier* (1946), où la couleur est presque seule responsable du succès de l'oeuvre. Plus libres et plus romantiques dans leur traitement, les images rappellent ici les taches informes des tableaux de Kandinsky de 1913. Mais

Abstract –Vermilion Centre, 1946
Watercolour on paper
17.2 x 24.8 cm (sight)
Mr. M. Sharf

Composition abstraite —centre vermillon, 1946
Aquarelle sur papier
17,2 x 24,8 cm (vue)
M. M. Sharf

*Abstract –Lines and
Spaces,* 1946
Watercolour on paper
17.5 x 24.8 cm
Private Collection

*Composition abstraite —lignes
et espaces,* 1946
Aquarelle sur papier
17,5 x 24,8 cm
Collection particulière

Music Hour, 1946
Watercolour and black ink on
paper,
16.5 x 24.1 cm
The Robert McLaughlin
Gallery, Oshawa
Purchase, 1979

Heure musicale, 1946
Aquarelle et encre noire sur
papier
16,5 x 24,1 cm
Robert McLaughlin Gallery,
Oshawa
Achat, 1979

Russian Fantasy, 1946
Watercolour and ink on paper
25.1 x 35.9 cm (sight)
Collection of the Art Gallery
of Ontario
Purchase, Peter Larkin
Foundation, 1962

Fantaisie russe, 1946
Aquarelle et encre sur papier
25,1 x 35,9 cm (vue)
Collection du Musée des
beaux-arts de l'Ontario
Achat par la fondation Peter
Larkin, 1962

126

The Ram, 1946
Watercolour on paper
39.4 x 49.2 cm
Mr. & Mrs. Harry L. Fogler

Le Bélier, 1946
Aquarelle sur papier
39,4 x 49,2 cm
M. et Mme Harry L. Fogler

The Ram, 1946
Watercolour and ink on paper
16.5 x 24.8 cm
The Robert McLaughlin
Gallery, Oshawa
Purchase, 1979

control creates a work in which the painted surface breathes. Slowly turning this painting a full 360°, Macdonald pulled from the coloured shapes fanciful creatures, humorous elaborations on the abstract configurations within the painting. This surface was then embellished with a personal vocabulary of hieroglyphic signs and symbols stored in the artist's memory since his classes on the history of ornament. Ultimately, it is line that unifies the disparate painterly elements of *Russian Fantasy*. Such is not the case in *The Ram* (1946), where colour almost unilaterally determines the success of the painting. Freer and more romantic in handling, its images suggest the amorphous forms of Kandinsky's 1913 paintings. But Macdonald's addition of pen-and-ink detail, however incidental, ties the paintings to the world of nature and the decorative in a manner inimical to Kandinsky. *The Ram* employs the frame-within-a-frame device to create a flowing, continuously evolving image. Sea creatures loom and frolic in the borders. In another

Le Bélier, 1946
Aquarelle et encre sur papier
16,5 x 24,8 cm
Robert McLaughlin Gallery,
Oshawa
Achat, 1979

les détails que Macdonald ajoute à la plume et au crayon, même s'ils sont secondaires, rattachent le tableau au monde de la nature dans un style décoratif qui s'oppose violemment au style de Kandinsky. Dans *le Bélier,* Macdonald utilise le procédé du double encadrement pour créer une image fluide en constante évolution. Des créatures marines folâtrent près des bords du tableau. Dans un autre tableau, une image tout à fait différente évoque elle aussi un bélier et Macdonald lui donne d'ailleurs le même titre. Ici, l'animal ressemble à Pégase, ses pattes et ses sabots rappelant des dessins d'animaux préhistoriques. Dans un cas comme dans l'autre, Macdonald n'a jamais eu l'intention de peindre un bélier; en fait, les deux créatures centrales sont très différentes. Le peintre découvre dans ces deux tableaux peints librement une image latente qu'il embellit par la suite et à laquelle il donne un titre descriptif. La forme du bélier rappelle peut-être à Macdonald le sceau stylisé à figure de bélier, dessiné plusieurs années auparavant par son maître Charles Paine pour James Morton de la *Morton Sundour Fabrics.*

Card, c.1945
Collection: Margaret
Williams
Photo: Robert Keziere

Carte de Noël, vers 1945
Collection de Margaret
Williams
Photo: Robert Keziere

painting, a quite different image also suggested a ram to Macdonald, and this second work bears the same title. Here, the animal is portrayed as a Pegasus-like figure with legs and hooves reminiscent of prehistoric animals. In neither instance did Macdonald consciously set out to paint a ram; in fact, the two central creatures differ greatly in appearance. However, within the freely painted surface the artist discovered the latent image, embellished it, and gave title to his vision. Perhaps he found its source in the stylized ram that Macdonald's mentor, Charles Paine, had designed as a personal trademark for James Morton of Morton Sundour fabrics many years earlier.

The images that recur most frequently in Macdonald's paintings arc birds and fish. Birds held a special attraction for Macdonald, who often embellished his signature with a small bird, and birds figure in his earliest and in his last automatic paintings. His grandfather had been an amateur ornithologist, and Macdonald had been fascinated by birds since childhood. Macdonald's sister recalls that, as a child in a Glasgow hospital, Macdonald left his nurse a small drawing of a bird as a memento of his stay. [44] Birds appear as child-like limned motifs in the automatics *Sandpiper* and *Orange Bird*, and as subjects whose appearance demands an historical accounting in works such as *Phoenix* and *Bird and Environment*. In 1959, after he had worked almost totally abstractly for several years, Macdonald wrote to Maxwell Bates of his surprise when an automatic watercolour turned figurative to reveal its familiar subject –the bird. [45]

Fish were another childhood preoccupation, according to his twin sister,[46] and they populate a preponderance of his automatics, from *Fish Family* (1943), probably his first semi-automatic painting, to the works included in the 1947 San Francisco exhibition, in which fish imagery abounded. As late as 1952, the theme recurs as the central motif of *Angel Fish*.

It is likely that these familiar symbols held not

Les images qui reviennent le plus souvent dans les tableaux de Macdonald sont les oiseaux et les poissons. Les oiseaux présentent un intérêt particulier pour l'artiste qui enjolive souvent sa signature d'un petit oiseau. On les retrouve dans ses premiers tableaux automatiques comme dans ses derniers. Son grand-père étant ornithologue amateur, Macdonald est fasciné très tôt par les oiseaux; sa soeur raconte qu'en partant d'un hôpital de Glasgow où, enfant, il avait été traité, il avait offert un petit dessin d'oiseau à son infirmière. [44] On retrouve dans les peintures automatiques des oiseaux qui ressemblent à des dessins d'enfants: *Bécasseau* et *Oiseau orange* et d'autres dans *Phénix* et *l'Oiseau et son milieu* dont l'aspect exige une explication mythologique. En 1959, après avoir fait des oeuvres abstraites presque exclusivement pendant plusieurs années, Macdonald raconte à Maxwell Bates la surprise que lui a causé l'apparition, dans une aquarelle automatique, d'un motif figuratif familier, l'oiseau. [45]

Les poissons l'intéressent aussi depuis sa jeunesse, selon sa soeur jumelle. [46] On les retrouve dans une bonne partie de ses oeuvres automatiques, à partir de *Famille de poissons* (1943), probablement son premier tableau semi-automatique, jusqu'aux oeuvres exposées à San Francisco en 1947, toiles où l'imagerie du poisson abonde. Même en 1952, le thème revient comme motif central d'*Ange de mer*.

Il est probable que ces symboles familiers revêtent non seulement un sens particulier pour Macdonald, mais aussi un sens mythique. Comme il l'a appris dans son étude de l'histoire de l'ornementation, l'oiseau représente pour les Égyptiens le pouvoir créateur. Pour les premiers chrétiens, le poisson avait un sens symbolique. Ces images font partie de "l'inconscient collectif" du monde occidental. Chez Macdonald, elles se font langage personnel et cessent de se rattacher à un événement précis ou à un endroit particulier.

À l'automne 1947, après avoir refusé une invitation semblable l'année précédente, Macdonald accepte un poste de professeur à *l'Ontario College of Art*, surtout parce qu'il espère pouvoir consacrer plus de temps à la peinture. Il veut également quitter Calgary pour fuir le sentiment

Sandpiper, 1946
Watercolour and ink on paper
24.8 x 34.9 cm (sight)
Mr. M. Sharf

Bécasseau, 1946
Aquarelle et encre sur papier
24,8 x 34,9 cm (vue)
M.M. Sharf

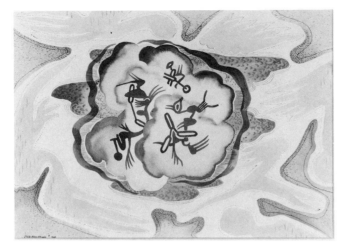

only personal but mythic significance for Macdonald. As he knew from his study of the history of ornament, the bird represented the creative power for the Egyptians. For the early Christians, the fish had symbolic meaning. These images have become part of the Western world's "collective unconscious." In Macdonald's work, they became a personal shorthand, images no longer attached to specific events or particular places.

In the fall of 1947, having refused a similar invitation one year earlier, Macdonald accepted an offer to teach at the Ontario College of Art, chiefly because he believed it would offer him more time for his own painting. He also wanted to escape Calgary's "isolation, the lack of understanding about art in general; and the environment of the Technical School itself."[47] (At a lecture he gave at the Coste House in the fall of 1946, Macdonald was faced with the challenge of creating an appreciation for the paintings of Emily Carr. He wrote of the experience: "I was glad of the chance to boost B.C.

Orange Bird, 1946
Watercolour and ink on paper
17.2 x 24.8 cm (sight)
Mr. M. Sharf

Oiseau orange, 1946
Aquarelle et encre sur papier
17,2 x 24,8 cm (vue)
M.M. Sharf

"d'isolement, le manque de compréhension face aux arts en général et le milieu même de la *Technical School*".[47] Lors d'une conférence qu'il donne à *Coste House* pendant l'automne 1946, Macdonald doit relever le défi de faire connaître les peintures d'Emily Carr. Voilà ce qu'il rapporte: "J'étais heureux de l'occasion qui m'était donnée de faire de la publicité pour la Colombie-Britannique et pour Emily et de faire contrepoids aux deux conférences précédentes dans lesquelles tout art qui n'était pas réaliste et qui n'était pas l'oeuvre de peintres albertains avait été condamné."[48] Et pourtant, il quitte Calgary avec une certaine tristesse. Il demeure en contact avec ses grands amis Jim et Marion Nicoll ainsi que Maxwell Bates pendant le reste de sa vie.

Macdonald a passé vingt ans dans l'Ouest canadien et s'identifie à l'esprit pionnier qui règne dans cette région. Il assure ses amis que son coeur restera toujours dans l'Ouest. "Je ne deviendrai jamais un artiste de l'Est, mon amour pour la Colombie-Britannique est trop profond."[49] Il continue d'écrire et de faire pression pour les

Angel Fish, 1952
Watercolour on paper
35.6 x 44.5 cm
Private Collection

Ange de mer, 1952
Aquarelle sur papier
35,6 x 44,5 cm
Collection particulière

Strange Friends, 1946
Watercolour on paper
21.6 x 27.9 cm
The McMichael Canadian
Collection,
Kleinburg, Ontario

Étranges amis, 1946
Aquarelle sur papier
21,6 x 27,9 cm
The McMichael Canadian
Collection,
Kleinburg (Ontario)

Fish Fantasy, 1946
Watercolour and ink on paper
24.5 x 34.9 cm (sight)
Dr. & Mrs. Barry Woods

Fantaisie aux poissons, 1946
Aquarelle et encre sur papier
24,5 x 39,9 cm (vue)
Le docteur et Mme Barry
Woods

Fish Playground, 1946
Watercolour on paper
18.4 x 25.4 cm
Gift of James and Marion
Nicoll to the
Collection of Alberta Art
Foundation

Les Poissons au jeu, 1946
Aquarelle sur papier
18,4 x 25,4 cm
Don de James et Marion
Nicoll à la
collection de l'Alberta Art
Foundation

and Emily and offset two previous lectures which damned any art that wasn't realistic, wasn't done by Alberta painters and so forth."[48] Yet he left Calgary with regret. He remained in touch with close friends like Jim and Marion Nicoll and Maxwell Bates for the rest of his life.

Macdonald had spent twenty years in Canada's west and identified with the pioneer spirit of the country. He assured his western colleagues that he would always remain a westerner. "I will never become an Eastern artist – my love is too rooted in B.C."[49] He continued to write and lobby on behalf of western artists, and in January 1948, he published an article titled "The Development of Painting in the West" in the *Journal of the Royal Architectural Institute of Canada*. In it he described the progress of west-coast artists towards their goal of "crystallizing the nucleus of their creative effort into the building of a great national culture."[50] In Calgary he had been instrumental in organizing The Calgary Group – artists whom he

---

artistes de l'Ouest et, en janvier 1948, il publie un article intitulé *The Development of Painting in the West* dans le *Journal of the Royal Architectural Institute of Canada*. Il y décrit la démarche des artistes de l'Ouest qui visent à "cristalliser le noyau de leurs efforts créatifs pour l'édification d'une grande culture nationale".[50] À Calgary, il contribue à l'organisation du *Calgary Group*, des artistes qui selon lui représentent l'esprit nouveau et moderne de l'Alberta. Même après son départ de Calgary, il les aide à organiser des expositions en Colombie-Britannique et en Ontario et il écrit aux Nicoll et à Max Bates pour les conseiller, les encourager et les exhorter à promouvoir les oeuvres du groupe.[51]

Il s'arrange pour qu'une exposition de ses oeuvres coïncide avec son arrivée à Toronto. Macdonald prend les mesures nécessaires avec l'aide d'un vieil ami de Vancouver, le docteur Agnew, pour que l'on présente son exposition de San Francisco à *Hart House*, à l'Université de Toronto, du 9 au 30 novembre 1947.[52]

"Quelles réactions les oeuvres automatiques

Garden Magic, 1946
Watercolour on paper
24.8 x 34.9 cm (sight)
Mr. M. Sharf

Magie du jardin, 1946
Aquarelle sur papier
24,8 x 34,9 cm (vue)
M.M. Sharf

felt represented the new and modern spirit of
Alberta. Even after his departure from Calgary, he
helped them arrange for exhibitions in British
Columbia and in Ontario, and he wrote letters of
instruction and encouragement to the Nicolls and
Max Bates, urging them to promote the Group's
art.[51]

To coincide with his arrival in Toronto,
Macdonald arranged, through the auspices of his
Vancouver friend, Dr. Agnew, to have his San
Francisco exhibition shown at Hart House, at the
University of Toronto, November 9–30, 1947.[52]

"What reactions the 'pollywogs' will have on my
new appointment to the College goodness only
knows. It will be easier for me to explain my
attitudes towards art in this show than for me to
say it in words."[53]

This light-hearted statement belied Macdonald's
real concern. He fully recognized that his artistic
vocabulary was a personal one, and that it might

The Butterfly, 1957
Oil and Lucite 44 on canvas
board
50.8 x 61 cm
Anonymous Loan

Le Papillon, 1957
Huile et lucite 44 sur carton
entoilé
50,8 x 61 cm
Prêt anonyme

auront-elles sur ma récente nomination au collège,
Dieu seul le sait. Cette exposition me permettra
d'exprimer plus facilement ma position sur l'art
que si je devais le faire verbalement."[53]

Macdonald dissimule sous cette déclaration désin-
volte une inquiétude réelle. Il se rend parfaitement
compte que son vocabulaire artistique est personnel et qu'il se pourrait que tous ne le prennent pas
au sérieux. Mais ce qui importe vraiment, c'est le
fait qu'il réitère que ses oeuvres automatiques
représentent sa philosophie artistique.

À Toronto, Macdonald reste fidèle à la
peinture automatique. Barbara Macdonald décrit la
manière dont son mari travaille à ses oeuvres
automatiques dans le sous-sol qu'ils habitent.[54] À
cause d'un manque de lumière et d'espace, il
s'installe à la table de la cuisine (la pièce la mieux
éclairée de l'appartement) et il peint pendant des
soirées entières. Colin Graham évoque ce qui suit:

"J'ai discuté avec Jock du procédé qu'il utilisait pour
peindre ces (oeuvres automatiques) . . . Le soir, il

Memories of Distant Shores,
1947
Watercolour on paper
30.5 x 47.5 cm
Dr. & Mrs. Paul P. Biringer

Souvenirs de rivages lointains,
1947
Aquarelle sur papier
30,5 x 47,5 cm
Le docteur et Mme Paul P.
Biringer

The Magic Mountain, 1949
Watercolour on paper
37.8 x 45.4 cm
Collection of the Art Gallery
of Ontario
Purchase, Peter Larkin
Foundation, 1962

La Montagne magique, 1949
Aquarelle sur papier
37,8 x 45,4 cm
Collection du Musée des
beaux-arts de l'Ontario
Achat de la fondation Peter
Larkin, 1962

Land of Dreams, 1948
Watercolour on paper
38.1 x 48.3 cm
Mr. M. Sharf

Terre de rêves, 1948
Aquarelle sur papier
38,1 x 48,3 cm
M. M. Sharf

not be taken seriously by all. But more important is his reiteration of the fact that the pollywogs represented his attitude towards art.

In Toronto, he remained committed to automatic expression. Barbara Macdonald describes how her husband would work on his automatics in their basement apartment in Toronto.[54] Constrained by light and space, Macdonald would sit at the kitchen table (the brightest lit space in the house) and paint throughout the evening. Colin Graham recalls:

"I discussed with Jock the process by which he painted these [automatics] . . . he and Barbara would sit in the kitchen at night and Barbara would turn on the radio and Jock would just start fooling around with watercolours. Things would come out in the process. I gathered it was helped by Barbara who kept his conscious mind on what he was doing so that the automatic process was really working and he would keep talking to

---

s'installait avec sa femme dans la cuisine; Barbara ouvrait la radio et Jock se mettait à ses aquarelles. Il obtenait certains effets en cours de travail. D'après ce que j'ai pu comprendre, Barbara l'aidait sans doute en le forçant à prêter une attention consciente à ce qu'il faisait de manière à ce que le processus automatique ait vraiment cours; il lui parlait donc tout en rêvant. C'est là une des choses qui m'ont vraiment impressionné."[55]

Bien que les oeuvres automatiques soient difficiles à dater, on peut dire dans l'ensemble qu'elles progressent du simple au complexe, de petites dimensions à de plus grandes et d'une composition centralisée à des oeuvres dont l'ensemble de la surface est travaillé avec plus d'uniformité. Les premières sont souvent intimes, les dernières, monumentales.

Phénix (1948) représente un changement important dans l'oeuvre de Macdonald. Bien que le traitement des aquarelles ressemble à celui des oeuvres automatiques précédentes, le motif élégamment dessiné de ce tableau en fait sans aucun

The Witch, 1948
Watercolour and ink on paper
37.5 x 45.4 cm
Collection of the Art Gallery
of Ontario
Gift from the Albert H.
Robson Memorial
Subscription Fund, 1950

La Sorcière, 1948
Aquarelle et encre sur papier
37,5 x 45,4 cm
Collection du Musée des
beaux-arts de l'Ontario
Don de l'Albert H. Robson
Memorial Subscription
Fund, 1950

The Clown, 1949
Watercolour on paper
38.1 x 50.2 cm (sight)
Private Collection

Ritual Dance, 1949
Watercolour on paper
38 1 x 47 cm
Mr. M. Sharf

Danse rituelle, 1949
Aquarelle sur papier
38,1 x 47 cm
M. M. Sharf

Le Clown, 1949
Aquarelle sur papier
38,1 x 50,2 cm (vue)
Collection particulière

135

136

Barbara and still dream. This is one of the things that impressed me very much."[55]

Although the automatic paintings are difficult to date, they evolve, on the whole, from simple to complex, from small-scale to large, and from centralized compositions to works in which the entire surface is more uniformly worked. There is also a shift from intimacy to more monumental intentions.

Phoenix (1948) represents an important departure in Macdonald's work. Although it is similar to the automatics in the handling of watercolour, its elegantly designed motif indicates that it is most certainly preconceived. A composition containing a single dominant figure such as this is unprecedented within the automatic paintings. The work reflects Macdonald's search for greater monumentality.

Seldom able to translate the freedom of his watercolour automatics to oil painting, Macdonald nevertheless recognized that the oil medium offered the scale and the scope that he desired. Yet on only a few occasions did Macdonald manage to capture the spontaneity of watercolour in oil. It is interesting to see the problems he encountered when he attempted the transition. In 1947, he painted his first, and one of his most successful, automatics on canvas. The entire surface of *Ocean Legend* consists of an intricate but fluid drawing in paint. The imagery suggests northwest-coast Indian lore and sea creatures. Its sources lay, more than likely, in the legends of Nootka and its maritime environs. Another canvas, *Untitled*, the fish study of 1948, is also automatic in nature. Colourful oil passages elicit an array of images from the artist's subconscious. But the linear motif seems somewhat out of place on canvas. The size of the painting is out of scale to the decorative line of the automatics, and the canvas ground does not proffer the light and airy spaciousness of paper. The free-flowing line of the subconscious could

left:
Phoenix, c.1948
Watercolour and ink on paper
25.4 x 35.5 cm
The Robert McLaughlin
Gallery, Oshawa
Gift of Alexandra Luke, 1967

à gauche:
Phénix, vers 1948
Aquarelle et encre sur papier
25,4 x 35,5 cm
Robert McLaughlin Gallery,
Oshawa
Don d'Alexandra Luke, 1967

doute une oeuvre préconçue. On ne retrouve dans aucune autre oeuvre automatique du peintre une composition contenant une seule forme dominante. L'artiste recherche ici la monumentalité.

Macdonald peut rarement retrouver la liberté de l'aquarelle dans ses huiles; il reconnaît toutefois que ce médium lui donne les dimensions et l'effet qu'il souhaite. Il est intéressant d'observer les problèmes qu'il rencontre lors du passage d'un médium à un autre. En 1947, il peint sa première oeuvre automatique sur toile, *Légende de l'océan,* qui compte parmi les mieux réussies. Toute la surface est occupée par un dessin complexe, mais fluide, exécuté à l'huile. Le sujet représente vaguement la vie indienne et les créatures marines de la côte nord-ouest du Pacifique. Son inspiration provient sans doute des légendes de Nootka et des environs. Une autre toile, un étude de poissons de 1948, *Sans titre,* est aussi de nature automatique. Des traces à l'huile de couleurs vives évoquent un foisonnement d'images provenant du subconscient de l'artiste. Mais le motif linéaire semble déplacé sur cette toile. Le tableau est trop grand pour la ligne décorative des oeuvres automatiques, sans compter que le fond de la toile n'a pas la luminosité et ne dégage pas l'impression d'espace que donne le papier. La ligne émanant librement du subconscient se rend mal en peinture. C'est peut-être pour des raisons de cet ordre que Macdonald décide de peindre un *Phénix* plus étudié et, la même année, *l'Oiseau et son milieu,* composition à l'huile qui reprend directement le sujet et les couleurs de l'aquarelle *Phénix.* Comme dans *Sans titre,* cette oeuvre marque une transition entre la méthode automatique de l'aquarelle à l'huile mais, dans cet exemple, l'artiste accorde moins au fantastique qu'à une composition solide. Dans *l'Oiseau et son milieu,* Macdonald adopte le procédé du double encadrement déjà utilisé pour les aquarelles, mais le format plus grand et l'utilisation de l'huile permettent d'avoir des couleurs plus vives et créent un effet plus dramatique.

L'Oiseau-mouche et son milieu, huile de 1949, est directement influencée par *l'Oiseau et son milieu.* Il y a cependant un changement perceptible d'intention dans *l'Oiseau-mouche.* Tout en suivant

Ocean Legend, 1947
Oil on canvas
86.4 x 61 cm
Mr. & Mrs. A. Mecklinger

Légende de l'océan, 1947
Huile sur toile
86,4 x 61 cm
M. et Mme A. Mecklinger

Automatic (Untitled), 1948
Oil on canvas
69.9 x 83.8 cm
Collection of the Art Gallery
of Ontario
Purchase with assistance
from Wintario, 1977

Automatique (sans titre), 1948
Huile sur toile
69,9 x 83,8 cm
Collection du Musée des
beaux-arts de l'Ontario
Achat subventionné par
Wintario, 1977

not be translated directly into oil paint. Perhaps it was this recognition that had prompted Macdonald to paint the more considered *Phoenix* and, in the same year, *Bird and Environment*, an oil composition that relates directly to the watercolour *Phoenix* in subject and colour. Like the untitled fish fantasy, this painting represents a translation of the automatic method from watercolour to oil, but in this instance, Macdonald relied less on fantasy than on solid composition. In *Bird and Environment*, he adopted the expressionistic frame-within-a-frame device of earlier watercolours, but the larger format and the stronger colours achievable in oil create a more dramatic impact.

It is clear that the 1949 oil, *Hummingbird and Environment*, evolved from *Bird and Environment*. There is, however, a perceptible change of intent in *Hummingbird*. While employing a similar format for the central area, Macdonald transformed the fluid expressive border into enclosed areas of

ici un procédé semblable pour le centre de l'oeuvre, le peintre transforme l'encadrement expressif et fluide en aires de couleur fermées. Dans *l'Oiseau-mouche et son milieu*, il tâche de réaliser une synthèse de plans sans profondeur qui se recoupent, procédé rappelant à la fois le cubisme synthétique et la liberté des automatiques, mais cette solution présente une contradiction inhérente. Malgré le dynamisme imprimé à la toile au moyen d'un motif central d'oiseau qui se tord et la tension produite par des plans de couleur qui se chevauchent, la composition est maintenue dans un état d'immobilité par un encadrement complexe qui englobe l'image centrale.

Macdonald, peut-être un peu déçu dans ses recherches, revient bientôt à l'usage presque exclusif d'aquarelles qui lui permettent une plus grande liberté. En 1950, il peint *Petit Landscape,* tableau rappelant sur le plan stylistique les oeuvres automatiques précédentes par son encadrement intérieur. On y observe toutefois une énergie nouvelle créée par une composition centrifuge. Une telle énergie est absente des aquarelles de

Bird and Environment, 1948
Oil on canvas
64.1 x 88.9 cm
Private Collection

L'Oiseau et son milieu, 1948
Huile sur toile
64,1 x 88,9 cm
Collection particulière

Hummingbird and Environment, 1949
Oil on canvas
81.3 x 101.6 cm
The Eisen Collection

L'Oiseau-mouche et son milieu, 1949
Huile sur toile
81,3 x 101,6 cm
La collection Eisen

Wassily Kandinsky
Black Lines, 1913
Oil on canvas
129.5 x 130.2 cm
The Solomon R.
Guggenheim Museum, New
York
Photo: Robert E. Mates

Wassily Kandinsky
Lignes noires, 1913
Huile sur toile
129,5 x 130,2 cm
The Solomon R. Guggenheim
Museum, New York
Photo: Robert E. Mates

colour. In *Hummingbird and Environment*, he attempted a synthesis of flat, overlapping planes, suggestive of synthetic cubism and the freedom of the automatics, but an inherent contradiction exists in such a solution. In spite of the dynamism introduced into the canvas by the central motif of a twisting bird and the tension developed through overlapping planes of colour, the composition is locked in stasis by the complex framing elements that encompass the central image.

Apparently frustrated in his search to create oil paintings with the vitality of his watercolours, Macdonald soon returned to the almost exclusive use of watercolour and the freedom it offered. In 1950, he painted *Petit Landscape*. Stylistically, it is related to the earlier automatics in its use of an internal framing device; however, inherent in it is a new energy created by the centrifugal composition. Such energy is unusual in Macdonald's watercolours, many of which are aligned along the horizontal plane in an almost frieze-like fashion.

Macdonald qui se caractérisent généralement par des plans horizontaux à la manière d'une frise. *Petit Landscape* déborde d'une énergie vitale créée par l'image florale qui tourne en spirale vers l'extérieur du tableau. Même si les bleus de cette oeuvre ont perdu de leur éclat au cours des trente dernières années, le tableau conserve une fraîcheur radieuse évoquant l'éclat des *Lignes noires* (1913) de Kandinsky dont une reproduction décorait la classe de Macdonald à l'*Ontario College of Art*.

Macdonald aime tenter de nouvelles expériences qui lui permettent souvent de découvrir d'autres orientations pour son art. Une de ces expériences remonte en 1949, quand l'Unesco l'invite à venir enseigner en Hollande. Durant son séjour, Macdonald visite le musée indonésien où il est "transporté dans un monde fantastique, aux couleurs exotiques, au charme subtil de la ligne, un monde rempli de gaieté dans les sujets traités".[57] Pour lui, "les ombres aux jambes et aux bras longs et grêles, aux mains et aux pieds gracieux et aux visages de sorcières" représentent "de la poésie pure".[58] Il rentre à Toronto saturé d'images de

Petit Landscape, 1950
Watercolour on paper
24.1 x 24.8 cm
Mr. & Mrs. John Stohn

Petit Landscape, 1950
Aquarelle sur papier
24,1 x 24,8 cm
M. et Mme John Stohn

Flower Land, 1947
Watercolour on paper
17.2 x 24.8 cm (sight)
Mr. M. Sharf

Terre des fleurs, 1947
Aquarelle sur papier
17,2 x 24,8 cm (vue)
M. M. Sharf

Flowers in a Window, 1949
Watercolour on paper
86.8 x 47 cm
Anonymous Loan

Fleurs à une fenêtre, 1949
Aquarelle sur papier
86,8 x 47 cm
Prêt anonyme

Petit Landscape is charged with vital intensity. A flower image spins in an outward spiral. Though the blues in *Petit Landscape* have lost some of their brilliance over the past thirty years, the painting remains charged with a radiant freshness evoking the brilliance of Kandinsky's 1913 *Black Lines*, a colour reproduction of which was displayed in Macdonald's OCA classroom.[56]

Macdonald was always open to new experiences, and in them he often found new directions for his art. One such experience occurred in 1949, when he was teaching for Unesco in Holland. There Macdonald visited the Indonesian Museum, where he "was transported into a world of fantasy, exotic colour, subtle charm of design and playfulness in subject matter."[57] For him, "Shadow figures, with long spindly arms and legs, slender hands and feet and witchlike faces" were "pure poetry."[58] He returned to Toronto saturated with images of Eastern dancers and Buddhas, and fascinated by the complicated patterns of the

danseurs orientaux et de bouddhas, fasciné par la complexité des motifs de batiks indonésiens.

Pendant les trois années qui suivent, Macdonald crée des oeuvres dont les sujets et les styles sont inspirés par ce qu'il a observé au musée indonésien. *Adorateurs de fleurs* (1950) évoque avec une vive sensibilité l'état d'âme des danseurs indonésiens. Des oeuvres de 1951, telles *Faste oriental* et *Potentat oriental*, non seulement rappellent l'Orient par leur sujet, mais ont aussi, par leur style, de profondes affinités avec les batiks décorés de motifs linéaires complexes. Se contentant au départ d'imiter la complexité du batik dans ses tableaux, Macdonald demande à Marion Nicoll, pendant l'été 1951, de lui enseigner la technique du batik.[59] L'aspect linéaire libre créé par la technique de fixation à la cire redonne à Macdonald le goût de l'automatisme.

Macdonald a souvent expérimenté les fixatifs à la cire dans ses aquarelles antérieures. Dans *Transformation* (1951, aussi intitulée *Métamorphose*), il emprunte au batik la technique de fixation à la cire et souligne les éléments linéaires du tableau par

143

Batik, 1951
Dye on cotton
94 x 96 cm
Private Collection

Batik, 1951
Teinture sur coton
94 x 96 cm
Collection particulière

Indonesian batiks.

During the next three years, Macdonald created a body of work that looked back to the Indonesian Museum for subject matter and style. *Flower Worshippers* (1950) evokes the mood of the Indonesian dancers with exquisite sensibility. Works of 1951 such as *Eastern Pomp* and *Eastern Potentate* not only echo Eastern motifs in subject matter, but also exhibit strong stylistic affinities to batiks with their complicated decorative, linear patterns. Initially content merely to simulate the intricacy of batik, Macdonald asked Marion Nicoll, in the summer of 1951, to teach him how to do batiks.[59] The free linear aspect of the wax resist seemed to revitalize Macdonald's interest in automatism.

Macdonald had often experimented with resist techniques in earlier watercolours. In *Forms Evolved* (1951, also titled *Metamorphosis*), he employed the wax resist method borrowed from batiks, and highlighted the linear elements of the

l'application de couleur pure. [60] Macdonald utilise souvent cette technique de diverses façons. Dans certains cas, il applique de la paraffine à des endroits précis à l'aide d'un pinceau en soie de sanglier. Il fait pénétrer de l'encre de Chine dans la cire pour accentuer la texture et il enlève ensuite la première couche pour obtenir la surface désirée. [61] Dans d'autres cas, il utilise un crayon de cire pour le dessin initial. L'oeuvre est ensuite réalisée en faisant couler des aquarelles transparentes sur la surface où la cire, qui n'a pas retenu la peinture, crée une riche texture. Pour d'autres oeuvres, Macdonald dessine un motif automatique sur du papier paraffiné qu'il décalque ensuite sur la surface de sa peinture. Les formes linéaires ainsi produites, créent des taches de blanc qui ajoutent à la texture et fournissent une source de lumière donnant plus d'éclat aux couleurs. [62]

Macdonald continue de peindre à l'aquarelle au début des années 50. En 1952, il exécute certaines de ses aquarelles les mieux réussies. Le summum de son art automatique se trouve dans deux oeuvres exécutées en 1952, *Tissus de rêves* au

Flower Worshippers, 1950
Watercolour and ink on paper
39.4 x 47 cm
Anonymous Loan

Adorateurs de fleurs, 1950
Aquarelle et encre sur papier
39,4 x 47 cm
Prêt anonyme

Eastern Pomp (Eastern Dancers), c.1951
Watercolour on paper
37 x 49.9 cm
Betty Mustard

Faste oriental (Danseurs orientaux),
Aquarelle sur papier
37 x 49,9 cm
Betty Mustard

Eastern Potentate, c.1951
Watercolour on paper
24.1 x 24.1 cm
Dr. & Mrs. Paul P. Biringer

Potentat oriental, vers 1951
Aquarelle sur papier
24,1 x 24,1 cm
Le docteur et Mme Paul P.
Biringer

*The Dancers (Medieval
Warrior)*, 1951
Watercolour on paper
48.9 x 36.2 cm
Professor and Mrs. B. D.
Bixley

*Les Danseurs (Guerrier
médiéval)*, 1951
Aquarelle sur papier
48,9 x 36,2 cm
Le professeur et Mme B. D.
Bixley

painting with the application of pure colour.[60]
Macdonald tackled resist often and in a variety of
ways. In some instances, paraffin wax was applied
in selected areas with a hog's hair brush. India ink
was rubbed into the wax to accentuate the texture
and the top surface of wax was removed to reach a
desired surface.[61] In other cases, wax crayon was
used for an initial drawing. The work was then
executed in transparent watercolour by flooding
paint onto the surface, where the repellent wax
created a rich textural quality. On other occasions,
Macdonald transferred an automatic pattern from
waxed paper to the surface of his painting. The
random linear pattern of exposed white areas that
resulted from this technique added texture and a
source of light, which in turn gave brilliance to his
colours.[62]

Macdonald continued to paint in watercolours throughout the early fifties. In 1952, he
created some of his most brilliant paintings in this
medium. The culmination of his automatic

riche symbolisme mystique et *Parfum d'un jardin
d'été* qui éclate de joie. Dans ce dernier tableau,
Macdonald abandonne tout rappel visuel et a
recours, influencé peut-être par Jackson Pollock,
au dripping et aux taches de couleur qui produisent
un nouvel effet remarquable.

En août 1952, l'*Art Gallery of Greater Victoria*
organise une exposition solo des aquarelles
automatiques de Macdonald, alors qu'il passe l'été
dans cette insitution à titre d'artiste en résidence.[63]
Dans cette première exposition solo depuis 1947,
Macdonald présente certaines de ses meilleures
oeuvres automatiques. Un critique mentionne "la
succession sans fin des formes hautement symboliques" dans les oeuvres, considérant Macdonald
comme le meilleur aquarelliste canadien.[64] Rares
sont ceux qui pourraient prétendre le contraire.
Borduas avait expérimenté l'aquarelle et la gouache
au début des années 40, mais nul artiste canadien
n'a employé ce véhicule avec autant de persistance
et d'originalité que Jock Macdonald.

Macdonald va revenir à l'aquarelle, mais sans
l'intensité ou la fougue de la décennie précédente.

Forms Evolved, 1951
Watercolour with wax resist
on paper
28.1 x 27.2 cm
Art Gallery of Greater
Victoria
Anonymous Gift

Transformation, 1951
Aquarelle et fixatif à la cire
sur papier
28,1 x 27,2 cm
Art Gallery of Greater
Victoria
Don anonyme

147

Revolving Shapes, 1950
Watercolour and wax resist
on paper
24.8 x 25.1 cm
Colin and Sylvia Graham

Formes en rotation, 1950
Aquarelle et fixatif à la cire
sur papier
24,8 x 25,1 cm
Colin et Sylvia Graham

Emerging Life, 1952
Watercolour on paper
35.6 x 45.7 cm
Collection of Mr. & Mrs.
David Blackwood

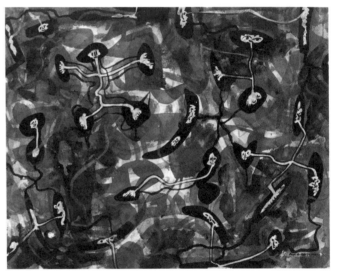

Life's Ever Changing Mosaic,
1951
Watercolour on paper
36.8 x 48.9 cm
Private Collection

*La Mosaïque toujours
changeante de la vie*, 1951
Aquarelle sur papier
36,8 x 48,9 cm
Collection particulière

Vie naissante, 1952
Aquarelle sur papier
35,6 x 45,7 cm
Collection de M. et Mme
David Blackwood

Reflections in a Pool, 1953
Watercolour on paper
33 x 45.1 cm
The McMichael Canadian
Collection, Kleinburg,
Ontario

expressions is found in the mystic symbolism of the richly painted *Fabric of Dreams* (1952) and in the joyously explosive *Scent of a Summer Garden* of the same year. In the latter work, Macdonald abandoned all referential imagery and turned, perhaps influenced by Jackson Pollock, to dripping and staining of colour to achieve a brilliant new sensibility.

In August of 1952, a one-man exhibition of

Macdonald's automatic watercolours was mounted at the Art Gallery of Greater Victoria, where he was artist-in-residence for the summer.[63] In this exhibition, Macdonald's first one-man show since 1947, were hung some of the finest of his automatic paintings. A reviewer remarked on the "endless succession of richly symbolic forms" in the paintings, judging Macdonald to be the best watercolour painter in Canada.[64] Few could argue with that assessment. Borduas had experimented with watercolour and gouaches early in the forties, but no artist in Canada had employed that medium with the dedication and the originality of Jock Macdonald.

Macdonald returned to watercolour in his career but seldom with the intensity or purposefulness he had shown in the previous decade. Ultimately, he realized that if he wished to create a body of work in which his most powerful voice was to be heard, he must create those paintings in oil.

Finalement, il se rend compte que s'il veut produire une oeuvre puissante capable de transmettre son message, il doit y parvenir en s'exprimant avec l'huile.

Réflections dans l'eau, 1953
Aquarelle sur papier
33 x 45,1 cm
The McMichael Canadian
Collection, Kleinburg,
Ontario

Fabric of Dreams, 1952
Watercolour on paper
37 x 46.7 cm
Collection of the Art Gallery
of Ontario
Purchase, Peter Larkin
Foundation, 1962

Tissus de rêves, 1952
Aquarelle sur papier
37 x 46,7 cm
Collection du Musée des
beaux-arts de l'Ontario
Achat par la fondation Peter
Larkin, 1962

Scent of a Summer Garden,
1952
Watercolour and coloured
inks on paper
35.6 x 45.7 cm
Agnes Etherington Art
Centre, Kingston

Parfum d'un jardin d'été, 1952
Aquarelle et encres de
couleur sur papier
35,6 x 45,7 cm
Agnes Etherington Art
Centre, Kingston

151

From 1948 to 1954, Macdonald struggled to find a means of expression in oil that would equal his achievements in watercolour, but the solution did not come easily. In the early summers of 1948 and 1949, apparently with the encouragement of Alexandra Luke, Macdonald spent several weeks at Hans Hofmann's Provincetown studio. Hofmann had become a popular figure among Canadian artists, and several of Macdonald's close friends had travelled to study with the master. Joe Plaskett wrote about this period:

"In 1947 Canadians invaded the Hofmann school in force. I had been there since February of that year and in the summer there came Alexandra Luke and Ron Lambert of Oshawa and Lionel Thomas of Vancouver. Hortense Gordon of Hamilton, who had been one of the first Canadians to learn from Hofmann, was also there. In 1948, J.W.G. Macdonald made his first contacts with the school and the winter sessions in New York have since been attended by Don Jarvis of Vancouver and Tak Tanabe of Winnipeg."[1]

A superb teacher, Hofmann had immediate insight into Macdonald's artistic dilemma. He offered this solution:

"You need only to simplify, take everything out to your feeling. Still form is here. All these lines that you have here are crutches.... Colour must be the guide to composition, otherwise drawing destroys your impulse to paint."[2]

After his return to Toronto, Macdonald wrote, "I am painting in my studio too – in oils – but with this work I am not satisfied. After the direction I received from Hofmann I feel that my oils are weak efforts but something will happen before long. I certainly feel I need to know more from him."[3]

Macdonald's oil paintings of the next few years, however, indicate no significant change.

TRANSITION

10

LA TRANSITION

De 1948 à 1954, Macdonald s'efforce de trouver un moyen d'expression qui pourrait lui permettre de réaliser sur toile les mêmes effets que dans ses aquarelles, mais la recherche de la solution est laborieuse. Sur les instances, semble-t-il, d'Alexandra Luke, il passe en 1948 et en 1949 quelques semaines au début de l'été au studio de Hans Hofmann à Provincetown. Hofmann était très populaire auprès des artistes canadiens et plusieurs amis intimes de Macdonald s'étaient déjà rendus aux États-Unis pour étudier avec le maître. Voici ce que Joe Plaskett écrit à ce sujet:

"En 1947, un grand nombre de Canadiens envahissent l'école de Hofmann. J'y étais depuis le mois de février quand, pendant l'été, je vis arriver Alexandra Luke et Ron Lambert d'Oshawa ainsi que Lionel Thomas de Vancouver. Hortense Gordon de Hamilton, qui avait été l'une des premières Canadiennes à étudier chez Hofmann, était là elle aussi. J.W.G. Macdonald entre en contact pour la première fois avec l'école en 1948 et les sessions d'hiver à New York ont depuis attiré Don Jarvis de Vancouver et Tak Tanabe de Winnipeg."[1]

Professeur remarquable, Hofmann comprend immédiatement le dilemme de Macdonald. Il lui donne la solution suivante:

"Il vous faut simplifier, vous en remettre complètement à ce que vous ressentez. La forme y est. Toutes ces lignes que vous utilisez sont des béquilles ... C'est la couleur qui doit guider la composition sinon le dessin annihile le geste spontané du peintre."[2]

De retour à Toronto, Macdonald écrit: "Je peins aussi dans mon studio (des huiles), mais je ne suis pas satisfait de ce que je fais. Suite aux recommandations que m'a faites Hofmann, je suis conscient que mes huiles sont médiocres, mais je pense qu'il va se passer quelque chose sous peu. Je crois vraiment que j'ai besoin d'en apprendre plus de Hofmann."[3]

Les tableaux à l'huile de Macdonald n'évo-

Hofmann had told Macdonald: "Out of the mess comes rich vibrations. Wipe out the mess. Start again – something this time comes through. Every work should all the time carry the mystery of creating."[4] But though his watercolours grew richer and more intense during these years, Macdonald failed to find similar freedom in oil. He was not yet able to build from colour as he had in the watercolours.

Later Macdonald wondered why critics attributed so much to Hofmann's influence during those short summer weeks at Cape Cod. When an article in *Canadian Homes* named Hofmann as his teacher, Macdonald refuted the claim.

Hans Hofmann and Jock Macdonald, Provincetown, c.1949

Hans Hofmann et Jock Macdonald, Provincetown, vers 1949

"Have you picked up the September issue of *Canadian Homes and Gardens*? If so, what do you think of the Canadian Art Spread? I knew nothing about this project and am a bit surprised to see my name and the remark 'studied with Hofmann.' I did so for ten days."[5]

Macdonald considered himself a colleague of this brilliant teacher, not his pupil. Although he shared many of Hofmann's premises about the spirituality of art and its source in nature, Macdonald personally stroked out references to Hofmann's influence as his teacher in the press release prepared for his 1960 exhibition at the Here and Now Gallery.[6]

Macdonald's dilemma was similar to one he had encountered ten years earlier, before Pailthorpe provided him with the formal means to move from the modalities to the automatics. According to his artistic treatise, "Art in Relation to Nature," he continued to seek "the universal truth of all-relating harmony," and still believed that art had to "achieve values beyond the material and the reasonable [or] fail the purpose ascribed to it by every prophet and seer through the ages."[7] Preparing lectures on art and abstraction (with such titles as "20th Century Art and Design," "Abstract and Automatic Art," and "The Artist's

luent toutefois pas notablement au cours des années suivantes. Hofmann avait dit à Macdonald: "Il émane du fouillis de riches vibrations. Effacez le fouillis. Recommencez et cette fois il en sortira quelque chose. Toute oeuvre devrait toujours porter en elle le mystère du geste créateur."[4] Les aquarelles de Macdonald se font de plus en plus intenses pendant ces années sans pourtant que l'artiste réussisse à faire preuve de la même aisance dans ses oeuvres à l'huile. Il n'arrive pas encore à construire en utilisant la couleur comme dans ses aquarelles.

Macdonald se demandera plus tard pourquoi les critiques accordaient tant d'importance à l'influence de Hofmann qu'il n'avait fréquenté que quelques semaines pendant l'été à Cape Cod. Quand paraît dans *Canadian Homes and Gardens* un article indiquant que Hofmann est le professeur de Macdonald, ce dernier dément cette affirmation.

"Avez-vous acheté le *Canadian Homes and Gardens* de septembre? Si oui, que pensez-vous de la rubrique sur l'art canadien? Je n'étais au courant de rien et je

suis quelque peu surpris de voir accolé à mon nom la mention "a étudié avec Hofmann." "Je n'ai étudié que dix jours avec lui."[5]

Macdonald considère ce brillant professeur comme un collègue, et non pas comme un maître. Bien qu'il partage avec Hofmann certaines idées sur la spiritualité dans l'art et sur le fait que sa source est dans la nature, Macdonald raye de sa main, dans le communiqué de presse rédigé pour son exposition à la *Here and Now Gallery* en 1960, les passages faisant allusion à l'influence qu'auraient exercée sur lui les cours de Hofmann.[6]

Le problème de Macdonald ressemble à celui qu'il a affronté dix ans plus tôt avant que Pailthorpe ne lui donne les moyens formels de passer des modes aux tableaux automatiques. Comme en fait foi son traité sur l'art, *Art in Relation to Nature*, Macdonald continue à rechercher "la vérité universelle de l'harmonie unificatrice" et il pense toujours que l'art doit "parvenir à une qualité allant au-delà de l'aspect matériel et de la raison, sinon il faillit à la mission que lui ont

154

Studio Interior, c.1951
Oil on canvas
81.9 x 101.6 cm
Mr. M. Sharf

Search") gave Macdonald the opportunity to consider and reformulate his thoughts, but the core of his ideas remained unchanged.[8]

In 1948, when *Life* magazine published a round-table discussion on modern art, which included, among others, Clement Greenberg, Meyer Shapiro, Aldous Huxley, James Sweeney, H.W. Janson, and James Thrall Soby, Macdonald wrote that the participants had missed the essential intention of abstract painting:

"Nobody seemed to relate the space dynamics of modern art to the new 20th century concept of space in science, architecture, or anything else. How they cannot see parallel concepts in all forms of creative works seems amazing."[9]

Macdonald's quest for a new space dynamic reflected his interest in the world of the noumena rather than that of the phenomena. He sought to portray in his art the space of the twentieth century, the space of Einstein and Minkowski, a space that was not limited by three-dimensional illusionistic handling, but that instead reflected the simultaneity of events, a space that incorporated time.

During the summer of 1949, Macdonald was a delegate to a Unesco seminar in Breda, Holland. He was especially impressed by Rotterdam's new city murals and wrote of their "plastic space and cubism."[10] In his concern for articulating space, Macdonald himself turned to an exploration of cubism.

Works like *Hummingbird and Environment* (1949) clearly illustrate Macdonald's experiments with a modified cubist approach. In *Studio Interior* (c.1951), intersecting planes overlap to create an active picture surface in a shallow, cubist space.[11] Unlike the traditional cubist artist, however, Macdonald continued to work the entire surface evenly with a focus on a dominant central motif – the bust, which is depicted almost representationally. Although accomplished, this painting

---

Intérieur de studio, vers 1951
Huile sur toile
81,9 x 101,6 cm
M. M. Sharf

confiée tous les prophètes et tous les visionnaires à travers les âges".[7] La préparation de conférences sur l'art et l'abstrait (qui portent des titres comme "l'Art et le Design au XXᵉ siècle", "l'Art abstrait et l'Art automatique" ou "la Recherche de l'artiste") donne à Macdonald l'occasion de revoir et de reformuler ses idées, mais ses principales théories demeurent les mêmes.

En 1948, le magazine *Life* publie les conclusions d'une table ronde sur l'art moderne à laquelle ont participé, entre autres, Clement Greenberg, Meyer Shapiro, Aldous Huxley, James Sweeney, H.W. Janson et James Thrall Soby. Macdonald écrit alors que ces derniers sont passés à côté de l'objectif essentiel de la peinture abstraite:

"Personne ne semble avoir rattaché la dynamique spatiale de l'art moderne au nouveau concept de l'espace que véhiculent la science, l'architecture et tout le reste depuis le début du XXᵉ siècle. Comment peuvent-ils ne pas percevoir les concepts parallèles existant dans toutes les formes de travail créateur? Cela me dépasse."[9]

La quête de Macdonald pour une nouvelle dynamique spatiale démontre que son intérêt réside davantage dans le monde des noumènes que dans celui des phénomènes. Il tente de reproduire dans son art l'espace du XXᵉ siècle, celui d'Einstein et de Minkowski, un espace qui n'est pas limité par une approche illusionniste à trois dimensions, mais qui reflète la simultanéité des événements: un espace-temps.

Pendant l'été de 1949, Macdonald, délégué à un séminaire de l'Unesco à Breda, en Hollande, est particulièrement impressionné par les nouvelles peintures murales de la ville de Rotterdam et par leur "espace plastique et leur cubisme".[10] Dans un effort pour organiser son propre espace en peinture, Macdonald fait lui-même une incursion du côté du cubisme.

Des oeuvres comme *l'Oiseau-mouche et son milieu* (1949) illustrent clairement les essais de Macdonald dans une approche cubiste adaptée à ses besoins. Dans *Intérieur de studio* (v. 1951), des plans se chevauchent et créent une surface active dans un espace cubiste sans profondeur. Toutefois, contrai-

Mosaic, 1952
Watercolour on paper
37.5 x 45.7 cm
Dr. & Mrs. Howard Mandell

Mosaïque, 1952
Aquarelle sur papier
37,5 x 45,7 cm
Le docteur et Mme Howard
Mandell

Bearer of Gifts, 1952
Oil on canvas
79.1 x 94.6 cm
In Memory of
G. Zimmermann
Swiss Herbal Remedies Ltd.

Porteur de présents, 1952
Huile sur toile
79,1 x 94,6 cm
À la mémoire de G.
Zimmermann
Swiss Herbal Remedies Ltd.

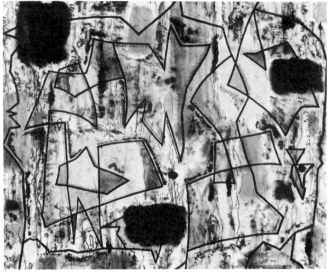

nevertheless lacks the spontaneity and vibrancy of the watercolours of that period. A comparison between *Studio Interior* (c. 1951) and *Mosaic* (1952, also titled *Inter-Related Movement* by the artist) indicates the polarity between the cubist structuring of the oil paintings and the freedom and openness inherent in the watercolours. Despite the overlying linear motif of *Mosaic*, the application of paint is fresh and spontaneous, and the work brims with vitality. In his watercolours, Macdonald succeeded in translating the impulses and forces of nature into the visual medium; in his oils, he failed to accomplish the same goal because the organizational and structural elements interfered.

    Bearer of Gifts (1952) is a work as complex as the earlier *Studio Interior* . In an intricately worked, highly structured oil painting, everything is pulled to the surface of a mural-like design. The spontaneity of the watercolours is replaced by a decorative, well-planned, complicated rhythmic surface. This rhythmic pattern enhances the sense

rement aux cubistes traditionnels, Macdonald continue de travailler l'ensemble de la surface uniformément en mettant l'accent sur un motif central dominant, ici le buste, dépeint de manière presque figurative. Bien qu'habile, cette toile ne possède ni la spontanéité ni l'aspect vibrant des aquarelles de la même époque. Une comparaison entre *Intérieur de studio* (v. 1951) et *Mosaïque* (1952, aussi intitulée par l'artiste *Mouvement en corrélation*) fait ressortir l'antinomie existant entre la structuration cubiste des peintures à l'huile et la liberté et la latitude des aquarelles. Malgré ses lignes superposées, *Mosaïque* se caractérise par la fraîcheur et la spontanéité dans l'application de la peinture, ce qui donne à la toile une vitalité remarquable. Macdonald réussit à transposer dans le médium de l'aquarelle les pulsions et les forces de la nature, objectif que des difficultés d'organisation et de structure l'empêchent d'atteindre dans ses huiles.

    Porteur de présents (1952) constitue une oeuvre aussi complexe qu'*Intérieur de studio*. Cette huile de structure et d'exécution très élaborées évoque une sorte de peinture murale où tous les éléments sont

Sand Dunes, Cape Cod, c.1950
Oil on canvas board
30.5 x 38.1 cm
Private Collection

Dunes, Cape Cod, vers 1950
Huile sur carton entoilé
30,5 x 38,1 cm
Collection particulière

of movement within the composition. Although Hofmann had insisted that colour and not line must form the structure of the canvas, in *Bearer of Gifts* linearity still dominates.

During the summer of 1952, which Macdonald spent as artist-in-residence in Victoria, he turned once again to landscape sketches, paintings similar in spirit to those of almost ten years earlier. Except for the *Sand Dunes, Cape Cod* (c.1950), painted after his stay in Provincetown, Macdonald had not worked directly from landscape for some time –although his art remained, as he insisted, deeply rooted in nature. These beautiful paintings, such as *Vancouver Island Lakeside, B.C.*, and *Saanich Landscape*, with its decorative flowers in the foreground, must, however, be considered a diversion. They were painted in response to an outstanding commission from his close friend, Dr. Agnew of Vancouver. Barbara Macdonald described them as "straightforward" works but "hard to do after so long and

ramenés à la surface. La spontanéité de l'aquarelle fait place à une surface rythmée, décorative, bien conçue et compliquée. Ce motif rythmique favorise l'impression de mouvement dans le tableau. Même si Hofmann lui avait recommandé d'accorder plus d'importance à la couleur dans la structure du tableau, c'est encore la ligne qui domine dans *Porteur de présents*.

Pendant l'été de 1952, qu'il passe comme artiste en résidence à Victoria, Macdonald revient aux esquisses de paysages qui sont dans la même veine que les oeuvres réalisées presque dix ans plus tôt. Mis à part *Dunes, Cape Cod* (v. 1950), un tableau peint après son séjour à Provincetown, Macdonald n'a pas fait de paysages depuis longtemps, bien qu'il maintienne que son art soit demeuré profondément enraciné dans la nature. Les belles toiles de cet été-là, comme *Bord de lac, île de Vancouver (C.-B.)* et *Paysage de Saanich*, avec ses fleurs décoratives au premier plan, doivent cependant être considérées comme une sorte de délassement. Elles sont peintes à la suite d'une commande passée à l'artiste depuis longtemps par

157

Vancouver Island Lakeside,
B.C., 1952
Oil on canvas board
29.2 x 39.4 cm
Mrs. A. M. Agnew

Bord de lac, île de Vancouver
(C.-B.), 1952
Huile sur carton entoilé
29,2 x 39,4 cm
Mme A. M. Agnew

Saanich Landscape, 1952
Oil on canvas board
30.5 x 38.1 cm
Mrs. A. M. Agnew

Paysage de Saanich, 1952
Huile sur carton entoilé
30,5 x 38,1 cm
Mme A. M. Agnew

worse when it is a commission. Still all in all people rave about them and don't know what to say about his automatics."[12]

Several other landscape paintings based on Macdonald's drive from Victoria to Toronto that summer emphasize a continued enjoyment in landscape painting. But landscape painting was not Macdonald's goal, despite the fact that Toronto in the early fifties offered him little support for his explorations in abstraction. Dennis Reid said of this period: "There was in Toronto no informed interest in the European modernist tradition, as had developed . . . in Montreal during the later thirties. . . . Remarkably, A.Y. Jackson still represented the heart and sole (sic) of vital painting in the city."[13]

Macdonald had himself quickly been acknowledged as a leader on the Toronto scene. Although such involvement robbed him of precious painting hours, he believed that it was mandatory. He had written that he "felt it [the artist's] duty to bring into clear focus with as much power as he could command, the significant values of man's spiritual expressions and the essential basic conditions of freedom which enable man to bring those expressions into full flower."[14] In 1952, he was elected president of the Canadian Watercolour Society; in 1951 and 1952, he served as an executive member of the Ontario Society of Artists; he also judged and juried numerous exhibitions and lectured frequently.

Macdonald was sometimes able to use his influence to make changes where he felt they were necessary. He objected to the fact that abstract works were often "hung in corners, relegated to the small side rooms, dispersed and placed among landscapes, still lifes and figure paintings."[15]

It was not until the fall of 1952, when Alexandra Luke, Macdonald's close friend and former pupil, organized the *Canadian Abstract Exhibition* at the Oshawa YWCA, that Ontario hosted a show devoted entirely to abstract art.[16]

---

son grand ami, le docteur Agnew de Vancouver. Barbara Macdonald les décrit comme étant des oeuvres "dans les règles", mais "difficiles à faire après tout ce temps, d'autant plus qu'il s'agissait de commandes. Pourtant, dans l'ensemble, les gens les portent aux nues alors qu'ils ne savent pas quoi dire des automatiques."[12]

Plusieurs autres paysages inspirés par son retour en voiture cet été-là de Victoria à Toronto témoignent du plaisir constant qu'éprouve Macdonald à peindre des paysages. Mais il ne tient pas à être avant tout un paysagiste même si Toronto, au début des années 50, ne lui offre pas beaucoup de support moral dans ses recherches en abstrait. Dennis Reid raconte en parlant de cette époque: "On ne retrouvait pas à Toronto cet intérêt éclairé pour la tradition moderniste européenne qui s'était manifesté . . . à Montréal à la fin des années 30 . . . Fait assez frappant, A.Y. Jackson était encore le maître incontesté de la grande peinture dans cette ville."[13]

Macdonald se fait rapidement connaître comme l'un des chefs de file du milieu artistique torontois. Même si cette position le prive de temps précieux pour sa peinture, l'artiste accepte son engagement comme inévitable. Il avait expliqué qu'il "considérait comme du devoir de l'artiste d'attirer l'attention dans toute la mesure du possible sur les valeurs importantes des aspirations spirituelles de l'homme et sur les conditions essentielles de la liberté qui permettent à l'homme de faire s'épanouir pleinement ces aspirations".[14] En 1952, Macdonald est élu président de la *Canadian Watercolour Society*; en 1951 et 1952, il est membre du comité directeur de l'*Ontario Society of Artists*; il fait également partie de jurys pour plusieurs expositions et donne de nombreuses conférences.

Macdonald est parfois en mesure d'user de son influence pour effectuer les changements qu'il juge nécessaires. Il déplore le fait que les tableaux abstraits soient souvent "accrochés dans un coin, relégués aux petites salles peu fréquentées, dispersés et placés parmi les paysages, les natures mortes et les portraits".[15]

Ce n'est qu'à l'automne de 1952, quand la

Toronto's first abstract exhibition occurred a full year later, and it was not until 1955, when "a phalanx of individuals whose motives exploded in the otherwise routine atmosphere of the exhibition"[17] revolted, that an Ontario Society of Artists exhibition genuinely began to reflect the presence of a coterie of abstract artists.

Macdonald found little support at OCA during these years. He considered its philosophy "academic sleep-walking,"[18] and he turned instead to his students and his community responsibilities for the challenges and stimulation he required, devoting himself singlemindedly to the encouragement of artistic experimentation. It is not surprising that Macdonald became mentor to the young generation of abstractionists.

His notebooks from these difficult years indicate the extent to which he wrestled with the problem of finding a valid aesthetic form for his artistic beliefs. His notes include landscapes, life and still-life studies, automatics, and abstractions from nature.[19] His classroom assignments during these years reflect the impact of Hofmann on his approach to teaching: students were presented with torn, crumpled paper, cardboard boxes, or randomly arranged chairs and were asked to draw or paint the "negative space."[20] In other instances, Macdonald's exercises were more traditional: he insisted that students work through still life in order to arrive at abstraction – an exercise that frustrated some of his more advanced students but one that grew logically from his own approach to abstraction in the thirties, and one that is echoed in his notebook sketches. He wrote:

"In training young students I believe it absolutely necessary that the student be provided a programme of study which forces him to observe nature very closely in many diverse directions. After some two years of such study I encourage the student to expand his inner self and begin to expand his personality. I am quite aware that the

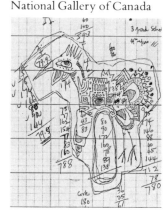

Sketch from Macdonald's Notebook c. 1956
National Gallery of Canada

Esquisse tirée d'un cahier de Macdonald, vers 1956
Galerie nationale du Canada

Canadian Abstract Exhibition est organisée au YMCA d'Oshawa par Alexandra Luke, ancienne étudiante et amie de Macdonald, qu'a lieu pour la première fois en Ontario une exposition entièrement consacrée à l'art abstrait.[16] Il faut encore attendre plus d'un an avant que Toronto ait la sienne et c'est seulement en 1955, lorsque se révoltent "une phalange d'individus dont les motivations tranchaient violemment avec l'atmosphère conformiste de l'exposition"[17], que la manifestation annuelle de l'*Ontario Society of Artists* commence vraiment à refléter la présence d'un cénacle d'artistes abstraits.

Macdonald reçoit peu d'encouragements de la part de l'*Ontario College of Art* pendant ces années-là. Il considère la philosophie du collège comme étant du "somnambulisme académique"[18] et il compte plutôt sur ses étudiants et sur ses responsabilités dans le milieu artistique pour lui apporter la stimulation et la motivation nécessaires à sa démarche, étant déterminé à consacrer son temps à favoriser les recherches artistiques. Il n'est donc pas étonnant que Macdonald soit devenu le maître de la jeune génération des artistes abstraits.

Les notes prises pendant cette période difficile traduisent les conflits intérieurs de Macdonald dans sa recherche d'une forme esthétique correspondant à ses théories artistiques. Ses carnets comportent des paysages, des études sur des modèles et sur des natures mortes, des automatiques et des dessins abstraits inspirés par la nature.[19] Les projets qu'il confie à ses étudiants pendant cette période reflètent l'influence de Hofmann sur sa façon d'enseigner: il propose, par exemple, du papier froissé, des boîtes en carton ou des chaises disposées au hasard à ses étudiants en leur demandant de dessiner ou de peindre "l'espace négatif".[20] À d'autres occasions, les exercices de Macdonald sont plus traditionnels: il recommande à ses élèves de faire des natures mortes afin d'en venir ainsi à l'abstrait, un exercice qui déplaît à certains de ses étudiants plus avancés, mais qui représente l'application logique de sa propre démarche vers l'abstrait dans les années 30, démarche illustrée par les croquis de ses carnets. Il écrit:

young student is often intuitively aware of his consciousness of the twentieth century and could create in modern ways but I believe that every student should, first of all, increase his vocabulary of form and colours by observing nature forms and be initiated into the laws of balance and dynamic equilibrium."[21]

Macdonald seldom taught by the example of his own work. Only the students who visited his studio would have had the opportunity to witness the evolution of his painting. Instead, he taught by introducing the student to new materials and new ideas in art. William Ronald recalls that the most challenging parts of Macdonald's classes were the discussions and the mental stimulation.[22] Gifted students were referred to Hofmann's *Search for the Real* or Ouspensky's *Tertium Organum* if Macdonald sensed they were ready for further challenges.[23]

Macdonald found that those students whose

work he championed, such as William Ronald, Richard Gorman, and Dennis Burton, provided an added dimension to his own life.[24]

"Apart from my own efforts in the field of art my greatest happiness is in the odd favourable opportunities I have to fight for the worthiness I sense in the work of our younger artists."[25]

Almost every artist who worked with Macdonald recalls his special intuition, his kindness, and his encouragement. He purchased students' work, traded his own work for theirs, lent students money despite his own precarious financial situation, and became a spokesman for their causes. He introduced the special ones to his own belief in the spiritual in art. William Ronald once said he would still be a third-year painting student if it were not for Macdonald.[26]

In his classes, Macdonald kept his students abreast of current developments in the contemporary art scene. They discussed recent exhibitions

---

"Pour former les jeunes étudiants, je crois en l'absolue nécessité de leur fournir un programme d'études qui les force à observer de très près la nature sous plusieurs aspects différents. Au bout de deux ans de ce genre d'études, j'encourage l'élève à exprimer son moi intérieur et à commencer à laisser parler sa personnalité. Je sais très bien que le jeune étudiant se rend souvent compte intuitivement qu'il a sa propre perception du vingtième siècle et qu'il pourrait s'exprimer dans un langage moderne, mais je crois que chaque étudiant devrait d'abord augmenter son vocabulaire en matière de formes et de couleurs en observant la nature et être initié aux lois de la composition et de l'équilibre dynamique."[21]

Macdonald fait rarement référence à ses propres oeuvres dans ses cours. Seuls les étudiants qui vont le voir à son studio ont le loisir de se rendre compte de l'évolution de ses tableaux. Le peintre enseigne plutôt en initiant l'étudiant à de nouveaux matériaux et à de nouvelles idées en matière d'art. William Ronald se souvient que ce qu'il trouvait le

plus enrichissant dans les cours étaient les discussions et la stimulation intellectuelle qu'elles engendraient.[22] Macdonald conseille aux étudiants les plus doués de lire *Search for the Real* de Hofmann ou *Tertium Organum* d'Ouspensky lorsqu'il les juge prêts à relever de nouveaux défis.[23]

Macdonald trouve que les oeuvres des étudiants qu'il aide, tels William Ronald, Richard Gormand et Dennis Burton, apportent beaucoup à sa propre vie.

"En dehors de mes efforts personnels dans le domaine des arts, mon plus grand bonheur provient des rares occasions où j'ai la chance de défendre les dons que je décèle dans les oeuvres de nos jeunes artistes."[25]

Presque tous les artistes ayant travaillé avec Macdonald se souviennent de son intuition remarquable, de sa gentillesse et de ses mots d'encouragement. Il achète des oeuvres à ses étudiants, échange les siennes contre les leurs, leur prête de l'argent malgré la précarité de sa propre situation financière et se fait le porte-parole de leurs

Macdonald at Banff c. 1953
From the artist's estate

and paid special attention to the work of the New York School. Although Pollock and de Kooning could offer Macdonald little aesthetically (he deplored "the chaos" of some recent work),[27] he admired their achievements and looked for a similar formal revolution in his own work. As mentioned earlier, it appears that Macdonald did turn briefly to controlled experiments with dripping and staining in watercolours such as *Scent of a Summer Garden*, but in no instance did he approach his canvas with the gesturalism of abstract expressionism.

In 1953, Macdonald spent the summer as a faculty member at the Banff School of Fine Art for the last time. The staff that year was smaller than it had been since 1945, the first year of the school (when Macdonald was also on faculty). Besides him, his old friends A.G. Glyde, W.J. Phillips, and J.B. Taylor, there was a visitor, William Scott, the British artist.

Scott and Macdonald became good friends

that summer. While their ideas about the essential nature of art were quite different, they shared a dedication to the development of abstraction and an interest in contemporary art. That summer, Scott brought with him from England recent lithographs by British artists whose work he believed his students should know; among these were works by Graham Sutherland.[28]

Macdonald was already interested in Sutherland's work. He had read and saved an article in the Spring 1952 *Canadian Art*, in which Eric Newton had written: "Sutherland is probably the only living artist who can be said to have enriched our imaginative perception of nature."[29] Newton wrote of Sutherland that he, "like Turner, had the extraordinary gift for identifying himself with the forces of nature."[30] Macdonald was to save the issue of the magazine until his death. For his article, Newton reproduced the AGT's recently acquired Sutherland, *Design for a Tapestry*, along with several of his thorn paintings.

Macdonald à Banff vers 1953
Succession de l'artiste

causes. Quant à ses étudiants préférés, il partage avec eux ses théories personnelles touchant les aspects spirituels de l'art. William Ronald a un jour admis que, sans Macdonald, il serait demeuré un peintre du niveau de la troisième année des beaux-arts.[26]

Macdonald tient ses élèves au courant des derniers événements artistiques contemporains. On discute en classe des expositions récentes en accordant une attention particulière aux travaux de l'école de New York. Même si Pollock et Kooning n'ont que peu à offrir esthétiquement à Macdonald (qui déplore "le chaos" de certaines de leurs oeuvres récentes),[27] celui-ci admire leurs réalisations et vise à une révolution formelle du même ordre dans son oeuvre. Comme on l'a déjà vu, il semble que Macdonald a expérimenté brièvement, de façon plus ou moins dirigée, la technique du dripping et des taches dans des aquarelles comme *Parfum d'un jardin d'été*, mais jamais en abordant la toile selon la gestuelle de l'expressionnisme abstrait.

Pendant l'été 1953, Macdonald enseigne pour

la dernière fois à la *Banff School of Fine Art*. Le personnel enseignant est, cette année-là, plus réduit qu'il ne l'a jamais été depuis 1945, année de l'ouverture de l'école durant laquelle Macdonald figurait déjà parmi les professeurs engagés. En plus de lui-même, de ses vieux amis A.G. Glyde, W.J. Phillips et J.B. Taylor, l'école accueille un visiteur, l'artiste britannique William Scott.

Cet été-là Scott et Macdonald deviennent de bons amis. Leurs idées sur la nature essentielle de l'art peuvent différer, mais ils partagent une même passion pour l'évolution du style abstrait et pour l'art contemporain. Scott avait emporté d'Angleterre des lithographies récentes d'artistes britanniques dont il tient à faire connaître les oeuvres à ses étudiants: parmi cette collection, des oeuvres de Graham Sutherland.[28]

Macdonald s'intéressait déjà à l'oeuvre de Sutherland. Il avait lu et conservé un article paru en 1952 dans le numéro du printemps de *Canadian Art* dans lequel Eric Newton écrit: "Sutherland est probablement le seul artiste vivant dont on puisse dire qu'il a enrichi la façon dont nous imaginons la

Graham Sutherland
Thorns, c.1946
Ink and gouache
Reproduced in *Canadian Art,*
Spring 1952

Graham Sutherland
Epines, vers 1946
Encre et gouache
D'après une reproduction
parue dans *Canadian Art,*
printemps 1952

In Banff, Macdonald took an active interest in the disposition of the prints Scott had brought with him, urging him to leave them in Canada and arranging for their sale. Although it is not certain which works were included, Scott recalls that they were very recent works and likely included *Articulated Forms* (1953).[31] It would appear that Macdonald identified with Sutherland's artistic goals, and with the way in which Sutherland translated the physical landscape and symbolic imagery into a realm populated by the idiom of his own imagination.

That summer, Macdonald pulled his only known lithograph, originally titled *Polynesian Morning* but later called *Polynesian Night*, in which the imagery strongly resembles Sutherland's.[32] Its forms are harsh and thorny. Birds' claws populate the intricate linear network. Macdonald had found an exciting new medium and a potent new imagery, but circumstances were to thwart further exploration. A year later, he wrote that he would

nature."[29] Newton prétend que Sutherland, "comme Turner, possède le don extraordinaire de pouvoir s'identifier avec les forces de la nature".[30] Macdonald devait conserver cet exemplaire du magazine jusqu'à sa mort. L'article de Newton était illustré d'une oeuvre de Sutherland que venait d'acquérir l'*Art Gallery of Toronto, Dessin pour une tapisserie*, et de plusieurs de ses tableaux aux épines.

À Banff, Macdonald s'intéresse activement au sort réservé aux gravures apportées par Scott, priant instamment celui-ci de les laisser au Canada et prenant des dispositions pour qu'elles soient vendues. Personne ne connaît la teneur exacte de la collection, mais Scott se souvient qu'il s'agissait d'oeuvres très récentes, si bien qu'il est possible que *Formes agencées* (1953) de Sutherland en ait fait partie.[31] Il semblerait que les objectifs artistiques de Sutherland aient coïncidé avec ceux de Macdonald et que ce dernier ait admiré la manière dont Sutherland traduisait des paysages physiques et une imagerie symbolique en un monde peuplé de ses propres fantasmes.

Ce même été, Macdonald tire sa seule

163

Polynesian Night, 1953
Lithograph
25.7 x 29.8 cm
Private Collection, Ottawa
Photo: L. Cave

Nuit polynésienne, 1953
Lithographie
25,7 x 29,8 cm
Collection particulière,
Ottawa
Photo: L. Cave

have liked to have done more lithography but he found it awkward to work from the stone and had no place in Toronto to develop the skill.[33] Concerned about his inexperience in the medium, he sent several experimental works in lithographic crayon and transfer paper to Calgary for Bates and John Snow to print, but the paper was too flimsy and impossible for them to work with.[34]

An examination of Macdonald's major oils from these transitional years dramatically illustrates the breadth of his exploration. But certain aspects remained constant: his colour range was broad; the colours themselves were intense but the compositions lacked the spontaneity the artist sought; line still dominated; and Macdonald still found it difficult to convey his artistic intentions in oil.

In the fall of 1953, the Toronto situation altered dramatically; seven Toronto artists showed their work in the furniture department of the Robert Simpson Company in Toronto. The

lithographie connue, d'abord intitulée *Matin polynésien*, puis *Nuit polynésienne*, une oeuvre dont l'imagerie évoque fortement celle de Sutherland.[32] Les formes en sont rugueuses et épineuses. Des serres d'oiseaux peuplent un réseau complexe de lignes. Macdonald a découvert un nouveau médium séduisant ainsi qu'une nouvelle et forte imagerie, mais les circonstances vont l'empêcher de pousser plus avant son exploration. Un an plus tard, il écrit qu'il aurait souhaité faire plus de lithographie, mais qu'il se sentait mal à l'aise de travailler à partir de la pierre d'autant plus qu'il ne connaissait pas d'endroit à Toronto où perfectionner sa technique.[33] Conscient de son manque d'expérience dans ce domaine, il envoie à Calgary plusieurs oeuvres expérimentales au crayon lithographique réalisées sur du papier à calquer pour les faire imprimer par Bates et John Snow, mais le papier est trop léger et le projet est irréalisable.[34]

L'examen des principaux tableaux à l'huile de Macdonald à cette époque de transition illustre de façon spectaculaire l'ampleur de son exploration. On observe toutefois certaines constantes: l'éven-

exhibition, entitled *Abstracts at Home*, was the brainchild of Macdonald's most gifted pupil, William Ronald, who, on graduation from the Ontario College of Art, had been employed by Simpson's display department. Ronald, in collaboration with Carrie Cardell, Simpson's interior decorator, organized the exhibition.[35] Jack Bush, Oscar Cahén, Tom Hodgson, Alexandra Luke, Ray Mead, and Kazuo Nakamura showed abstract paintings in settings of contemporary furniture. Macdonald did not have an appropriate work available and so did not participate.[36]

He was, however, present at their first formal meeting when participating members were asked to bring other artists who shared their aims; Ronald invited his teacher and mentor, Macdonald; Cahén brought Harold Town and Walter Yarwood; and Ray Mead asked Hortense Gordon.[37] They called themselves Painters Eleven, and their purpose was to promote abstract art. They met almost weekly, especially when a show was coming up; Macdonald had not experienced such camaraderie since the Vanderpant Musicales. In the minds of some artists and critics, Macdonald actually became the *de facto* leader of the group. Ray Mead said that Macdonald was the "only level-headed one" and that he "came out quietly as the one who guided us."[38]

The formation of Painters Eleven clearly provided Macdonald with important sustenance, which encouraged him to intensify his artistic research. It cannot be coincidental that it was in January of 1954, only months after the formation of Painters Eleven, that Macdonald exhibited *Black Evolving Forms* at the Windsor exhibition, *Four Modern Canadians*. The work is simple: an irregular black circular motif suggestive of bird forms heightened by an orange ground. This simplicity is deceptive; the artist has created a painting that, through a subtle use of an almost monochromatic ground played against an irregular square of a lighter shade and the internal framing device of a painted grey

---

tail des couleurs demeure vaste; celles-ci conservent leur intensité, mais la composition ne présente pas la spontanéité recherchée; c'est toujours la ligne qui domine; Macdonald n'arrive toujours pas à atteindre ses objectifs artistiques dans la peinture à l'huile.

À l'automne de 1953, le milieu artistique de Toronto subit une transformation profonde; sept artistes torontois organisent une exposition de leurs oeuvres au rayon des meubles du magasin *Robert Simpson Company* à Toronto. On devait cette exposition, intitulée *Abstracts at Home*, à l'étudiant le plus doué de Macdonald, William Ronald, qui avait été embauché comme étalagiste chez Simpson à sa sortie de l'*Ontario College of Art*. Il organise l'exposition conjointement avec Carrie Cardell, décoratrice intérieure chez Simpson.[35] Jack Bush, Oscar Cahen, Tom Hodgson, Alexandra Luke, Ray Mead et Kazuo Nakamura y présentaient leurs tableaux abstraits dans un décor de meubles modernes. Macdonald, ne disposant pas d'oeuvre pouvant s'inscrire dans un tel projet, ne fait pas partie du groupe.[36]

Il assiste toutefois à la première réunion officielle pour laquelle on avait demandé aux membres de recruter d'autres artistes partageant leurs vues; Ronald invite son professeur et maître, Macdonald; Cahen est accompagné de Harold Town et de Walter Yarwood; Ray Mead, de Hortense Gordon.[37] Ils se donnent le nom de *Painters Eleven* et se fixent comme objectif de promouvoir l'art abstrait. Ils se réunissent presque chaque semaine, surtout à l'approche d'une exposition; Macdonald n'a pas connu un tel esprit d'équipe depuis les soirées musicales des Vanderpant. Pour certains artistes et certains critiques, Macdonald est devenu *de facto* le chef du groupe. Ray Mead signale plus tard que Macdonald était le "seul à avoir la tête sur les épaules" et qu'il "devint tranquillement le guide du groupe".[38]

La formation du groupe *Painters Eleven* donne véritablement un élan à Macdonald et l'encourage à intensifier sa recherche artistique. Ce n'est pas par hasard que Macdonald présente en janvier 1954, quelques mois à peine après la formation du groupe, le tableau *Formes noires en évolution* à une

166

border, suggests a new awareness of space. The strong central image of this work must surely owe its inspiration to the work of fellow members of Painters Eleven. In spite of the limited size of the painting, space and scale are forces to contend with. Colour is less inhibited by line in this composition than it is in earlier oils, and that allows for a greater freedom of invention. Macdonald had begun to manifest in oil an originality comparable to that found in his automatics.

In February 1954, Painters Eleven organized an exhibition at the Roberts Gallery, and Macdonald arranged to have *Black Evolving Forms*, along with other works in the Windsor exhibition, shipped to Toronto in time for the opening. Although sales were limited, the group was thrilled to find that "more people had attended this exhibition than any other in the [Roberts] gallery's history."[39] Public interest vindicated the group's intentions to introduce abstract art to Toronto.

Later, Macdonald would write that Painters Eleven was

"the group who will be of tremendous importance in Canadian painting and the history of Canada. The Group of Seven are all but through . . . . Where can they find any new stimulating group to take the vacancy which arises through the termination of the Group of Seven? There is none so alive, creatively forceful or as talented as the members of Painters XI."[40]

A few months after the inception of the group, Macdonald painted the first large abstract work of his mature period, *White Bark* (1954). William Ronald recounts that *White Bark* was painted in Macdonald's studio, in a building in which Ronald also had studio space, and that the painting was almost a collaborative effort. He recalls that he constantly told Macdonald to eliminate elements from the painting.[41] Perhaps Ronald's urging accounts for the openness of the

Black Evolving Forms, 1953
Oil on canvas board
40.6 x 50.8 cm
John E. Hill, Toronto

Formes noires en évolution, 1953
Huile sur carton entoilé
40,6 x 50,8 cm
John E. Hill, Toronto

exposition de Windsor intitulée *Four Modern Canadians*. L'oeuvre est simple: un motif circulaire noir irrégulier évoquant des formes d'oiseau ressort sur un fond orangé. Cette simplicité n'est toutefois qu'apparente; l'artiste traduit une nouvelle perception spatiale, à travers l'utilisation subtile d'un champ presque monochrome qui contraste avec un carré irrégulier d'une teinte plus pâle et avec l'encadrement intérieur d'une bordure peinte en gris. L'image centrale puissante de ce tableau doit très probablement son inspiration aux oeuvres de membres du groupe. Malgré les dimensions réduites de l'oeuvre, l'oeil ne peut se soustraire à son espace et à son échelle. La couleur est moins influencée par la ligne que dans les huiles antérieures de l'artiste, ce qui procure à celui-ci une plus grande liberté d'invention. Macdonald commence à faire preuve, avec la peinture à l'huile, d'une originalité comparable à celle que l'on retrouve dans ses automatiques.

En février 1954, le groupe *Painters Eleven* organise une exposition à la *Roberts Gallery* de Toronto et Macdonald prend les dispositions

nécessaires pour faire venir de Windsor, à temps pour le vernissage, *Formes noires en évolution* et quelques autres tableaux. Même si les acheteurs sont peu nombreux, le groupe est ravi de constater que "cette exposition a attiré le plus grande nombre de visiteurs jamais atteint dans cette galerie".[39] L'intérêt manifesté par le public donne raison au groupe qui s'efforce de faire connaître l'art abstrait à Toronto. Macdonald écrira plus tard:

"Le groupe *Painters Eleven* aura une importance considérable dans la peinture canadienne et dans l'histoire du Canada. Le Groupe des Sept est pratiquement fini . . . Où pourra-t-on trouver un nouveau groupe intéressant pour combler le vide laissé par la disparition du Groupe des Sept? Il n'existe aucun groupe aussi vivant, aussi puissamment créateur et aussi plein de talent que le groupe *Painters Eleven*."[40]

Quelques mois après la fondation du groupe, Macdonald peint la première grande oeuvre abstraite de sa maturité artistique, *Écorce blanche*

White Bark, 1954
Oil on Masonite
102.2 x 81.3 cm
Private Collection

Écorce blanche, 1954
Huile sur masonite
102,2 x 81,3 cm
Collection particulière

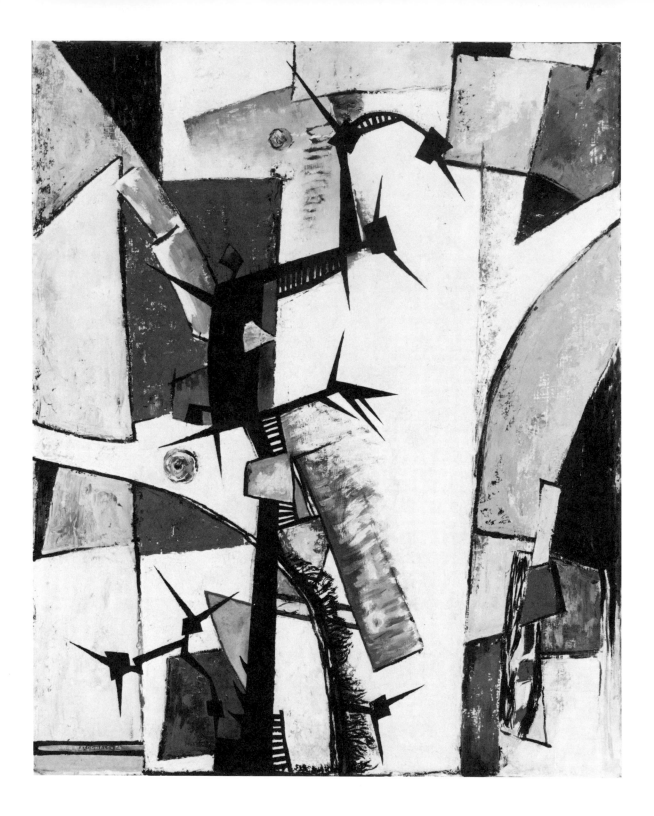

central area, an openness heretofore unknown in Macdonald's oils but not uncommon in his watercolours. One might assume that the canvas was originally even more complex than it presently appears, for it seems closely linked in figuration to *Polynesian Nights*, the lithograph that Macdonald had pulled the summer before. As in *Polynesian Nights*, the forms are sharp and spiky, reminiscent of those in Sutherland's works. In *White Bark*,

The White Bird, 1952
Watercolour on paper
37.3 x 48 cm
Collection of the Art Gallery
of Ontario
Gift from the John Paris
Bickell Bequest Fund, 1953

L'Oiseau blanc, 1952
Aquarelle sur papier
37,3 x 48 cm
Collection du Musée des
beaux-arts de l'Ontario
Don du John Paris Bickell
Bequest Fund, 1953

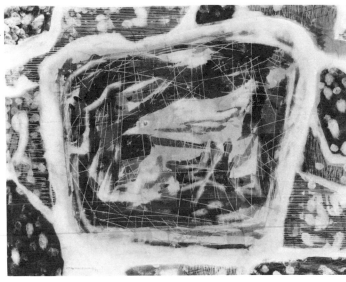

Macdonald adopted a vertical format, again perhaps in response to Sutherland, for verticality was unusual for Macdonald.

Bill Ronald recounts that Macdonald taught him the power of white as a light source;[42] its generous use is crucial to the success of *White Bark* and likely owes its origins to Macdonald's experience with the luminous effect of a white ground in his watercolours. In this painting, flat planes of colour, reminiscent of those in *Studio Interior* and *Hummingbird and Environment*, are anchored tightly in a shallow space by the linear grid that Macdonald superimposes upon them. The bright hues are illuminated by the brilliant white background.

Painters Eleven confirmed Macdonald in the direction that *Black Evolving Forms* had suggested, and in late 1954, Macdonald painted *Twilight Forms*, which must also be considered crucial to his evolution. Larger and more intricate, it shows bird-like configurations that hearken back strongly

(1954). William Ronald raconte que cette oeuvre a été peinte dans le studio de Macdonald, dans un immeuble où Ronald avait le sien, et qu'il s'agit presque d'une oeuvre faite en collaboration, Ronald priant constamment Macdonald de laisser de côté certains éléments de sa toile.[41] C'est peut-être donc un peu à Ronald que l'on doit

l'ouverture du champ central du tableau, un trait jusqu'ici absent des oeuvres à l'huile de Macdonald, mais fréquent dans ses aquarelles. On peut présumer que la toile était au départ plus complexe qu'elle ne l'est aujourd'hui, étant donné sa parenté avec l'oeuvre *Nuit polynésienne* de l'été précédent. De la même façon que dans cette lithographie, des éléments en forme de pointe font songer à Sutherland. Dans *Écorce blanche*, Macdonald adopte la verticalité, peut-être aussi sous l'influence de Sutherland, car cette approche n'est pas habituelle chez Macdonald.

William Ronald raconte que c'est Macdonald qui lui a enseigné la puissance du blanc comme source de lumière;[42] l'utilisation généreuse de cette couleur est capitale dans la réussite d'*Écorce blanche*. Cette technique découle probablement des recherches de l'artiste dans la création d'effets de lumière sur fond peint blanc dans ses aquarelles. Dans ce tableau, des plans de couleur sans relief rappelant ceux d'*Intérieur de studio* et de *l'Oiseau-mouche et son milieu* sont solidement ancrés dans un espace sans profondeur au moyen d'une grille

Twilight Forms, 1954
Oil on canvas
80 x 100.3 cm
Dr. & Mrs. A. H. Squires

Silhouettes au crépuscule, 1954
Huile sur toile
80 x 100,3 cm
Le docteur et Mme A. H.
Squires

to Macdonald's design work at Sundour and to his automatic images. The carefully structured interplay of figure and ground creates a tension new to Macdonald's painting, and the effect of this complex design is heightened by the restricted colour scheme. Although line and even the linear grid are maintained in these works, they are painterly in their conception and herein lies their significance.

Most certainly influenced by the New York School, many members of the Painters Eleven group had begun to paint in a larger format. Macdonald also perceived the need for a new scale, but unlike some of his younger contemporaries he did not move into oversize canvases. Instead he suggested a larger scale by use of a simple bold design and restricted colour.

Painters Eleven gave Macdonald the courage to explore new avenues of expression. Although pleased with these latest works, he realized that he had only begun to understand the task ahead.

Morton et ses images automatiques. La corrélation hautement structurée des formes et du champ crée une tension nouvelle dans les tableaux de Macdonald, l'effet de cette structure complexe étant rehaussé par l'économie du choix des couleurs. On y retrouve toujours la ligne et même la grille, mais cette fois, celles-ci sont vraiment utilisées par un peintre plutôt que par un dessinateur; de là leur importance.

Très certainement influencés par l'école de New York, plusieurs peintres du groupe ont commencé à peindre des tableaux plus grands. Macdonald ressent lui aussi le besoin d'une échelle nouvelle, mais contrairement à certains de ses jeunes collègues, il se garde de passer à des tableaux gigantesques. Il se contente de donner l'impression d'une plus grande échelle à travers un dessin simple et frappant et une gamme restreinte de couleurs.

Le groupe donne à Macdonald le courage d'explorer de nouvelles façons de s'exprimer. Heureux de ses toutes dernières toiles, l'artiste se rend compte cependant qu'il ne fait que commencer à comprendre la tâche qui l'attend.

superposée. Les coloris éclatants sont éclairés par le fond d'un blanc brillant.

Le groupe incite Macdonald à poursuivre ses recherches dans la direction de *Formes noires en évolution* et, vers la fin de 1954, l'artiste peint *Silhouettes au crépuscule*, une oeuvre qui représente elle aussi un tournant dans son évolution. Plus vaste et plus complexe, cette toile offre des configurations en forme d'oiseaux, évoquant nettement le travail de Macdonald en design chez

In 1954, the Royal Society of Canada awarded Macdonald a fellowship to study and work in France. The offer came at a most auspicious time, for Macdonald was dismayed and disheartened by the situation at the Ontario College of Art.

"I was on the point of clearing out of the OCA and going out for myself. . . . The college is now in a desperate state – ruined, unhappy, avoided, secretive, full of meannesses and almost poverty for the staff."[1]

He desperately required time in which to get a perspective on his painting.

"I feel like ripping up every piece of work I've ever done. Somehow or other, I seem to have an idea that what I may do now will contain a more durable quality and say something which is more truly myself. It isn't that I have imitated other artists but I do believe that I have not yet got down to the roots of myself. I don't think that I am bluffing myself – I *must* grasp the hours ahead."[2]

Freed from teaching obligations for the first time since 1935 and relatively unconcerned about finances, Macdonald and his wife set out to explore Europe. He arrived in Paris filled with anticipation, his expectations conditioned by Ouspensky's *In Search of the Miraculous*, which was still fresh in his memory, and his current reading, Aldous Huxley's *Doors of Perception*.[3]

But, like others of his generation, Macdonald found Paris disappointing and "creatively dead."[4]

"There is more distinctive and imaginative painting to be found [in Canada] than over here."[5] he commented. Macdonald felt the responsibility to proselytize on behalf of Painters Eleven and spent a good deal of time showing artists and gallery dealers slides of his own work and that of other members of the group.[6] Travelling to London to visit friends and explore the city, he

FRANCE

11

LE SÉJOUR
EN FRANCE

En 1954, la Société royale du Canada octroie à Macdonald une bourse qui lui permet d'étudier et de travailler en France. Cette offre arrive à point nommé pour le peintre que démoralise la situation dans laquelle se trouve *l'Ontario College of Art*.

"J'étais sur le point de laisser tomber l'OCA et de me lancer tout seul . . . Le collège est actuellement dans un état lamentable: en ruine, misérable, délaissé, sournois; il réduit presque son personnel à la mesquinerie et à la pauvreté."[1]

Il lui faut absolument prendre un certain recul face à sa peinture.

"J'ai envie de détruire tout ce que j'ai fait depuis le début. J'ai comme l'impression que ce que je pourrai faire dorénavant sera plus durable et reflétera plus fidèlement ce que je suis. Ce n'est pas que j'ai imité d'autres artistes, mais je ne crois pas être encore allé au fond de moi-même. Je ne pense pas que je sois en train de m'illusionner. Il *faut* que je profite le plus possible des heures à venir."[2]

Libéré de ses obligations de professeur pour la première fois depuis 1935 et en partie débarrassé de ses problèmes financiers, Macdonald part avec sa femme à la découverte de l'Europe. Il arrive à Paris rempli d'espoir et des attentes qu'ont suscitées en lui ses lectures récentes de *In Search of the Miraculous* d'Ouspensky et de *Doors of Perception* d'Aldous Huxley.[3]

Comme d'autres artistes de sa génération, Macdonald trouve cependant Paris décevant et "mort sur le plan créateur".[4] "Il se fait plus de peinture remarquable et originale au Canada qu'ici", observe-t-il.[5] Il croit être de son devoir de faire de la réclame pour le groupe *Painters Eleven* et passe une bonne partie de son temps à montrer aux artistes et aux marchands de tableaux des diapositives de ses oeuvres et de celles d'autres membres du groupe.[6] De passage à Londres pour rendre visite à des amis et explorer la ville, il loge chez William Scott et, sur le conseil de celui-ci, il se rend chez Gimpel Fils afin de promouvoir "la nouvelle peinture canadienne".

171

stayed in William Scott's flat and, at Scott's suggestion, visited Gimpel Fils to promote "the new Canadian painting."

"Gimpel was very very interested in the slides and was not uninterested in the several I showed him of my own work. He immediately recorded in his book the Canadian artists I told him about and gave me introductions to French artists and the directors of French galleries. Now I don't feel that our visit to Britain was a misfire as connections will follow and maybe after the spring I can introduce my new work to London or Paris."[7]

After a brief return visit to Paris, the Macdonalds left for Nice in October. On the Riviera, Macdonald began to paint again. But studio space was limited, and his work was restricted to watercolours. In November, the Macdonalds moved to an apartment in Vence, where living and working conditions were almost ideal. Macdonald wrote to a former student:

"It would be the easiest thing in the world to remain in the Riviera – a wonderful world from many aspects, the ideal brilliantly sunny and warm winter, the superb landscape, the historical villages perched upon the summits of hills and mountains, the charm of the French people here, the magnificent flowers you can buy for a penny each, the excellent food and of course wines and besides all that to have a whole ground floor of an apartment, with a garden full of orange, lemon, fig trees, cactus, lavender, rosemary, etc. – well! who would blame an individual if she or he wanted to remain."[8]

Only after his move to Vence did Macdonald settle into a regular painting routine:

"Have started painting today and now feel that every day [I] can develop. . . . I have at present four or five small canvas board things – only 12″ x 16″ – and about ten or 12 watercolours done now. I don't feel that they are anything very exciting but

---

"Gimpel se montra extrêmement intéressé par les diapositives et ne fut pas sans apprécier celles que je lui fis voir de mes propres oeuvres. Il nota immédiatement le nom des artistes canadiens dont je lui avais parlé et me donna des lettres de recommandation à présenter à des artistes français et à des directeurs de galerie en France. Je ne pense donc pas que notre visite en Angleterre a été un échec, car des contacts utiles pour l'avenir ont été établis; peut-être pourrai-je exposer mes nouvelles oeuvres après le printemps à Londres ou à Paris."[7]

Après un bref arrêt à Paris, les Macdonald partent pour Nice en octobre. Sur la Côte d'Azur, Macdonald se remet à peindre. Mais les studios sont rares et le peintre doit se contenter de faire des aquarelles. Au mois de novembre, les Macdonald déménagent à Vence où les conditions de vie et de travail sont presque idéales. Macdonald écrit à un ancien étudiant:

"Rester sur la Côte d'Azur serait la chose la plus facile au monde. C'est un endroit merveilleux à

plusieurs points de vue: un hiver idéal avec un soleil éclatant et chaud, un paysage superbe, des villages historiques perchés au faîte de collines et de montagnes, le charme des Français d'ici, des fleurs magnifiques qui se vendent un sou chacune, une nourriture excellente et bien sûr les vins; en prime, tout le rez-de-chaussée d'une maison avec un jardin rempli d'orangers, de citronniers, de figuiers, de cactus, de lavande, de romarin, etc. Pourrait-on vraiment blâmer quelqu'un de vouloir rester ici?"[8]

Ce n'est qu'une fois rendu à Vence que Macdonald se met à peindre avec régularité:

"J'ai commencé à peindre aujourd'hui et je sens maintenant que chaque jour je peux me perfectionner. . .J'ai déjà exécuté quatre ou cinq petits cartons entoilés (des 12 po sur 16 po seulement) et environ dix ou douze aquarelles. Je n'ai pas le sentiment qu'il s'agit là de rien d'extraordinaire, mais Barbara s'intéresse beaucoup à certains de ces travaux, ce qui indique bien sûr qu'ils ont une certaine valeur."[9]

Barbara is quite interested in some of them, which of course means that there is some merit somewhere in them."[9]

By early January, he had completed twenty-six smaller works, eight of which were oils and eighteen watercolours.[10] He was working intensely at his automatic watercolours and his abstract investigations in oil, but still considered these paintings to be a preliminary phase.

Although the landscape around Vence fascinated Macdonald, weather prevented sketching expeditions for some time. It was spring before he actually moved out of doors with palette and board. In January he had purchased thirty panels, intending to "make impressions broadly, not worrying about visual reality too much."

"There is some change taking place in the work, mainly through colour and possibly subject matter as I find that I am being moved by the growth forms and by the charming colour of the old villas with their amazing shutters, and also by the cool peacefulness of the trees, those powder blue green olive trees and black cypress. I think by the end of January, I will find myself as by that time I will have worked out a number of landscapes. All my work so far has been semi-abstract or abstract – nothing having been outdoors. In Vence we are up beside the mountain and I almost feel that we are in much the same environment that we would be close beside the Rockies. . . . I also intend to paint a number of those villages built on the top of ledges like St. Paul de Vence, Tourette, Eze and Gourdon."[11]

Macdonald approached the landscape of southern France with the intention of incorporating into his paintings the light and colour of the French scenery. These paintings, his first landscape investigations since the mid-forties except for his Cape Cod studies, differ markedly from the open,

Dès le début de janvier, il a terminé vingt-six oeuvres de petites dimensions, huit peintures à l'huile et dix-huit aquarelles.[10] Il travaille intensément à ses aquarelles exécutées dans le style automatique et à ses recherches abstraites à l'huile, mais il considère toujours que ces oeuvres ne sont qu'une première étape.

Le paysage aux alentours de Vence fascine le peintre, mais Macdonald doit attendre le beau temps pour partir en randonnée avec sa palette et ses cartons. En fait, il lui faut attendre jusqu'au printemps. En janvier, il s'est acheté trente panneaux avec l'intention de "noter des impressions à grands traits sans trop me soucier de la réalité visuelle".

"Je remarque certains changements dans mon travail, surtout dans la couleur et peut-être même dans les sujets; en effet, je m'aperçois que je m'émeus des formes que prend la croissance végétale, de la couleur charmante des vieilles villas aux volets magnifiques et de la fraîcheur paisible des arbres, ces oliviers d'un vert bleu lavande et ces cyprès noirs. Je crois qu'à la fin de janvier je me serai retrouvé, car j'aurai alors terminé plusieurs paysages. Tout mon travail jusqu'à maintenant est semi-abstrait ou abstrait, je n'ai rien fait en plein air. À Vence, nous sommes à flanc de montagne et j'ai l'impression que nous sommes dans un milieu très semblable aux contreforts des Rocheuses . . . Je me propose aussi de peindre certains de ces villages construits sur des corniches comme Saint-Paul de Vence, Tourette, Eze et Gourdon."[11]

Macdonald aborde le paysage du Midi de la France avec l'intention d'incorporer à ses tableaux la lumière et la couleur de cette région du pays. Ces paysages, les premiers depuis le milieu des années 40 (sauf pour ses études de Cape Cod), s'éloignent nettement des vastes paysages dégagés des montagnes de l'Ouest canadien. Les premières oeuvres de cette époque comme le Vieux moulin, Vence, France se composent de grandes taches de couleurs vives, mais par la suite, ses paysages fourmillent de détails. Souvent appliquées à petits coups de couteau et en couches épaisses, les couleurs sont

The Old Mill, Vence, France,
1955
Oil on canvas board
30.5 x 40.6 cm
Professor & Mrs. H. U. Ross

Le Vieux moulin, Vence,
France, 1955
Huile sur carton entoilé
30,5 x 40,6 cm
Le professeur et Mme H. U. Ross

broad mountainscapes of western Canada. Although the first of these works, such as *The Old Mill, Vence, France*, are handled in broad bright areas of colour, later landscapes are filled with descriptive details. Often applied with a palette knife in small, heavily loaded strokes, the colours in these works are soft and subtle; harmonies are evoked in the juxtaposition of the silver-green landscape of olive trees and the delicate colouration of the villages. For Macdonald, the scenes evoked the intricate pattern of Oriental carpets. Individual elements are carefully organized to maintain the tightly knit structure of the composition. He wrote:

"I did manage to complete fifteen canvases. Most of them interest us both as they are all very diverse in idiom and technique and I believe that in some there is evidence of a higher standard than anything done before. The landscape work is rising slowly in colour values and reaching something of the

pourtant douces et subtiles; des harmonies émergent de la juxtaposition d'un paysage d'oliviers vert argent et de villages aux couleurs délicates. Pour Macdonald, ces paysages rappellent les motifs complexes des tapis orientaux. Chaque élément est soigneusement disposé de façon à maintenir le tissu serré de la composition. Il écrit alors:

"J'ai quand même réussi à finir quinze tableaux. La plupart nous plaisent à tous les deux en ce qu'ils témoignent d'une grande variété dans l'expression et la technique et je crois que certains d'entre eux parviennent à une qualité jamais atteinte encore. Mes paysages s'améliorent lentement côté coloris, j'arrive à capturer un peu de la pureté des couleurs et de la luminosité du Midi de la France. Mes deux premières ébauches faisaient franchement "Ouest canadien" –lourdes et solides –mais je parviens maintenant à reproduire certaines teintes pastel, les roses, les jaunes, les vert olive, les bleu ciel, etc.; en fait, j'éprouve un plaisir extrême à m'efforcer d'obtenir cette délicatesse de ton, car je sais à quel

St. Jeannette, Riviera, France,
1955
Oil on canvas board
29.9 x 40.6 cm
Professor & Mrs. H. U. Ross

Ste-Jeannette, Côte d'Azur,
France, 1955
Huile sur carton entoilé
29,9 x 40,6 cm
Le professeur et Mme. H. U.
Ross

Vence, 1955
Oil on canvas board
30.5 x 40.6 cm
Mrs. Martin Baldwin

Vence, 1955
Huile sur carton entoilé
30,5 x 40,6 cm
Mme Martin Baldwin

purity and light of colour in southern France. The first two sketches were decidedly Western Canadian – heavy and durable – but I now manage to obtain some of the pastel pinks, yellows, olive greens, cerulean blues, etc.; and I find it a delight to struggle for this delicacy as I know very well that I enjoy the subtlety of such colour when viewing it in Chinese, Persian and Indian art. If my experience in landscape broadens my colour capabilities then I consider that that will be one more enrichment to my experience over here. I will still paint a lot during the next four months, but probably in watercolour and most likely landscape work."[12]

Outdoors, Macdonald worked from the landscape, while in the studio he investigated theoretical problems, experimenting with what he called "non-objective" painting. It is interesting to note the distinction Macdonald drew between abstract and non-objective. These latter works apparently evolved from his contact with Painters

point j'apprécie la subtilité des coloris dans les oeuvres d'art chinoises, persanes et indiennes. Si mes études de paysages élargissent ma palette, ce sera une expérience enrichissante de plus que j'aurai retirée de mon séjour ici. Je vais continuer à peindre énormément pendant les quatre prochains mois, mais probablement à l'aquarelle et ce seront très certainement des paysages."[12]

À l'extérieur, Macdonald peint des paysages, tandis qu'en studio, il s'attaque aux problèmes théoriques, tentant des expériences avec ce qu'il appelle la peinture "non objective". Il est intéressant de noter la distinction que faisait Macdonald entre *abstrait* et *non objectif*. Les oeuvres de cette dernière catégorie semblaient découler de ses rapports avec le groupe *Painters Eleven* et de son désir de créer des tableaux ne faisant apparemment pas référence au monde visible. *Formes ovales* (1954), une toile peinte dans le studio d'Alexandra Luke peu de temps avant le départ de Macdonald pour la France, est peut-être la première de ce genre. Ce tableau, dont il ne reste qu'un dessin, se

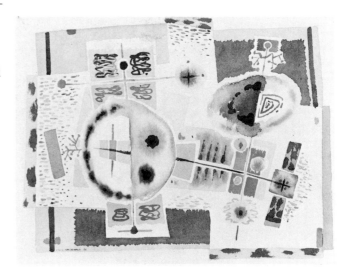

Orange Impulse, 1955
Oil and graphite on canvas
73 x 91.8 cm
Permanent loan from
Ontario Heritage
Foundation, 1971
The Robert McLaughlin
Gallery, Oshawa
Photo: Peter W. Richardson

Impulsion orange, 1955
Huile et mine de plomb sur
toile
Prêt permanent de l'Ontario
Heritage Foundation, 1971
The Robert McLaughlin Gal-
lery, Oshawa
Photo: Peter W. Richardson

Eleven and his desire to create paintings in which no reference to the visible world is apparent. *Oval Forms* (1954), painted in Alexandra Luke's studio shortly before Macdonald left for France, appears to be the first such canvas. Known only from a drawing, it was comprised of geometric shapes that bear no reference to the morphology of living creatures.[13] The same is true of *Orange Circle* (1955) and *Orange Impulse* (1955).[14] In each of these works, Macdonald concentrates on the formal problems of colour and spatial relationships.

In the spring of 1955, Macdonald returned to painting he deemed "abstract" rather than non-objective. He wrote:

"I am not weary of non-objective paintings but feel that a long association with the visual world will be the necessary stimulation for future non-objective canvases."[15]

To provide the required impetus for his return to abstraction, Macdonald painted several groups of paintings, each based upon a different aspect of the Riviera experience. In one instance, the colourful gardens of Vence provided the inspiration; in another, the Riviera carnival. In a third, Macdonald drew inspiration from the hues and structures of the stained-glass windows of the French cathedrals and the iron-work and shutters of the Riviera windows. Each group begins with a perceived image and then moves on to elucidate problems of form and content in abstract compositions. On occasion, a particular subject inspired a number of paintings. At least four different works originate from the carnival theme. Macdonald wrote:

"My expressions are always in a state of change. I haven't any set style. I move as I move consciously in relation to my awareness of nature. I do not see how I can work otherwise and be true to myself."[16]

Ancient Plans Prevail, 1955
Watercolour on paper
30.5 x 40.6 cm
Anonymous Loan

Prépondérance des anciens projets, 1955
Aquarelle sur papier
30,5 x 40,6 cm
Prêt anonyme

composait de formes géométriques ne présentant aucun rapport avec la morphologie de créatures vivantes.[13] C'est également le cas de *Cercle orange* (1955) et d'*Impulsion orange* (1955).[14] Dans chacune de ces oeuvres, Macdonald se penche sur les problèmes formels de la couleur et des rapports spatiaux.

Au printemps de 1955, Macdonald revient à ce qu'il qualifie de peinture abstraite plutôt que de non objective. Il écrit:

"Ce n'est pas que je sois fatigué de la peinture non objective, mais je sens que je devrai me tremper davantage dans l'univers visuel si je veux parvenir à être suffisamment stimulé pour faire de nouvelles toiles non objectives."[15]

Afin de se donner l'élan nécessaire à un retour à l'abstrait, Macdonald réalise plusieurs groupes de tableaux, chacun représentant un aspect différent de la vie sur la Côte d'Azur. Dans un groupe, il est impressionné par les jardins multicolores de Vence, dans un autre, par le carnaval de la côte; ailleurs,

l'artiste trouve son inspiration dans les teintes et l'agencement des vitraux des cathédrales françaises, dans le fer forgé des grilles et dans les volets des fenêtres de la Côte d'Azur. Chaque groupe part d'une image perçue par l'artiste et évolue vers la résolution de problèmes de forme et de contenu dans des compositions abstraites. Parfois un même sujet inspire plusieurs tableaux. On retrouve le thème du carnaval, par exemple, dans au moins quatre oeuvres. Il écrit encore:

"Ma façon de m'exprimer change constamment. Je n'ai pas de style arrêté. Mon évolution va de pair avec l'exploration consciente de la nature. Je ne vois pas comment je pourrais travailler autrement tout en restant fidèle à moi-même."[16]

Dans la série des oeuvres sur les jardins, la nature n'est plus qu'un souvenir évoqué par des symboles et des couleurs tirés du paysage. Dans la série sur le thème du carnaval, la disposition de formes organiques décoratives crée un équilibre délicat d'éléments abstraits, comme dans *Carnaval (Nice)*

Riviera Carnival, 1955
Oil on canvas
81.3 x 100 cm
Imperial Oil Limited

Carnival (Nice), 1955
Colour inks on board
27 x 34.9 cm
Private Collection

Carnaval (Nice), 1955
Encres de couleur sur bois
27 x 34,9 cm
Collection particulière

Carnaval sur la Côte d'Azur,
1955
Huile sur toile
81,3 x 100 cm
Compagnie Pétrolière
Impériale Ltée

In the garden series, nature is only a memory evoked by signs and colours of the landscape. In the carnival series, the decorative arrangement of biomorphic shapes accedes to a delicate balance of abstract elements, as in *Carnival (Nice) France (#2)* (1955). In the window series, colour creates light and radiance, and the grid provides the artist with an ideal compositional structure in paintings ranging from a tiny Christmas card and the exquisite watercolour *From a Riviera Window* (1955) to such oils as *Cathedral Light* and *Leaded Light* (the latter painted three years after Macdonald's return from France).

Vence was a city of artists. While there, Macdonald attended the funeral of Matisse, an act of homage to the master. He took pleasure in Matisse's chapel and in Picasso's presence nearby. He met Chagall but regretted that his lack of French prevented the opportunity for real discussion.[17] Without question, the most important aspect of Macdonald's French sojourn was his

Carnival, Nice, France (#2),
1955
Oil on canvas
86.4 x 101.6 cm
Location unknown

Carnaval, Nice, France (n° 2),
1955
Huile sur toile
86,4 x 101,6 cm
Propriétaire inconnu

France (n° 2) (1955). Dans la série des toiles sur les fenêtres, de la couleur naissent la lumière et la clarté tandis que la grille offre à l'artiste une structure idéale de composition pour des tableaux dont les dimensions vont de la carte de Noël miniature et de l'exquise aquarelle *Vue d'une fenêtre sur la Côte d'Azur* (1955) à des huiles comme *Lumière de cathédrale* et *Lumière plombée*. (Cette dernière a été peinte trois ans après le retour de France de l'artiste.)

Vence était une ville d'artistes. Pendant son séjour, Macdonald assiste aux funérailles de Matisse et rend ainsi hommage au maître qu'il admire tant. Il prend plaisir à visiter la chapelle peinte par celui-ci et se réjouit de la présence de Picasso tout près. Il rencontre Chagall et regrette de ne pas connaître assez de français pour pouvoir vraiment discuter avec lui.[17] Mais l'événement le plus marquant du séjour de Macdonald à Vence a lieu sans contredit lorsqu'il se lie d'amitié avec Jean Dubuffet. Celui-ci est arrivé à Vence en janvier, accompagné de sa femme qui est souffrante. Vence n'est pas pour Dubuffet auréolée de magie comme

179

right:
From a Riviera Window, 1955
Watercolour on paper
42.7 x 32.5 cm
Collection of the Art Gallery
of Ontario
Purchase, Peter Larkin
Foundation, 1962

à droite:
*Vue d'une fenêtre sur la Côte
d'Azur,* 1955
Aquarelle sur papier
42,7 x 32,5 cm
Collection du Musée des
beaux-arts de l'Ontario
Achat de la fondation Peter
Larkin, 1962

above:
Card, 1954
Watercolour on paper
19.1 x 26.7 cm
Collection: I.V. MacIntosh

ci-dessus:
Carte de Noël, 1954
Aquarelle sur papier
19,1 x 26,7 cm
Collection d'I.V. MacIntosh

Leaded Light, 1958
Oil on canvas panel
61 x 51 cm
Lent by the Art Gallery of
Windsor
Bequest of Mr. Pearce L. S.
Lettner, 1977

Lumière plombée, 1958
Huile sur carton entoilé
61 x 51 cm
Prêt de l'Art Gallery of
Windsor
Legs de M. Pearce L. S.
Lettner, 1977

181

182

left:
Jardin (Riviera Garden), 1955
Oil on canvas
80 x 101.6 cm
Private Collection

Anemones, 1954
Watercolour on paper
25.4 x 35.6 cm
Collection of Isabel Victoria
McIntosh

Anémones, 1954
Aquarelle sur papier
25,4 x 35,6 cm
Collection d'Isabel Victoria
McIntosh

à gauche:
Jardin (Côte d'Azur), 1955
Huile sur toile
80 x 101,6 cm
Collection particulière

183

friendship with Jean Dubuffet. Dubuffet had arrived in Vence in January with his ailing wife. For Dubuffet, Vence lacked the magic it held for Macdonald; Dubuffet was later to call it a city of sick people and would-be artists.[18] According to Dubuffet, it was a local artist named Roger Sbi who suggested a visit to Macdonald's studio.[19] It seems likely that Macdonald had asked Sbi to arrange this initial meeting. Dubuffet recalls Macdonald as a shy, somewhat nervous, extremely sensitive man.[20] For Macdonald's landscapes, Dubuffet had little encouragement; but viewing his abstract oils and watercolours, Dubuffet offered the artist some cogent advice.

" 'You have not so far been able to express yourself as freely in oils as in watercolour. If *only* you could speak in oil as you speak in watercolour then . . . you would have a profound contribution and a personal one.' Then he said, 'This you can do and this you *must* do, but you *must* begin immediately to experiment to find how you can use your oils as you do your watercolour. There are four oil canvases started similar to your watercolours but you haven't managed to come through, for you paint with too solid a medium.' "[21]

He advised Macdonald "to paint thin and into a wet turps and linseed oil ground, with long and soft pliable brushes."[22] He said, "Start experiments of technique immediately, it is only a technique discovery you have to find, everything else you have already."[23] Admiring Dubuffet as an artist and accepting the sincerity of his "frank, straight-forward advice,"[24] Macdonald wrote that: "If I should find my way then certainly Dubuffet will be given the credit for a change in my oils – I will see to that."[25]

At the end of his travels in Europe that summer Macdonald made a "flying visit" to Vence where he and Dubuffet once more talked.[26] Dubuffet's advice was virtually the same as that

---

pour Macdonald; Dubuffet en parlera plus tard comme d'une ville de malades et de prétendus artistes.[18] Il raconte que c'est un artiste local du nom de Roger Sbi qui lui a suggéré de passer voir Macdonald à son studio.[19] Il est fort probable que Macdonald avait personnellement prié Sbi de lui rendre ce service. Dubuffet trouve Macdonald timide, plutôt nerveux et extrêmement sensible.[20] Il fait peu de commentaires sur ses paysages, mais après avoir examiné ses huiles et ses aquarelles abstraites, Dubuffet offre à l'artiste certains conseils précieux:

"Vous n'avez pas réussi jusqu'ici à vous exprimer aussi librement dans vos huiles que dans vos aquarelles. Si *seulement* vous étiez aussi à l'aise avec l'huile que vous l'êtes avec la peinture à l'eau, alors . . . votre apport serait profond, personnel." Et il ajoute: "Vous pouvez le faire et vous *devez* le faire, mais il est *essentiel* de commencer immédiate-ment à expérimenter pour trouver la technique appropriée. Vous avez commencé quatre tableaux à l'huile semblables à vos aquarelles, mais vous n'êtes pas parvenu à atteindre le même effet, car vous vous servez d'une peinture trop épaisse."[21]

Il conseille à Macdonald de "peindre en couches minces sur un fond détrempé de térébenthine et d'huile de lin avec des pinceaux longs et souples".[22] Il ajoute: "Commencez dès maintenant vos expériences techniques, il ne vous reste qu'une technique à découvrir, tout le reste vous l'avez déjà."[23] Plein d'admiration pour l'artiste et reconnaissant la sincérité de ses "conseils francs et directs",[24] Macdonald écrit: "Si je trouve ma voie, alors il faudra certainement attribuer à Dubuffet le mérite du changement dans mes huiles et je m'y emploierai personnellement."[25]

Au terme de ses déplacements en Europe cet été-là, Macdonald fait une visite éclair à Vence où il rencontre Dubuffet encore une fois.[26] Les conseils de Dubuffet sont presque indentiques à ceux qu'il avait reçus de Hofmann, mais cette fois Macdonald est prêt. Il ne tente pas de mettre tout de suite en pratique les suggestions de Dubuffet, mais se promet de le faire dès son retour au Canada.

Hofman had offered, but on this occasion Macdonald was prepared to accept it. Macdonald did not attempt to implement Dubuffet's ideas while he was in France, but he was determined that things would change on his arrival home.

"I just feel I want to work, to experiment, to find my next pathway. I believe, in myself, that my work is saying things and will say more ere long – so my direction seems to be to continue striving and forget about exhibiting for the immediate future. . . .

"My aim is to find this technique and I will. Through Dubuffet and Sbi I feel that the significant value of my French trip is in having a much clearer vision of my direction in painting and I am happily excited about the future adventures."[27]

After his departure from Vence, Macdonald went again to Paris and began arrangements for a Painters Eleven exhibition at the Petit Palais and possibly with the Rive Droite, "one of the 'most' important Paris places."[28] Certain that the Petit Palais exhibition had been confirmed, he wrote in great excitement to his friends that M. Garneau, head of cultural affairs at the Canadian embassy in Paris, having viewed the slides of Painters Eleven work, had agreed to exhibit fifty paintings. The proposed exhibition was to take place before March 1956, if the French Government approved. Macdonald left France elated, convinced that he had arranged a coup for Painters Eleven, but to his great regret these exhibitions never materialized.

"Je n'ai d'autre envie que de travailler, d'expérimenter et de trouver ma voie. Je suis profondément convaincu que mon oeuvre signifie quelque chose et que bientôt sa signification sera plus grande encore. En conséquence, il semble qu'il me faille poursuivre mes efforts sans songer à exposer dans un avenir proche . . .

"Mon but est de découvrir cette technique et j'y arriverai. Grâce à Dubuffet et à Sbi, je sens que mon voyage en France prend toute sa signification, car je possède désormais une vision beaucoup plus nette de l'orientation de ma peinture et je suis très emballé par les aventures qui m'attendent." [27]

Après avoir quitté Vence, Macdonald repasse par Paris où il fait les premières démarches en vue d'une exposition du groupe *Painters Eleven* au Petit Palais et éventuellement à la Galerie de la Rive droite, "l'un des endroits les plus importants de Paris".[20] Sûr que l'exposition au Petit Palais est confirmée et dans un état d'excitation extrême, il écrit à ses amis que M. Garneau, directeur des Affaires culturelles à l'Ambassade du Canada à Paris, a vu les diapositives sur les oeuvres du groupe et est convenu d'exposer cinquante toiles. L'exposition envisagée doit avoir lieu avant le mois de mars 1956 si le gouvernement français donne son approbation. Macdonald quitte la France en exultant, convaincu d'avoir réussi un grand coup pour le groupe, pourtant à sa grande tristesse, ces expositions n'auront jamais lieu.

Macdonald may have returned to Toronto with a new determination, but the city was still alien territory for an abstract artist, in spite of the fact that Painters Eleven had exhibited twice in Toronto by the time he returned. Though it is perhaps difficult to believe today, in 1956 Macdonald still had to defend the very existence of abstract painting in Toronto. His students adored him, but his OCA colleagues continued to damn modern painting and its exponents. They tore down the announcements he posted about contemporary exhibitions and about current events in the art world.

"Things disturbed me a great deal at the college and for weeks I was torn between resigning or facing one more year in the hope that something could be done to get things right."[1]

Having received word while he was in Vence that L.A.C. Panton, the principal of OCA, had died, Macdonald hoped that this might mean a better climate at the college.[2] But he was sorely disappointed. Shortly after his return he wrote:

"I am still having to fight a lonely path for my methods of education of painting. I am obtaining some excellent work from my students, but not a member of the College staff will ever express one word of interest in the work produced.... It is quite true that no change from that of conservative art school painting would ever take place if I wasn't there to stimulate and encourage adventure in composition and colour. It is now clear to me that if I stay at the Ontario College of Art until I am 65 or 66, I will never have a single associate supporting me in anything at all. This is my cross. I must continue to carry it and be true to myself come what may."[3]

Toronto's critics were no kinder. In the spring of 1956, Painters Eleven were invited to show with the *Twentieth Annual Exhibition of American Abstract Artists* at New York's Riverside Museum – their

---

Macdonald rentre à Toronto avec une détermination nouvelle, mais la ville reste pour l'artiste abstrait un territoire étranger même si le groupe *Painters Eleven* y a déjà tenu deux expositions. Aussi incroyable que la chose puisse sembler aujourd'hui, Macdonald doit défendre en 1956 l'existence même de l'art abstrait à Toronto. Ses étudiants l'adorent, mais ses collègues de l'*Ontario College of Art* continuent de condamner la peinture moderne et ses adeptes. Ils arrachent les affiches annonçant les expositions d'art contemporain et autres manifestations artistiques de l'époque.

"La situation qui prévaut à l'OCA me trouble énormément; pendant des semaines, j'ai hésité entre donner ma démission ou faire une année de plus, dans l'espoir de pouvoir réussir à ramener les choses."[1]

Ayant appris à Vence le décès de L.A.C. Panton, principal de l'OCA, Macdonald avait pensé que le climat se serait amélioré.[2] Il est profondément déçu. Peu après son retour, il écrit:

"Je dois encore me battre seul pour mes méthodes d'enseignement de la peinture. J'obtiens de l'excellent travail de mes étudiants, mais le personnel enseignant ne manifeste jamais le moindre intérêt pour le travail accompli...Il est vrai que la peinture qui se fait dans cette école conservatrice ne connaîtrait aucun changement si je n'étais pas là pour favoriser et encourager la recherche en composition et en couleur. Je vois bien que même si je reste à l'OCA jusqu'à 65 ou 66 ans, jamais un seul de mes collègues ne viendra m'encourager. C'est la croix que je dois porter et je dois continuer à le faire et à être honnête envers moi-même, quoi qu'il arrive."[3]

Les critiques torontois ne sont pas plus bienveillants. Au printemps de 1956, le groupe *Painters Eleven* est invité à participer à la *Twentieth Annual Exhibition of American Abstract Artists* au *Riverside Museum* de New York, ce qui constitue la première exposition internationale du groupe.[4] L'exposition est extrêmement bien accueillie par la critique américaine.[5] Les critiques torontois, par contre, ne

first international exhibition.[4] The show was extremely well received by American critics.[5] The local critics, however, paid little attention to this exhibition or to others at home and abroad.

"We have just held an *excellent* exhibition at Hart House, with a special opening, which hasn't received a single line of criticism . . . nor for that matter, has a single artist in town mentioned to any of the artists in Painters XI anything about our New York invitation or Hart House. . . . All this indicates several things. The critics are afraid to move. . . . It is also quite apparent that the Painters XI is a thorn, which is being considered by the other artists here as a threat to their security. . . . My colleagues at the college will hardly speak to me."[6]

It seemed as if Canadian critics were consciously undermining Painters Eleven's efforts and successes. Macdonald wrote that when the Quebec critic Jean-René Ostiguy, who would later take a sincere interest in their works, was invited to lecture at the Riverside Museum, he "spoke about nothing other than the French Canadian abstract artists . . . right in the room where Painters XI's work was exhibited,"[7] claiming that Borduas and the French Canadians were the original founders of abstract art in Canada. Macdonald objected vehemently to these assumptions:

"Well it is O.K. with me to claim worth for Borduas – I consider him the French Canadian leader – certainly! – but, to convey the impression that his 'non-representational and automatic painting' was the first of its kind in Canada does not convey a truth."[8]

Anxious to set the record straight, Macdonald wrote to Maxwell Bates that his own early explorations into abstraction predated those of Borduas. Macdonald, in turn, acknowledged that his own investigations had been preceded by those

---

font que peu de cas de cette exposition ni d'autres présentées au Canada ou à l'étranger.

"Nous venons de tenir une *excellente* exposition à *Hart House* avec un vernissage spécial et pas la moindre ligne de critique . . . de plus, aucun artiste de la ville n'a parlé à un artiste du groupe *Painters Eleven* de notre invitation à New York ou à *Hart House* . . . Tout cela est très révélateur. Les critiques restent sur leurs positions . . . Il est aussi très clair que le groupe dérange. Il est considéré par les autres artistes d'ici comme une menace à leur sécurité . . . Mes collègues à l'école m'adressent à peine la parole."[6]

Les critiques canadiens semblent vouloir délibérément saper les efforts et nuire au succès du groupe. Macdonald écrit que lorsque le critique québécois Jean-René Ostiguy, qui allait par la suite manifester un vif intérêt pour les oeuvres du groupe, fut invité à donner une conférence au *Riverside Museum,* il "ne parla que des artistes abstraits canadiens-français . . . dans la salle même où les oeuvres du groupe étaient exposées".[7] Le critique déclare à cette occasion que Borduas et les Canadiens français sont les fondateurs de l'art abstrait au Canada. Macdonald s'inscrit en faux contre de telles affirmations:

"Je suis d'accord avec ceux qui valorisent Borduas. Je le considère comme le chef de file canadien-français à n'en pas douter! Mais il est faux de dire que sa "peinture non représentative et automatique" a été la première du genre au Canada."[8]

Désireux de rétablir les faits, Macdonald écrit à Maxwell Bates que ses premières explorations personnelles en peinture abstraite sont antérieures à celles de Borduas. Macdonald ajoute cependant que ses recherches ont été précédées par celles de Bertram Brooker et de Lawren Harris.[9]

Cette rivalité régionale présente des aspects intéressants. Dans l'Ouest, Macdonald a souvent eu l'impression d'être à la périphérie du mouvement artistique canadien. À Toronto, il découvre qu'une importance primordiale est accordée aux

of Bertram Brooker and Lawren Harris.[9]

There was an interesting regional rivalry at work here. As a westerner, Macdonald had often felt he was on the periphery of the Canadian art movement. In Toronto he discovered that the pre-eminent rôle had been allocated to Quebec artists. Macdonald was certainly aware of Borduas' work, since it was often reported in *Canadian Art* magazine, which Macdonald had frequently complained was biased in favour of Quebec. He followed Borduas' career with interest, but there is no indication that he took any artistic lead from him. When Borduas visited Toronto for an exhibition of his paintings, Macdonald spent several interesting evenings with him and bought one of his watercolours.[10] Nevertheless, Macdonald did not appreciate the "second-string" rôle into which he and his colleagues had been cast.

The critical isolation and lack of support from his art-school colleagues must have been particularly frustrating for the artist, who had returned from France certain that things had changed. It must have seemed as if he had never left Toronto. Teaching demanded most of his time, and the politics of the art world drained his vitality. Not until the summer of 1956 was he able to devote himself to painting once again.

At that time, pyroxylin, a commercial enamel paint that Jackson Pollock had used for its fluid, quick-drying properties, and which was marketed under the trade name Duco, was a popular medium among the members of Painters Eleven. Its odour was noxious, and Macdonald found it physically difficult to use, but its disadvantages were offset by the new freedom it offered.[11] Ray Mead recalls Macdonald's studio windows flung open and the artist painting in rubber gloves.[12] Macdonald's World War I injuries and his earlier lung problem made the danger greater, but he persevered.

"I have been exclusively experimenting in plastic

---

artistes du Québec. Macdonald connaît certainement l'oeuvre de Borduas, laquelle fait souvent l'objet d'articles dans la revue *Canadian Art*. Macdonald se plaint d'ailleurs souvent que cette revue a un parti pris pour le Québec. Il suit la carrière de Borduas avec intérêt, mais rien n'indique qu'il ait subi une influence artistique quelconque de ce dernier. Quand Borduas vient à Toronto pour une exposition de ses tableaux, Macdonald passe plusieurs soirées intéressantes avec lui et achète même une de ses aquarelles.[10] Il reste que Macdonald n'est pas heureux du rôle de "deuxième violon" qu'on lui fait jouer ainsi qu'à ses collègues.

Le pénible isolement qu'il subit et le manque d'encouragement de la part de ses collègues à l'OCA sont sans doute très frustrants pour un artiste rentré de France, convaincu que la situation a changé. Il doit avoir l'impression de n'avoir jamais quitté Toronto. L'enseignement accapare presque tout son temps et l'atmosphère qui règne dans le monde artistique sape son énergie. Il ne peut se consacrer à nouveau à la peinture qu'au cours de l'été 1956.

À cette époque, la pyroxyline, commercialisée sous le nom de Duco, un émail commercial utilisé par Jackson Pollock parce qu'il s'étend bien et sèche vite, est devenue un médium populaire parmi les peintres du groupe *Painters Eleven*. Macdonald trouve que cette peinture, qui contient des gaz délétères, présente de nombreux inconvénients, mais il continue pourtant de l'utiliser pour la liberté qu'elle lui procure.[11] Ray Mead se rappelle que les fenêtres du studio de Macdonald étaient grandes ouvertes et que ce dernier peignait avec des gants de caoutchouc.[12] Les blessures subies pendant la Grande Guerre et des problèmes pulmonaires antérieurs accroissent les risques provoqués par l'utilisation de ce médium, mais Macdonald persiste.

"Pendant tout l'été, j'ai fait de nombreuses expériences en ayant recours exclusivement à la peinture à base de plastique (Duco). Il a fallu que j'apprenne à l'utiliser. Le principal avantage par rapport aux techniques à l'huile, c'est la rapidité

[Duco] paints all summer. I had to discover how to use them. The chief gain from straight oil techniques is the speed with which one must work and with the rapid drying. Also, of course, the fluid quality. After a session of trial and error I began to get control and more feeling for painterly qualities. Although I have done a dozen things – four of them 42″ x 48″ – I cannot say I have fallen for the medium "hook line and sinker." There is this difference, however, I find my work far freer – much less tight, more painterly and frankly, I think, more advanced. In winter I will not continue this medium as I could not stand the odour, without the ability to dilute it with wide open windows and all the fresh air I can get into the studio."[13]

From Dust They Rise (1956) is one of these 48″ x 42″ works. Perhaps to compensate for the flatness of the new medium and perhaps influenced by Dubuffet, Macdonald mixed sand into the ground.

The device of the grid links this painting to such earlier paintings as From a Riviera Window (1955) and Twilight Forms (1954).

Obelisk (1956) is also painted in Duco mixed with sand. In this composition, the limited colour scheme contrasts dark and light, negative and positive elements. Flattened shapes overlap and intersect. The forms float but the central vertical image, by its sheer mass, controls and balances the composition. Using a vertical format, a reduced chromatic scheme, and the dominant central image, Macdonald achieves a carefully calculated sense of monumentality. The thickness of the forms is lost, but the space occupied by those forms remains.

Macdonald used Duco for only eight months.[14] He appreciated its benefits, but deplored its side effects. At the same time, he continued to paint in oil, although it could not offer him the same flexibility as the plastic paints. In Zero Flame (1956), the figure and ground are solidly painted

avec laquelle il faut travailler étant donné que la peinture sèche très vite. Et puis, bien sûr, c'est plus fluide. Après diverses tentatives, j'ai commencé à contrôler et à mieux sentir le médium. J'ai fait une douzaine de tableaux, dont quatre de 42 po sur 48 po. Je n'irais pas jusqu'à dire que je ne jure que par ce médium. J'ai toutefois noté une différence. Je trouve que ça me permet de faire un travail beaucoup plus libre. Je travaille en effet moins à l'étroit et, pour tout dire, mes oeuvres sont plus perfectionnées. Pendant l'hiver, je ne continuerai pas à utiliser ce médium parce que je ne pourrais pas supporter son odeur. Il faudrait, en effet, que je laisse les fenêtres grandes ouvertes pour permettre de faire entrer le plus d'air frais possible dans le studio."[13]

L'un de ces tableaux de 48 po sur 42 po a pour titre Surgis de la poussière (1956). Peut-être pour compenser la minceur du nouveau médium, peut-être inspiré par Dubuffet, toujours est-il que Macdonald mélange du sable à la peinture. La technique de la grille rattache cette oeuvre à des

tableaux antérieurs tels Vue d'une fenêtre sur la Côte d'Azur (1955) et Silhouettes au crépuscule (1954).

Obélisque (1956) utilise aussi la peinture duco et le sable. Dans cette composition, le choix limité des couleurs oppose ombre et lumière, éléments négatifs et positifs. Des formes aplaties se chevauchent et se recoupent dans l'espace, mais l'image verticale du centre, massive, domine la composition et lui donne son équilibre. La verticalité du tableau, l'économie de la couleur et la prédominance de l'image centrale créent une impression de monumentalité soigneusement cal- culée. L'épaisseur des formes disparaît, mais l'espace qu'elles occupent demeure.

Macdonald utilise cette peinture pendant huit mois.[14] Il en apprécie les avantages mais en déplore les effets secondaires. Il continue de peindre à l'huile, bien que ce médium n'offre pas la flexibilité de la peinture à base de plastique. Dans Flamme zéro (1956), la figure et le fond sont peints en taches unies et la monumentalité émane du rapport entre les masses et non plus du rythme et du mouvement comme dans Obélisque.

From Dust They Rise, 1956
Pyroxylin and sand on
Masonite
121.6 x 106.8 cm
Collection of Dr. & Mrs.
Keith Macleod
Windsor, Ontario

Surgis de la poussière, 1956
Pyroxyline et sable sur
masonite
121,6 x 106,8 cm
Collection du docteur et de
Mme Keith Macleod,
Windsor (Ontario)

Obelisk, 1956
Pyroxylin and sand on canvas
101.6 x 61.6 cm
Dr. & Mrs. Barry Woods

Obélisque, 1956
Pyroxyline et sable sur toile
101,6 x 61,6 cm
Le docteur et Mme Barry
Woods

191

and monumentality is achieved through mass rather than through rhythm and flow, as in *Obelisk*.

The first months of 1957 were trying ones for Macdonald. Maxwell Bates had written an article about his work for *Canadian Art*.[15] As the months passed without response to its submission from the editor in Ottawa, Macdonald became convinced that the article would never be published. Once more he felt himself the butt of critical disdain.

"I am quite aware of the fact that I am in wrong with the National Gallery... over the contact I had made with the Can.[adian] Embassy in Paris and the Dept. of External Affairs, Ottawa for a possible "P. XI" Exhibition in Paris in 1955 or 1956. Their treatment towards myself is certainly cold, very cold and distant.... So this is one reason why I think your article will never see the Canadian Art Mag.[azine].... Another reason could be... the fact that it indicates that Borduas is

not the original investigator of certain directions of teaching in Canada. Neither am I, for that matter, but even so I was teaching certain forms accredited to B. some seven years previous to him!"[16]

When the article finally appeared that summer, Macdonald was disappointed that so few illustrations had been used, and that those illustrations that did appear were reproduced in a small format.[17] It seemed to him one more instance of a concerted campaign to denigrate him and the other Canadian abstract painters not from Quebec.

In the spring of 1957, Macdonald attended the opening of William Ronald's New York show at the Kootz gallery, taking as much pleasure in Ronald's success as he would have in his own show.[18] At the opening-night party, he mingled with luminaries of the art world, renewing his acquaintance with Hans Hofmann, who seemed remarkably energetic for his seventy-seven years. In a conversation with Clement Greenberg,

---

Les premiers mois de 1957 sont difficiles pour Macdonald. Maxwell Bates écrit à cette époque un article sur son oeuvre pour *Canadian Art*.[15] Comme il se passe plusieurs mois sans nouvelles de la rédaction à Ottawa, Macdonald se dit que l'article ne sera jamais publié. Une fois de plus, il se sent l'objet du mépris de la critique.

"Je me rends parfaitement compte que je ne suis pas dans les bonnes grâces de la Galerie nationale... à cause des rapports que j'avais établis avec l'Ambassade du Canada à Paris et avec le ministère des Affaires extérieures, à Ottawa, pour une exposition possible des *Painters Eleven* à Paris en 1955 ou en 1956. Leur manière d'agir à mon égard est certainement froide, très froide et distante... C'est une des raisons pour lesquelles je pense que votre article ne sera jamais publié dans *Canadian Art*... Comme autre raison, il y a peut-être le fait que l'article indique que Borduas n'est pas l'instigateur de certaines orientations d'enseignement au Canada. Moi non plus à ce compte-là, mais il reste que j'ai enseigné environ sept ans avant

Borduas certaines formes qui lui sont attribuées."[16]

Quand l'article paraît finalement cet été-là, Macdonald est déçu du peu d'illustrations utilisées et de leur petite taille.[17] Selon lui, c'est un exemple de plus du genre d'efforts déployés pour le dénigrer avec d'autres peintres abstraits canadiens non originaires du Québec.

Au printemps de 1957, Macdonald assiste au vernissage de l'exposition de William Ronald à la *Kootz Gallery* à New York, aussi heureux du succès de Ronald qu'il l'aurait été du sien.[18] Au vernissage, il se mêle aux grands noms du monde des arts et revoit Hans Hofmann, qui semble remarquablement plein d'énergie pour un homme de soixante-dix-sept ans. Dans une conversation avec Clement Greenberg, Macdonald, impressionné par la franchise du critique, invite celui-ci à se rendre à Toronto voir les oeuvres du groupe *Painters Eleven*.[19] Greenberg, déjà intéressé aux oeuvres de Ronald et au milieu qui les a rendues possibles, accepte avec empressement.[20] De retour à Toronto, Macdonald convoque à ce sujet une

Macdonald, impressed by the critic's directness, suggested that Greenberg might visit Toronto to see the work of members of Painters Eleven.[19] Greenberg, already interested in Ronald's work and the milieu that had nurtured it, responded with alacrity.[20] On his return to Toronto, Macdonald called a meeting of Painters Eleven on 9 May 1957, to discuss the idea.[21] Ronald flew up from New York to encourage the group to invite Greenberg. Town and Yarwood opposed the involvement of an American critic,[22] but the vote was affirmative. Several weeks later, the critic spent five days in the city, visiting with each artist (except Town and Yarwood) for half a day and offering a brief critique.[23]

A few months earlier, Macdonald had discovered Lucite 44, a medium that ultimately would offer him even more freedom than had Duco. Several members of Painters Eleven had begun to experiment with Lucite, and by fall 1956, Macdonald, anxious to know more, called Harold Town for information.

"Harold Town has given me some 'LUCITE 44' medium to use with straight oils. This is what he uses. He likes it very well indeed. He got the stuff [liquid mixtures] from the States. You use no turps or oils with the oil paint. The result is a gain in fluidity and quick drying . . . . You can paint over anything an hour after covering the surface. This is the medium I will use during winter. I like it."[24]

Lucite almost immediately solved the "technical problems" that Dubuffet had noted, finally revealing to Macdonald a method of using oil paint with the same fluency as watercolour.[25] When Greenberg arrived in Toronto, Macdonald had been working with Lucite for almost six months.

Greenberg pronounced Macdonald's newest paintings "a tremendous step forward in the right direction"; they were works that were "completely [his] own which could stand up with anything in

---

assemblée du groupe le 9 mai 1957.[21] Ronald prend l'avion pour Toronto afin d'encourager le groupe à inviter Greenberg. Town et Yarwood s'opposent à l'idée de faire venir un critique américain,[22] mais le vote est favorable à l'invitation. Plusieurs semaines s'écoulent, puis le critique passe cinq jours à Toronto, rendant visite à chaque artiste (sauf à Town et à Yarwood) pendant une demi-journée et profitant de l'occasion pour faire une brève critique.[23]

Quelques mois plus tôt, Macdonald avdécouvert la lucite 44, un médium qui allait lui offrir encore plus de liberté que la peinture duco. Plusieurs membres du groupe avaient commencé à faire des essais avec la peinture lucite et, dès l'automne de 1956, Macdonald s'informe de ce médium auprès de Harold Town.

"Harold Town m'a donné un peu de "LUCITE 44" pour l'utiliser avec des huiles mon mélangées. C'est ce dont il se sert. Ça lui plaît énormément. Il a fait venir ça (mélanges liquides) des États-Unis. Pas besoin de térébenthine ni d'huile avec la peinture à l'huile. Il en résulte plus de fluidité et un séchage rapide . . . Vous pouvez repasser sur toute surface une heure après une première couche. C'est le médium que j'utiliserai cet hiver. J'aime ça."[24]

La lucite résout presque immédiatement les "problèmes techniques" notés par Dubuffet, offrant finalement à Macdonald une méthode permettant d'obtenir avec l'huile autant de fluidité qu'avec aquarelle. À l'arrivée de Greenberg à Toronto, Macdonald travaille à la lucite depuis presque six mois.

Greenberg trouve que les derniers tableaux de Macdonald représentent "un pas de géant dans la bonne direction"; ce sont des oeuvres "qui lui sont entièrement personnelles et qui soutiendraient la comparaison avec n'importe quoi à New York".[26] Il observe également que Macdonald est parvenu à se libérer des "limites imposées par la toile", ce que Greenberg appelle "la boîte".[27] L'examen de deux tableaux de cette période explique le pourquoi des remarques de Greenberg. *Horizon désertique* et *Vallée interdite* peuvent être considérés comme des

New York."[26] He also observed that Macdonald had succeeded in freeing himself from "the canvas limitation" – or what Greenberg called "the box."[27] An examination of two paintings from this period will clarify the reason for Greenberg's remarks. *Desert Rim* and *Forbidden Valley* may both be deemed abstracted landscapes, although no recognizable imagery is present. The compositions are horizontal, with elements laid parallel to the picture plane. There is no suggestion of the deep pictorial space of Macdonald's early landscapes. These works grow, rather, from paintings like *Obelisk*, where space is limited and series of transparent coloured shapes suggest recession. Through light areas contrasted with dark saturated hues, and warm colours contrasted with cool ones, Macdonald balances floating coloured planes to suggest the existence of the space and air that envelop and contain these forms. Colour defines these planes and their essentially two-dimensional character.

But if there is no deep space, and if Macdonald has succeeded in reinforcing the integrity of the plane, he has also set up a subtle tension in his painting. The close values of *Forbidden Valley* vie with one another, the contrast of complementaries enhances the movement of the planes, and the generous white areas cause light to emanate from within the painting as it had earlier in *White Bark*. In both *Forbidden Valley* and *Desert Rim*, Macdonald uses white to enhance the effect of light and transparency and to create additional dimensional effects. Greenberg, impressed by the flatness of these paintings and their essentially two-dimensional character, was later to complain to Macdonald of works like *Memory of Music* (1959), saying that he could put his fist through the painting. Greenberg implied that Macdonald had ignored the fundamental problem of the painter: maintaining the integrity of the picture plane.[28] But Macdonald was never a colour field painter, nor was this his intention. He never flooded paint

---

paysages abstraits, même si on ne peut y reconnaître aucune image. La composition est horizontale, les éléments étant parallèles au plan du tableau sans la représentation de profondeur des anciens paysages de l'artiste. Ces oeuvres s'inscrivent plutôt dans la ligne d'*Obélisque,* tableau où l'espace est limité et où des séries de formes transparentes de différentes couleurs évoquent le recul. Le contraste entre les aires de couleur pâle et les grands pans de couleur foncée ainsi qu'entre les tons chauds et les tons froids permet à Macdonald de mettre en équilibre des pans de couleur flottante pour évoquer l'espace et l'air qui enveloppent et contiennent ces formes. C'est la couleur elle-même qui définit les plans qui sont fondamentalement des surfaces à deux dimensions.

Mais si Macdonald élimine la profondeur et renforce l'intégrité du plan, il rétablit aussi dans ses oeuvres une subtile tension. Les couleurs rapprochées de *Vallée interdite* rivalisent entre elles, le contraste des couleurs complémentaires rehausse le mouvement des plans, les généreux espaces blancs font émaner la lumière de l'intérieur même de la

toile à la manière d'*Écorce blanche*. Dans *Vallée interdite* comme dans *Horizon désertique,* Macdonald utilise le blanc pour rehausser l'effet de lumière et de transparence et pour créer des effets de profondeur supplémentaires. Greenberg, impressionné par le peu de relief de ces oeuvres fondamentalement à deux dimensions, critique par la suite des tableaux comme *Souvenir musical* (1959), disant à Macdonaldvqu'il pourrait y enfoncer le poing. Greenberg entend par là que Macdonald n'a pas tenu compte du principe fondamental du peintre: assurer l'intégrité du plan pictural. [28] Mais Macdonald n'est pas un peintre de champ de couleur, et d'ailleurs il ne tient pas à le devenir. Il n'inonde pas ses tableaux de peinture ni ne travaille à plat par terre. Il ne trace pas non plus ses images en mettant tout son corps à profit comme le faisaient les expressionnistes abstraits. Il peint jusqu'à la fin au chevalet selon les règles du métier, manipulant soigneusement le pinceau même s'il atteint parfois une aisance de mouvement rappelant le tachisme.

Dans ses oeuvres à la lucite, Macdonald a

Forbidden Valley, 1957
Oil and Lucite 44 on
Masonite
106.7 x 121.9 cm
Mrs. Hugh Mackenzie

Vallée interdite, 1957
Huile et lucite 44 sur
masonite
106,7 x 121,9 cm
Mme Hugh Mackenzie

196

Desert Rim, 1957
Oil and Lucite 44 on
Masonite
134.6 x 120.7 cm
London Regional Art Gallery
Collection

onto the canvas or worked a canvas on the floor. He never traced his images with the whole body as did the abstract expressionists. He was always an easel painter, and he always maintained the integrity of his craft, carefully manipulating his brush, although he often achieved an ease and flow that paralleled the stained canvas. He was committed to a new interpretation of space, not to flatness for its own sake.

In the works in Lucite, Macdonald had finally determined the method of retaining the shallow space and shifting forms that he sought to portray without sacrificing his concern for the unity of the plane.

It is interesting to note how far Macdonald had come, during the course of his career, in his understanding of space. Initially, taking his lessons from Varley and the Group of Seven, he had based his compositions on an academic perspectival understanding of spatial relations; in the Indian landscapes, there was a conscious effort to bring

his images forward and to tie them to the picture plane through the strong linear element, counteracting the deep space implicit in the landscape scene. Only in the automatics had he felt justified in allowing his brush freely to apply colour to define form and, through planar fields of colour, to create a sense of light and space in conjunction with the open ground.

In the early fifties, Macdonald often relied on a grid design – a linear network that may have found its source in Mondrian.[29] In works like *Twilight Forms* (1954), *From a Riviera Window* (1955), and *Leaded Light* (1958), colour is contained in flat, overlapping planes in the shallow space that exists behind the grid. In paintings like *Bird and Environment* (1948) and *Hummingbird and Environment* (1949), Macdonald used, in oil, an approach to spatial organization that he had successfully employed in his watercolours. The concentric movement around the periphery of the canvas grew out of the expansive coloured borders of the

Horizon désertique, 1957
Huile et lucite 44 sur
masonite
134,6 x 120,7 cm
Collection de la London
Regional Art Gallery

finalement trouvé le moyen de conserver un espace sans relief et des formes mouvantes peintes sans compromettre l'unité du plan.

Il est intéressant de noter les progrès énormes réalisés par Macdonald au niveau de la compréhension de l'espace. Varley et le Groupe des Sept lui ont appris à baser ses compositions sur la perspective académique; dans les paysages indiens, il essaie de rapprocher ses images de l'oeil et de les rattacher au plan pictural grâce à des éléments linéaires solides neutralisant les espaces profonds des paysages. Ce n'est que dans ses oeuvres automatiques qu'il laisse son pinceau appliquer librement la couleur pour définir les formes et qu'il peut, en juxtaposant des plans de couleur, créer un sentiment d'espace et de luminosité.

Au début des années 50, Macdonald a fréquemment recours à la grille, réseau de lignes peut-être inspiré de Mondrian.[29] Dans des oeuvres telles *Silhouettes au crépuscule* (1954), *Vue d'une fenêtre sur la Côte d'Azur* (1955) et *Lumière plombée* (1958), la couleur est contenue dans des plans sans profondeur se chevauchant dans l'espace sans relief

existant derrière la grille. Dans des tableaux comme *l'Oiseau et son milieu* (1948) et *l'Oiseau-mouche et son milieu* (1949), Macdonald reprend à l'huile une méthode d'organisation spatiale rappelant celle qu'il a si bien réussie dans ses aquarelles. Le mouvement concentrique autour de la périphérie de la toile remonte aux bordures fournies des tableaux automatiques. À l'aide de bordures concentriques, il ébauche un espace pour sa figure centrale. Presque toutes ces oeuvres trahissent un souci de surface "unie". Au verso de plusieurs de ses paysages de Vence, Macdonald esquisse une formule d'organisation pour sa surface. Il divise le rectangle en quatre quartiers égaux, assurant à l'aide de diagonales superposées une répartition égale des masses formant la composition. Les esquisses rapides de ses cahiers indiquent à quel point l'artiste se préoccupe de créer mouvement et espace tout en respectant l'intégrité du plan pictural. Ce n'est toutefois que grâce à la lucite qu'il réussit à créer en couleur les effets spatiaux réalisés dans ses tableaux automatiques.

Macdonald est ravi d'entendre Greenberg lui

Garden of the Sea, 1957
Oil and Lucite 44 on canvas
board
50.5 x 66 cm
Lian Stephen Thom

Jardin de la mer, 1957
Huile et lucite 44 sur carton
entoilé
50,5 x 66 cm
Lian Stephen Thom

Light of Noon, 1957
Oil and Lucite 44 on canvas
board
30.5 x 40.6 cm
Collection of Mr. & Mrs.
J. Lebow

Lumière de midi, 1957
Huile et lucite 44 sur carton
entoilé
30,5 x 40,6 cm
Collection de M. et Mme
J. Lebow

Earth's Subtle Yield, 1957
Oil on canvas board
59.7 x 75.6 cm
Mrs. John David Eaton

Les Fruits subtils de la terre,
1957
Huile sur carton entoilé
59,7 x 75,6 cm
Mme John David Eaton

Crimson Cavern, 1958
Oil and Lucite 44 on
Masonite
91.4 x 68.6 cm
Dr. & Mrs. Edward Pomer

Caverne cramoisie, 1958
Huile et lucite 44 sur
masonite
91,4 x 68,6 cm
Le docteur et Mme Edward
Pomer

Phantom Land, 1957
Oil and Lucite 44 on
Masonite
101 x 81.5 cm
Mr. & Mrs. Arthur Wait

Terre fantôme, 1957
Huile et lucite 44 sur
masonite
101 x 81,5 cm
M. et Mme Arthur Wait

199

Real as in a Dream, 1957
Oil and Lucite 44 on
Masonite
121.9 x 61 cm
Imperial Oil Limited

Vrai comme dans un rêve, 1957
Huile et lucite 44 sur
masonite
121,9 x 61 cm
Compagnie Pétrolière
Impériale Ltée

automatics. Establishing a frame within a frame, he carved out a shallow space that the central figure could occupy. In almost all these works, we are conscious of his concern for an "all-over" surface. On the verso of many of his Vence landscapes, Macdonald sketched a schematic device for organizing the surface. He divided the rectangle into equal quarters, then superimposed diagonals to ensure equal weight for each part of the composition. Diagrammatic notebook sketches underline his interest in achieving movement and space while maintaining the integrity of the picture plane. However, it was not until he began experimenting with Lucite that he could employ colour to create spatial effects as he had in the automatics.

Macdonald was thrilled when Greenberg assured him that Painters Eleven had the "ability to do something as profound as anywhere in the world," and that Macdonald and Ray Mead were "ready for any top notch gallery in New York, or

dire que les *Painters Eleven* pouvaient "créer quelque chose d'aussi profond que ce qui se fait n'importe où dans le monde" et que Macdonald et Ray Mead sont "prêts pour les meilleures galeries de New York ou d'ailleurs".[30] Greenberg considère que les deux artistes oeuvrent dans un style personnel très perfectionné "sans accents (rappelant) les oeuvres d'autres artistes, d'où qu'ils soient".[31] Le critique rend au groupe un ultime hommage en écrivant à Macdonald de New York:

"Cet après-midi, j'ai revisité l'exposition collective de la *Stable Gallery,* un événement annuel donnant une idée générale de ce que produit l'avant-garde en peinture et en sculpture à New York, et j'ai tâché de comparer ce que je voyais avec ce que j'avais vu à Toronto. En général, les New-Yorkais sont beaucoup plus nets et plus au courant de ce qui a déjà été fait et demeure encore possible, mais ils sont trop monotones, trop impersonnels, et j'ai vraiment l'impression que vous avez peut-être plus de chance de réussir quelque chose d'important du simple fait que vous êtes tellement plus ouverts et

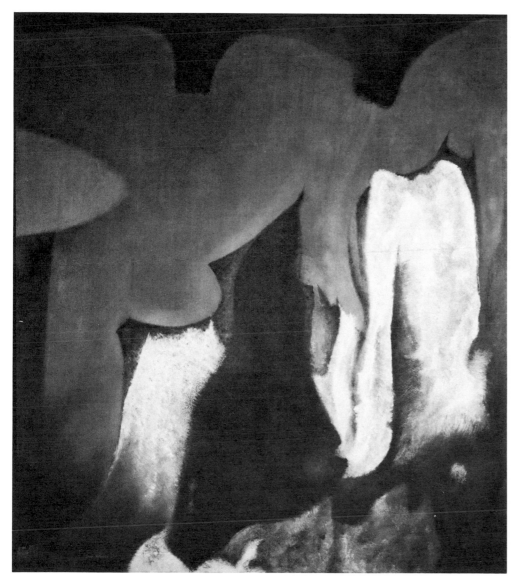

Lament, 1958
Oil and Lucite 44 on canvas
137.2 x 121.9 cm
The Royal Bank of Canada

anywhere."[30] Greenberg found both artists to be working in a fully developed personal style "without accents . . . from other artists' works anywhere."[31] The critic paid Painters Eleven the ultimate compliment when he wrote to Macdonald from New York:

"This afternoon I re-visited the group show at the Stable Gallery, which is an annual affair that gives a rough cross-section of what goes in avant-garde painting and sculpture in New York, and I tried to compare what I saw with what I'd seen in Toronto. In general, the New Yorkers are much slicker and more aware of what's already been done and still looks plausibly possible, but they're too cut and dried, too impersonal in the final analysis, and I really feel you people might have a better chance of getting something important out of yourselves simply because you're so much more open and ready to take experience as it comes. The sophisticated good taste of the New Yorkers,

prêts à saisir l'occasion au vol. Le bon goût sophistiqué des New-Yorkais, qui finit par faire taire la vraie originalité, est en dernier ressort un sérieux handicap."[32]

Macdonald progresse en flèche, réalisant dans ses tableaux une synthèse émotive et intellectuelle jamais complètement atteinte dans ses oeuvres antérieures. Fini les hésitations: seuls demeurent l'emballement et la curiosité de voir ce que demain apportera.

"J'ai vingt-deux tableaux de faits depuis la fermeture de l'OCA au milieu de mai. . .Ils sont complète-ment différents de tout ce que j'ai fait jusqu'ici et, à mon avis, de loin supérieurs. Je suis vraiment étonné. L'utilisation de la "lucite" avec l'huile m'a permis de peindre dans un geste continu et rapide, mais *pas* au petit bonheur. . .Greenberg m'a donné un tel accès de confiance que je ne me rappelle pas avoir jamais progressé si vite."[33]

Par la suite, Macdonald utilise presque exclusive-

Lamentation, 1958
Huile et lucite 44 sur toile
137,2 x 121,9 cm
La Banque royale du Canada

201

Taurus, 1957
Oil and Lucite 44 on canvas
panel
106.7 x 121.9 cm
Rodman Hall Arts Centre
Bequest from the C.S. Band
Estate, 1970

Taureau, 1957
Huile et lucite 44 sur carton
entoilé
106,7 x 121,9 cm
Rodman Hall Arts Centre
Legs de la succession C. S.
Band, 1970

Sombre Dusk, 1957
Oil and Lucite 44 on panel
121.9 x 137.2 cm
McIntosh Art Gallery,
University of Western
Ontario
Gift from the Estate
of C. S. Band through
Mrs. C. S. Band, Toronto,
1971

Sombre crépuscule, 1957
Huile et lucite 44 sur bois
121,9 x 137,2 cm
McIntosh Art Gallery,
University of Western
Ontario
Don de la succession de C. S.
Band par l'entremise de
Mme C. S. Band, Toronto,
1971

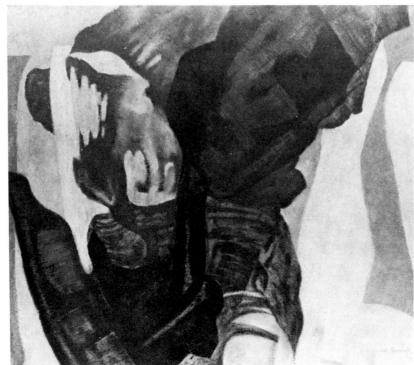

which works to shut off real originality, is a serious handicap in the final analysis."[32]

Macdonald went from strength to strength, establishing in his painting an emotional and intellectual synthesis that he had not previously fully achieved. There was no more hesitation, only excitement and eager anticipation of what the next day would bring.

"I have twenty-two new things done since the college closed in the middle of May.... They are altogether different from anything I have ever done and in our opinion far superior. I am really surprised. Using 'lucite' with the oil has enabled me to paint with a flow and quickly – but *not* slap dash.... Greenberg gave me such a boost in confidence that I cannot remember ever knowing such a sudden development."[33]

After this time, Macdonald used Lucite with oil paint almost exclusively. He did not even distinguish between those works in which oil was combined with Lucite and those in which oil paint was used in the traditional manner.[34]

In the fall of 1957, Macdonald was offered an exhibition at Hart House, his first one-man show in Toronto since that same gallery had displayed his automatic watercolours ten years earlier. For the artist it was a crucial test. Of the twenty-nine paintings exhibited, approximately twenty had been painted with Lucite.[35]

In paintings like *Rags of Daylight* (1957), using Lucite with his oils, Macdonald achieved a freedom close to that he found in watercolour. The central forms of this composition are free-floating and detached, and the overlapping and interlocking planes of colour are set in dynamic tension one with another. Macdonald has created a work of vital and absorbing intensity in this painting.

In paintings like *Flood Tide* (1957), *Airy Journey* (1957), and *Iridescent Monarch* (1957), the fluidity of Lucite permits the artist to employ his

---

ment la lucite et la peinture à l'huile. Il n'établit même pas de différence entre les oeuvres à l'huile et à la lucite et celles où la peinture à l'huile est utilisée normalement.[34]

À l'automne de 1957, Macdonald est invité à présenter ses oeuvres à *Hart House* à l'occasion de sa première exposition solo depuis l'exposition de ses aquarelles automatiques à la même galerie dix ans auparavant. Pour l'artiste, il s'agit d'une épreuve cruciale. Sur vingt-neuf oeuvres exposées, une vingtaine étaient à la lucite.[35]

Dans des tableaux à l'huile et à la lucite comme *Pans de clarté* (1957), Macdonald atteint presque à la liberté de l'aquarelle. Les formes centrales flottent librement, détachées, les plans de couleur se chevauchent et s'emboîtent pour créer une tension dynamique accordant à l'oeuvre la plus grande intensité.

Dans des toiles comme *Marée montante* (1957), *Voyage éthéré* (1957) et *Monarque irisé* (1957), la fluidité de la lucite permet à l'artiste de brosser la toile à grands coups selon une méthode gestuelle fort peu caractéristique. Les tons sombres de *Marée montante* sont chargés d'émotion, les rythmes sont complexes en comparaison avec l'ouverture et la liberté de *Voyage éthéré*. Bien qu'on puisse immédiatement songer à Kline, Guston ou même Borduas, on se rend vite compte que ces oeuvres sont l'aboutissement logique des recherches de Macdonald avec la lucite et illustrent la liberté ainsi obtenue. Quand parfois Macdonald revient à l'aquarelle au cours de cette période (comme par exemple dans *l'Épouvantail*), il utilise la couleur selon les gestes amples développés dans ses huiles.

Robert Fulford, dans un compte rendu de l'exposition de *Hart House* à Radio-Canada, considère Macdonald comme "certainement le meilleur jeune artiste au Canada, bien qu'il soit né en 1897".[36] L'exposition constitue une expérience enivrante. Macdonald est interviewé à la radio, on le félicite de toute part et, pour la première fois, il tient "le haut du pavé".[37]

Toujours à l'automne de 1957, le groupe *Painters Eleven* organise une importante exposition à la nouvelle *Park Gallery*. Un catalogue illustré donne l'histoire du groupe et contient des notices

Rags of Daylight, 1957
Oil and Lucite 44 on
Masonite
121.9 x 121.9 cm
Mr. & Mrs. Alvin B.
Rosenberg, Q.C.

Pans de clarté, 1957
Huile et lucite 44 sur
masonite
121,9 x 121,9 cm
M. et Mme Alvin B.
Rosenberg

Flood Tide, 1957
Oil and Lucite 44 on
Masonite
76.2 x 121.9 cm
The Robert McLaughlin
Gallery, Oshawa
Purchase, 1970

Marée montante, 1957
Huile et lucite 44 sur
masonite
76,2 x 121,9 cm
Robert McLaughlin Gallery,
Oshawa
Achat, 1970

brush to create continuous strokes in an uncharacteristically gestural approach. *Flood Tide* is emotionally dark and complicated in its rhythm as compared to the open and free *Airy Journey*. While Kline, Guston, or even Borduas may come to mind at first glance, one soon recognizes that these works are the logical outcome of Macdonald's exploration in Lucite and the fluidity it provided. And when he did turn to watercolour in these years (as, for example, in *Scarecrow*), Macdonald handled colour in fluid, gestural brush strokes similar to those he used in oils.

Robert Fulford, reviewing the Hart House exhibition for the CBC, labelled Macdonald "without question the best young artist in Canada even though he was born in 1897."[36] It was a heady experience. Macdonald also was interviewed on the radio, received acclaim from numerous quarters, and, for the first time, was "on the top of the pile."[37]

Also in the fall of 1957, Painters Eleven

biographiques de ses membres. Il est censé représenter le premier document officiel sur le groupe.[38] L'exposition sert également d'hommage posthume à Oscar Cahen, décédé dans un accident de la route l'automne précédent. Mais la discorde éclate: Ronald veut que la *Park Gallery* défraie l'expédition de ses oeuvres à partir de New York et n'approuve pas les rapports du groupe avec Paul Duval, à la fois critique et marchand de tableaux.[39] Même si Macdonald appuie Ronald, la friction augmente et ce dernier quitte le groupe.[40]

L'exposition est bien accueillie dans l'ensemble, mais malgré la critique favorable et les louanges de Sir Herbert Read, en tournée de conférences au Canada, Macdonald trouve qu'elle n'a pas apporté tellement plus que les précédentes et avoue s'interroger sur l'utilité du groupe.[41]

En janvier 1958, Clement Greenberg, de passage à Toronto pour une émission de télévision, rend visite à Macdonald et l'assure que ses dernières oeuvres atteignent "le plus haut degré de perfection".[42] En février, *Sommeil profond* (1957), superbe grande huile sur masonite, véritable tour

Iridescent Monarch, 1957
Oil and Lucite 44 on
Masonite
106.7 x 121.9 cm
Art Gallery of Hamilton
Gift of The Canada Council,
1960

Monarque irisé, 1957
Huile et lucite 44 sur
masonite
106,7 x 121,9 cm
Art Gallery of Hamilton
Don du Conseil des Arts du
Canada, 1960

The Butterfly, 1946
Watercolour with black ink
on paper
25.4 x 35.6 cm
The Robert McLaughlin
Gallery, Oshawa
Purchase, 1971.

The Scarecrow, 1957
Watercolour on paper
50.8 x 36.7 cm
Mr. & Mrs. M. E. Reger

Le Papillon, 1946
Aquarelle et encre noire sur
papier
25,4 x 35,6 cm
Robert McLaughlin Gallery,
Oshawa
Achat, 1971

L'Épouvantail, 1957
Aquarelle sur papier
50,8 x 36,7 cm
M. et Mme M. E. Reger

207

Airy Journey, 1957
Oil and Lucite 44 on
Masonite
106.7 x 121.9 cm
Hart House Permanent
Collection
University of Toronto

Voyage éthéré, 1957
Huile et lucite 44 sur
masonite
106,7 x 121,9 cm
Collection permanente de
Hart House
University of Toronto

organized a major exhibition at the new Park Gallery. The illustrated catalogue, which included a history of Painters Eleven and biographies of its members, was intended to serve as the first official record of the group.[38] The exhibition also served as a memorial to Oscar Cahén, who had died in a motor accident in the fall of 1956. But discord was apparent; Ronald felt that the Park Gallery should pay for the expense of shipping his work from New York and was concerned about the group's involvement with critic/dealer Paul Duval.[39] Although Macdonald supported Ronald, the friction increased and Ronald withdrew from the group.[40]

The reaction to the show was generally positive, but in spite of favourable critical reviews and praise from Sir Herbert Read, who was visiting Canada on a lecture tour, Macdonald did not feel that the Park Gallery show offered much more than previous ones, and he wondered about the continued validity of the group.[41]

In January 1958, Clement Greenberg, in town for a television appearance, visited Macdonald and told him that his latest work was "hitting absolute tops."[42] In February, the magnificent *Slumber Deep* (1957), one of Macdonald's large oil-on-Masonite works from the previous summer and a decisive *tour de force*, had been chosen as an Ontario selection for the Guggenheim competition. Conceived and executed from a position of confidence, this painting is an elegy equal to those of Motherwell.

By mid-February, Macdonald had twenty-six works showing in various local galleries and exhibition spaces. When the Park Gallery offered him a one-man show in April, only five short months after Hart House, Macdonald was loathe to refuse invitations to exhibit; but he also felt the pressure to produce more paintings.[43]

On 21 April, the Park Gallery exhibition opened with thirty-two works on display, sixteen of which had been painted since December 1957.[44]

---

de force créé l'été précédent, est choisie pour représenter l'Ontario au concours du Guggenheim. Conçue et exécutée avec la plus grande confiance, cette oeuvre est remplie d'accents élégiaques évoquant Motherwell.

Dès le milieu de février, Macdonald a vingt-six oeuvres dans diverses galeries et aires d'exposition locales. Lorsque la *Park Gallery* lui offre une exposition solo en avril, à peine cinq mois après celle de *Hart House*, il répugne à Macdonald d'avoir à refuser les invitations à exposer, mais il se sent contraint à produire un peu trop vite.[43]

Le 21 avril, l'exposition de la *Park Gallery* est inaugurée; on y retrouve trente-deux oeuvres dont seize sont peintes depuis décembre 1957.[44] En à peine un an, travaillant sans arrêt du printemps de 1957 à avril 1958, Macdonald a peint quarante-huit tableaux.[45]

Dans des oeuvres comme *Rouille immémoriale* (1958), *Fantaisie de corail* (1958) et *Évolution dans la nature* (1960), Macdonald dépasse la composition unie pour se concentrer sur une image centrale puissante. C'est une image qui prend vie surtout

grâce à la couleur et à la tension de formes fluides. Dans ces oeuvres, les images descendent ou montent pour adhérer à la surface du tableau dans une atmosphère d'espace infini. Les formes gonflantes et les couleurs bigarrées évoquent la croissance et la vie; elles rappellent sans doute les images microscopiques qui ont inspiré Macdonald dans ses recherches en imagerie abstraite.

"Les chefs-d'oeuvre non objectifs se créent intuitivement et vivent au rythme de l'esprit et de l'ordre organique et cosmique qui gouverne l'univers."[46]

Si ces tableaux représentent le microcosme, une autre série de toiles contenues dans l'exposition de 1968 évoquent décidément le macrocosme. Dans des tableaux tels *Silence blanc* (1958), *Légende de l'Orient* (1958) et *Gardien de la nuit* (1958), Macdonald passe du rappel organique au concept du cosmos. Dans cette série, il explore l'espace négatif et positif ainsi que l'ambiguïté spatiale par la couleur et la forme, lesquelles se durcissent tout en se faisant plus élégantes. Les contours vagues et

Slumber Deep, 1957
Oil and Lucite 44 on
Masonite
121.9 x 135.3 cm
Collection of the Art Gallery
of Ontario
Gift from the McLean
Foundation, 1958

Sommeil profond, 1957
Huile et lucite sur masonite
121,9 x 135,3 cm
Collection du Musée des
beaux-arts de l'Ontario
Don de la fondation McLean,
1958

Rust of Antiquity, 1958
Oil and Lucite 44 on
Masonite
106.7 x 219.7 cm
The Robert McLaughlin
Gallery, Oshawa
Gift of Alexandra Luke, 1967

Rouille immémoriale, 1958
Huile et lucite 44 sur
masonite
106,7 x 219,7 cm
Robert McLaughlin Gallery,
Oshawa
Don d'Alexandra Luke, 1967

In the span of just one year, by painting steadily from spring of 1957 to April of 1958, Macdonald had completed forty-eight works.[45]

In paintings like *Rust of Antiquity* (1958), *Coral Fantasy* (1958), and the later *Nature Evolving* (1960), Macdonald moved beyond the all-over composition to concentrate on a powerful central image. It is an image that comes alive primarily through colour and through the tension established between the fluid elemental shapes. In these works, the images rise or descend from the base of the canvas, or from its upper edge, to lie on the surface, where they breathe in the atmosphere of infinite space. The surging shapes and variegated colours suggest growth and life, and must surely refer to the microscopic images that inspired Macdonald's investigation of abstract imagery.

"Non-objective masterpieces are created intuitively and are alive with spiritual rhythm and organic and cosmic order which rules the universe."[46]

If these paintings are about the microcosm, then another series of paintings exhibited in the 1958 exhibition certainly refers to the macrocosm. In paintings like *White Silence* (1958), *Contemplation* (1958), *Legend of the Orient* (1958), and *Watcher of the Night* (1958), Macdonald moves from organic references to the larger concept of the cosmos. In this series of works, he explores negative and positive space and spatial ambiguity through colour and imagery, which take on a new toughness and, at the same time, elegance. The vague, undefined perimeters of the floating forms of the 1957 paintings are exchanged for concise, almost geometric shapes of flat colour. Large and majestic, the shapes are organized within the familiar shallow space, flat and parallel to the picture plane. Each colour plane retains its own integrity, and each is set in subtle tension with its neighbour.

White Silence was probably a preliminary examination of this new direction. This painting

---

indéterminés des formes flottantes des tableaux de 1957 font place à des formes de couleur mate concises et presque géométriques. Grandes et majestueuses, ces formes s'organisent dans l'espace peu profond familier, mates et parallèles au plan pictural. Chaque plan de couleur conserve son indépendance et détermine un équilibre subtil par rapport au plan voisin.

Silence blanc représente probablement un premier pas dans cette direction. Ce tableau est une tentative de rattacher au fond du tableau divers pans de couleur mate. La lucite fluide et l'huile ont été étendues uniformément pour créer un losange blanc uni flottant sur un fond plus foncé et relié à une autre forme blanche par un crochet bariolé. L'oeil commence à revenir à l'image flottante, mais est interrompu à cet endroit. Macdonald crée ainsi une illusion de profondeur dans une composition dont l'accent porte surtout sur la nature bidimentionnelle.

Dans *Contemplation*, une forme relativement grande, unie, irrégulière et bleue survole la partie supérieure du tableau à la surface de celui-ci. Une

surface plus petite et d'un bleu plus pâle s'inscrit dans la première, géométrique, entourée d'une bordure blanche. La partie supérieure du tableau constitue un tout nettement structuré se détachant du bas de la toile où des couleurs plus douces sont peintes de façon informe. On obtient une composition hétérogène dans laquelle une infrastructure stable unit des éléments disparates, une composition remarquable par son élégance et sa réserve.

Légende de l'Orient est construite de façon semblable, mais selon des formes simplifiées qui présentent encore moins de relief, les ambiguïtés disparaissant et les plans majestueux du tableau représentant une structure non équivoque de couleurs hardies.

Même si les acheteurs sont peu nombreux à la *Park Gallery*, l'intérêt manifesté envers ses oeuvres prouve à Macdonald que sa peinture "s'était développée de la bonne façon au cours des années et (qu'elle) différait décidément de tout ce qu'on voyait dans ce pays".[47] Des offres d'exposition en Angleterre et au Texas vont lui confirmer que

Coral Fantasy, 1958
Oil and Lucite 44 on
Masonite
106.3 x 122 cm
Private Collection

Fantaisie de corail, 1958
Huile et lucite 44 sur
masonite
106,3 x 122 cm
Collection particulière

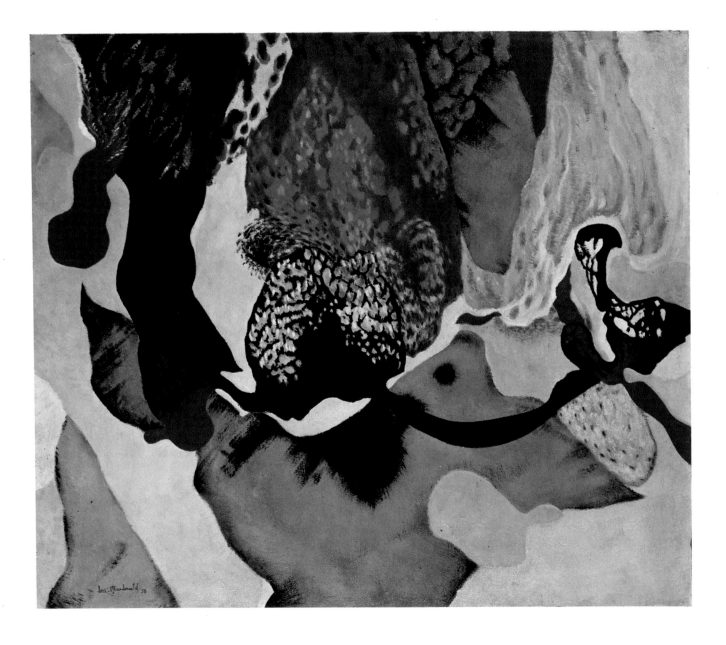

Nature Evolving, 1960
Oil and Lucite 44 on canvas
111.8 x 137.2 cm
Collection of the Art Gallery
of Ontario
Purchase, Peter Larkin
Foundation, 1962

Évolution dans la nature, 1960
Huile et lucite 44 sur toile
111,8 x 137,2 cm
Collection du Musée des
beaux-arts de l'Ontario
Achat de la fondation Peter
Larkin, 1962

attempts to relate flat areas of colour to the background. Fluid Lucite and oil paint are brushed on evenly to create a solid, white diamond shape floating against the darker ground and linked to another white shape by a variegated curving form. The eye is led back from the floating image and caught up short. Macdonald has created an illusion of depth while insistently emphasizing the two-dimensional nature of the picture.

In *Contemplation*, a relatively large, flat, irregularly shaped blue area hangs in the upper half of the composition and lies on the surface of the painting. Within this shape is a smaller, lighter blue, compressed geometric shape surrounded by a thin white border. The larger area is a clearly structured unit, set apart from the lower half of the canvas, where softly brushed colours are applied in an amorphous way. It is a heterogeneous composition in which the stable infrastructure unites the disparate elements. The composition is noteworthy for its elegance and control.

Legend of the Orient is constructed in a similar manner but the shapes are even flatter and simpler, the ambiguities are eliminated, and the majestic forms are unequivocal, potently structured of bold colours.

Although sales from the Park Gallery show were poor, interest in his work assured Macdonald that his painting had "developed in a healthy way during the years and . . . [was] decidedly different from anything around in this country.[47] Offers to exhibit in England and in Texas confirmed his belief that his work held more than local interest.[48]

In the meantime, the art community in Toronto had become openly divided between those for and those against abstract art. Macdonald almost relished the entertainment that the split provided. When he was asked to organize the "abstract room" in the art show at the 1958 Canadian National Exhibition,[49] he accepted, fully aware that his selections would doubtless bring plenty of criticism of "my room" and provoke

---

l'intérêt pour ses oeuvres est plus que local.[48]

Entre-temps, la colonie artistique torontoise s'est ouvertement divisée entre ceux qui favorisent l'art abstrait et ceux qui s'y opposent. Macdonald se plaît presque à voir les autres se quereller. Lorsqu'il est invité à organiser la "salle abstraite" de l'exposition d'oeuvres d'art de l'Exposition nationale canadienne de 1958,[49] il accepte en sachant très bien que son choix d'oeuvres attirera plusieurs critiques contre sa "salle" et provoquera l'envoi d'une avalanche de lettres de protestation aux quotidiens.[50] Selon lui, il existe à Toronto un mouvement en faveur de la mort de l'art abstrait et non objectif :

"Pendant l'hiver, Kenneth Forbes, Manley Macdonald, le vieux Challenor et autres artistes vieux jeu ont formé un groupe appelé *The Institute of Artists*. Leur intention est de tuer toute expression moderne et de revenir au bon vieux temps de la lumière et de l'ombre, au paysage et aux portaits académiques en bonne et due forme."[51]

Une fois l'exposition de la *Park Gallery* terminée, Macdonald est épuisé. Ses tâches administratives supplémentaires, son enseignement à l'*Ontario College of Art* et les préparatifs épuisants en vue de l'exposition l'ont vidé de toute énergie. Il ne peint rien pendant cinq semaines, espérant reprendre son souffle au début de l'été et se remettre à travailler avec le moins d'interruptions possible. Une fois revenu à l'oeuvre, il se rend compte qu'il a interrompu le rythme nécessaire à ses habitudes de travail. Il a beaucoup de difficulté à se remettre à l'ouvrage.[52]

Puis il doit encore enseigner pendant trois semaines à la fin de juin et au début d'août à la *Doon School of Fine Art*, près de Kitchener, en Ontario.[53] Encouragé par l'enthousiasme de ses étudiants et fier d'avoir attiré la classe la plus nombreuse, il se plaît dans ce nouveau milieu artistique. Il rentre à Toronto "épuisé mais en forme, après tant d'air frais".[54]

En novembre 1958, le groupe expose une fois de plus à la *Park Gallery*.[55] Macdonald y va de quatre oeuvres et est déçu de l'exposition, surtout

White Silence, 1958
Oil and Lucite 44 on
Masonite
68.6 x 91 cm
Dr. & Mrs. Barry Woods

Silence blanc, 1958
Huile et lucite 44 sur
masonite
68,6 x 91 cm
Le docteur et Mme Barry
Woods

Contemplation, 1958
Oil and Lucite 44 on
Masonite
67.3 x 120.7 cm
Art Gallery of Greater
Victoria
Gift of Friends of the Gallery

Contemplation, 1958
Huile et lucite 44 sur
masonite
67,3 x 120,7 cm
Art Gallery of Greater
Victoria

Don des Amis de la galerie

Legend of the Orient, 1958
Oil and Lucite 44 on
Masonite
137.2 x 121.9 cm
Private Collection

Légende de l'Orient, 1958
Huile et lucite 44 sur
masonite
137,2 x 121,9 cm
Collection particulière

tons of furious letters to the daily newspapers.[50] In his opinion, there was an effort being made in Toronto to kill abstract and non-objective art:

"During the winter Kenneth Forbes, Manley Macdonald, old Challenor and some others of the antiquated artists formed a new group called 'the Institute of Artists.' The intention they have is to kill all modern expressions and get things back to the good old light and shade days, back to landscape and honest to goodness academic portraiture."[51]

When the Park Gallery exhibition was over, Macdonald was exhausted. His added administrative work, his teaching at Ontario College of Art, and his harried preparation for the exhibition had left him drained. For five weeks, he painted nothing, hoping to hit his stride in the early summer and to keep working with only minor interruptions. But when he returned to work he found he had disturbed the rhythm crucial to his

de la contribution des artistes québécois et montréalais invités.[56] Une critique de cette exposition dans *Vie des Arts* exprime l'étonnement que causent les luttes du groupe à Toronto:

"Quand l'on apprend que ce n'est qu'en 1954 que la première exposition composée uniquement d'oeuvres non figuratives eut lieu dans une galerie torontoise, l'on est proprement stupéfait . . . Un beau matin, l'on s'est aperçu que l'art non figuratif était solidement implanté — et à peine trois ou quatre ans ont passé que déjà l'on considère les Onze comme des peintres aînés."[57]

L'auteur a raison. En quelques années à peine, les peintres du groupe sont devenus des vieux de la vieille. Le groupe a déjà donné naissance à toute une génération d'artistes. Macdonald lui-même se demande si le groupe a atteint ses buts; il lui semble que certains collègues ont perdu de vue leur but initial en décidant de peindre de grandes toiles pour attirer l'attention et pour tenter de se surpasser mutuellement.

Rim of the Sky, 1958
Oil and Lucite 44 on canvas
panel
40.5 x 50.7 cm
Anonymous Loan

Horizon céleste, 1958
Huile et lucite 44 sur carton
entoilé
40,5 x 50,7 cm
Prêt anonyme

working pattern, and that it was difficult to get back to his painting.[52]

When he did regain his stride, it was broken again by three weeks of teaching in late July and early August at the Doon School of Fine Art near Kitchener, Ontario.[53] Stimulated by extremely enthusiastic students and proud of the fact that he attracted the largest class, he thrived in this new artistic community. Macdonald returned "worn out but fit after all the fresh air."[54]

In November 1958, Painters Eleven exhibited at the Park Gallery once again.[55] Macdonald showed four works but was disappointed with the show and especially with the work of the Quebec and Montreal guest artists.[56] A review of this exhibition in *Vie des arts* expressed amazement at the embattled position of Painters Eleven in Toronto:

"It is stupefying to discover that the first totally abstract exhibition was not held until 1954 in a

Toronto gallery. . . . They woke up one morning and found non-objective art had taken hold – scarcely three or four years later they were already considered older painters."[57]

The reviewer was correct. Within just a few years, Painters Eleven had become the old guard and had already spawned a new generation of artists. Macdonald himself wondered whether Painters Eleven had served its purpose; he felt that some of his colleagues had lost sight of their initial goal in their determination to paint large canvases to grasp attention or the centre of the walls, in their attempt to outdo each other.

The beginning of 1959 found Macdonald once again overwhelmed with an onerous teaching schedule, two night classes, occasional Saturday afternoon classes, and formal lecturing. This burden would not be cast aside until the spring, when Macdonald gave up his evening classes and decided to spend all his spare time painting.

Dawning Morrow, 1959
Oil and Lucite 44 on
canvas board
40.6 x 50.8 cm
Collection of the Art Gallery
of Ontario
Purchase, 1966

L'Aurore, 1959
Huile et lucite 44 sur carton
entoilé
40,6 x 50,8 cm
Collection du Musée des
beaux-arts de l'Ontario
Achat, 1966

Au début de 1959, Macdonald doit une fois de plus faire face à un programme d'enseignement chargé, deux cours du soir, des cours théoriques et, parfois, des classes le samedi après-midi. Ce n'est qu'au printemps qu'il peut se dégager, abandonnant ses cours du soir pour consacrer tout ses temps libres à la peinture.

"Si je vendais deux tableaux par année parmi les oeuvres que j'ai faites pendant l'hiver, je gagnerais autant d'argent qu'en enseignant. Je serais certainement beaucoup moins fatigué et beaucoup plus heureux d'être libre de peindre régulièrement."[58]

Pour la première fois de sa vie, les expositions de Macdonald commencent à être rentables. D'après ses notes, en 1959 seulement, il expose des oeuvres à l'exposition annuelle de l'*Ontario Society of Artists*, où son *Souffle fugitif* (1959) obtient le prix d'acquisition et est acheté par l'*Art Gallery of Toronto*; dans une exposition solo au *Arts and Letters Club*; à l'exposition-vente du *Women's Committee Exhibition and Sale* de l'*Art Gallery of Toronto*; à

l'Académie royale des Arts à Québec; à la Société canadienne des aquarellistes à Montréal; à l'exposition annuelle du *Canadian Group of Painters* à la *Isaacs Gallery*; à la *Here and Now Gallery*; à la nouvelle *Westdale Gallery* de Hamilton (où les sept oeuvres exposées sont vendues). Toujours en 1959, trois oeuvres font partie d'une exposition itinérante du groupe organisée par la Galerie nationale du Canada.

Pendant l'été de 1959, Macdonald retourne à la *Doon School of Art*.[59] Comme il se considère toujours comme un artiste de l'Ouest, il hésite à décliner l'invitation que lui a adressée l'*Alberta School of Art* à enseigner à Jasper pendant l'été. Il se demande toutefois

"combien d'énergie (il aurait) pour entreprendre le travail et (s'acquitter) convenablement de l'ouvrage dans une région montagneuse . . . Au moment de l'invitation, je me sentais épuisé et cela se répercuta sur mon attitude à l'égard d'un enseignement que je jugeais ardu."[60]

"If I sold two canvases a year from winter work I would make just as much money as I would teaching. I would certainly be much less fatigued and much happier over being free to paint steadily."[58]

For the first time in his life, Macdonald's exhibitions proved profitable. According to his own notes, in 1959 alone he exhibited at the annual Ontario Society of Artists show, where *Fleeting Breath* (1959) was awarded the purchase prize and was acquired by the Art Gallery of Toronto; in a one-man exhibition at the Arts and Letters Club; in the Art Gallery of Toronto's Women's Committee Exhibition and Sale; at the Royal Canadian Academy in Quebec; in the Canadian Society of Painters in Watercolour in Montreal; in the annual exhibition of the Canadian Group of Painters at the Isaacs Gallery; at the Here and Now Gallery, and at Hamilton's newly opened Westdale Gallery (where all seven works shown were sold). At the same time, three works were circulating with the Painters Eleven travelling exhibition, organized by the National Gallery of Canada.

Summer 1959 saw Macdonald at the Doon School of Art for a second year.[59] Since he still considered himself a westerner at heart, he had hesitated to refuse an invitation from the Alberta School of Art to teach at Jasper for the summer. He wondered, however,

"how much physical energy I would have to undertake the work and do a thorough job in mountainous country. . . . At the time of the invitation I felt thoroughly tired and this affected my attitude about strenuous teaching."[60]

"I want to paint steadily for the years I have left. I feel I have much to say and I must see that I retain my energy for my work. This really is the reason why I decided not to go to Jasper with the ASA."[61]

"Je veux peindre avec régularité pendant les années qu'il me reste. Je sens que j'ai beaucoup à dire et je dois voir à conserver mon énergie pour mon travail. C'est vraiment la raison pour laquelle j'ai décidé de ne pas aller à Jasper à l'ASA."[61]

Même s'il n'est pas allé à Jasper, Macdonald s'affaire à un rythme extrêment exigeant pour un homme de soixante-deux ans et ne peut consacrer que quelques semaines à la peinture pendant tout l'été. Les pressions qui le poussent à produire ne diminuent pas; une autre exposition solo s'annonçait et, à l'automne de 1959, Macdonald prépare son exposition à la *Here and Now Gallery* prévue pour janvier 1960.

"L'exposition me crée certaines inquiétudes à l'heure actuelle parce que je suis très en retard avec mes tableaux. Il faudra que je continue à produire jusqu'à la remise des oeuvres. J'espère que tous les tableaux seront des oeuvres nouvelles."[62]

Les pressions ont dû être particulièrement fortes puisqu'il écrit quelques jours plus tard: "Je peins *constamment*."[63]

Les oeuvres réalisées pendant l'automne 1959 témoignent d'une continuité d'intention avec les oeuvres qui les précèdent immédiatement et d'une plus grande maturité. Le magnifique *Moule héroïque*, le plus vaste tableau peint par Macdonald, renvoie à des oeuvres comme *Contemplation* et *Légende de l'Orient*. Plus subtil dans ses couleurs, dans sa forme monumentale et dans le contraste des jaunes, des ocres et du blanc en regard du bleu sombre, ce tableau évoque l'intemporalité, la nature spirituelle du jaune étant rehaussée par le fond sombre. Les éléments picturaux sont coordonnés par le contraste du pâle et du foncé. Construisant sa toile à partir de la couleur, Macdonald a, par la simplification et le choix, organisé espace et forme dans une élégance toute classique. Cette oeuvre, l'une des plus importantes de l'artiste, est placée bien en vue à la rétrospective de 1960.

Très élégant, *Souffle fugitif*, composé de formes flottantes aux couleurs sobres, rappelle les

Even though he did not go to Jasper, Macdonald carried on at the most demanding pace for a man of sixty-two, and had only a few summer weeks to devote solely to his painting. Nor did the pressure to produce abate; another one-man show was in the offing, and in the fall of 1959 he was preparing for his Here and Now exhibition scheduled for January 1960.

"The show is giving me some anxiety at present as I am much behind schedule with the paintings. It will be necessary to keep producing right up to the time of submitting the work. I hope to have all the paintings new ones."[62]

The pressure must have indeed seemed great, for just a few days later he wrote: "I am *constantly* painting."[63]

The works painted in the fall of 1959 reveal a continuity of purpose with those of the immediate past and an even greater maturity. The magnificent *Heroic Mould*, the largest canvas Macdonald painted, evolves from such paintings as *Contemplation* and *Legend of the Orient*. More subtle in its colours, its monumental form and its contrast of yellows, ochres, and white against the dark blue, impart an aura of timelessness – the spiritual nature of the yellow heightened by the contrasting background. Pictorial elements are co-ordinated through the contrast of light and dark. Building with colour, Macdonald has, through simplification and selection, organized space and form in classical elegance. One of his major works, *Heroic Mould* occupied a focal position in the 1960 retrospective exhibition.

The elegant *Fleeting Breath*, with its floating shapes and limited colour scheme, recalls the paintings of Borduas. There is, however, a basic difference of approach between the mature works of these artists. Each painter struggled with the challenge of expressing a fully spatial experience on a flat surface. But whereas Macdonald applied his

---

tableaux de Borduas. Il existe toutefois une différence d'approche fondamentale entre les oeuvres des deux artistes parvenus à pleine maturité. Chacun tente de relever de défi que représente l'expression d'une expérience complètement spatiale sur une surface plane. Alors que Macdonald applique sa peinture par petits coups de pinceau, Borduas, peint à la palette dans un travail en pleine pâte qui s'éloigne nettement des surfaces étudiées de Macdonald. En choisissant la lucite pour *Souffle fugitif*, Macdonald choisit d'explorer la fluidité et la transparence de la peinture sans pourtant abandonner l'espace à faible relief logeant son imagerie. Ses formes floues semblent se déplacer et flotter dans l'espace. Borduas tente d'exprimer cet espace "sans l'aide d'une série de plans". Grâce à des effets de texture, il enferme ses images dans la matrice même de la substance qu'il crée.[64]

À l'automne 1959, Macdonald peint une série de magnifiques tableaux jaunes. Il considère ces oeuvres comme "douces, délicates et éthérées". La palette de couleurs est limitée; les jaunes et les ocres dominent. L'atmosphère est douce, presque sublime. Dans *Jeune été*, un fond jaune miroite, et la figure et le fond s'unissent pour former une composition dont l'imagerie s'étend sur toute la surface du tableau dans des rapports vibrants. Il est difficile de ne pas songer aux diapositives microscopiques que Macdonald projette à ses étudiants à cette époque, des diapositives de gouttes d'acide ressemblant à des ailes de papillon et inspirant au peintre de belles images à utiliser.[65] À l'intérieur de la goutte d'acide, par exemple, l'artiste attentif peut découvrir ce que le philosophe Ananda Coomaraswamy admire tant dans l'art indien, c'est-à-dire la *natura naturans*, et c'est cette expérience que Macdonald exprime dans ses oeuvres comme *Jeune été* et *Articulation fugitive* (1959).

Souvenir musical (1959) inverse la construction de *Jeune été*. Dans ce tableau, le fond est sombre et les couleurs plus pâles et transparentes qui l'occupent construisent une trame qui enjambe toute la toile. *À travers les sables mouvants* (1959) présente une orchestration de couleurs aussi riches

Heroic Mould, 1959
Oil and Lucite 44 on canvas
182.9 x 121.9 cm
Collection of the Art Gallery
of Ontario
Bequest of Charles S. Band,
1970

Moule héroïque, 1959
Huile et lucite 44 sur toile
182,9 x 121,9 cm
Collection du Musée des
beaux-arts de l'Ontario
Legs de Charles S. Band,
1970

Fleeting Breath, 1959
Oil and Lucite 44 on canvas
122.3 x 149.2 cm
Collection of the Art Gallery
of Ontario
Canada Council Joint
Purchase Award, 1959

Souffle fugitif, 1959
Huile et lucite 44 sur toile
122,3 x 149,2 cm
Collection du Musée des
beaux-arts de l'Ontario
Achat subventionné en partie
par le Conseil des Arts du
Canada, 1959.

Obscure Destiny, 1959
Oil and Lucite 44 on canvas
board
40.6 x 50.8 cm
Dr. & Mrs. Barry Woods

Obscur destin, 1959
Huile et lucite 44 sur carton
entoilé
40,6 x 50,8 cm
Le docteur et Mme Barry
Woods

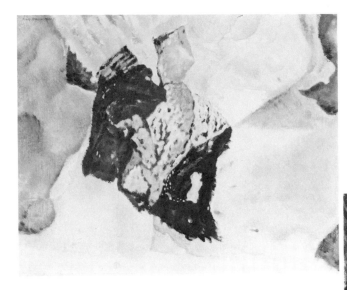

Drifting Forms, 1959
Oil and Lucite 44 on canvas
board
42.6 x 51.4 cm
The Robert McLaughlin
Gallery, Oshawa
Purchase, 1977

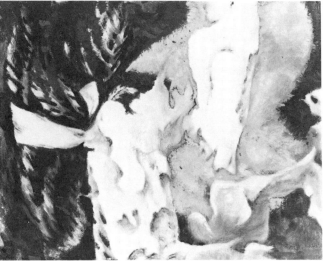

The Secret of the Woods, 1959
Watercolour on paper
80 x 73.3 cm
Collection of the Art Gallery
of Ontario
Gift of Douglas Duncan,
1962

Le Secret des bois, 1959
Aquarelle sur papier
80 x 73,3 cm
Collection du Musée des
beaux-arts de l'Ontario
Don de Douglas Duncan,
1962

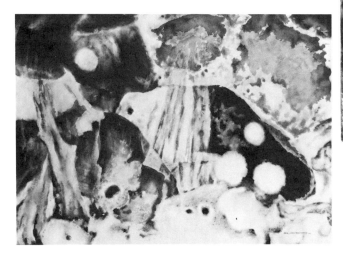

Formes à la dérive, 1959
Huile et lucite 44 sur carton
entoilé
42,6 x 51,4 cm
Robert McLaughlin Gallery,
Oshawa
Achat, 1977

Orange and Energy, 1959
Oil and Lucite 44 on canvas
board
40.6 x 50.8 cm
Dr. & Mrs. Barry Woods

Orange et énergie, 1959
Huile et lucite 44 sur carton
entoilé
40,6 x 50,8 cm
Le docteur et Mme Barry
Woods

Maquinna, 1959
Oil on canvas
151.1 x 121.9 cm
Samuel and Janet Ajzenstat

Maquinna, 1959
Huile sur toile
151,1 x 121,9 cm
Samuel et Janet Ajzenstat

The Red Cloud, 1958
Oil and Lucite 44 on canvas
board
40.6 x 50.8 cm
Clayton C. Ruby, Barrister

Le Nuage rouge, 1958
Huile et lucite 44 sur carton
entoilé
40,6 x 50,8 cm
Clayton C. Ruby, avocat

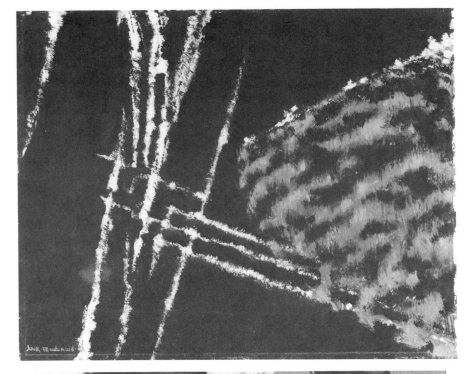

Clarion Call, 1958
Oil and Lucite 44 on
Masonite
106.7 x 121.9 cm
Agnes Etherington Art
Centre Kingston

Appel de clairon, 1958
Huile et lucite 44 sur
masonite
106,7 x 121,9 cm
Agnes Etherington Arts
Centre, Kingston

226

Darkening Tempest, 1958
Oil and Lucite 44 on
Masonite
93.4 x 123.8 cm
The Robert McLaughlin
Gallery, Oshawa
Purchase, 1971

La Tempête menaçante, 1958
Huile et lucite 44 sur
masonite
93,4 x 123,8 cm
Robert McLaughlin Gallery,
Oshawa
Achat, 1971

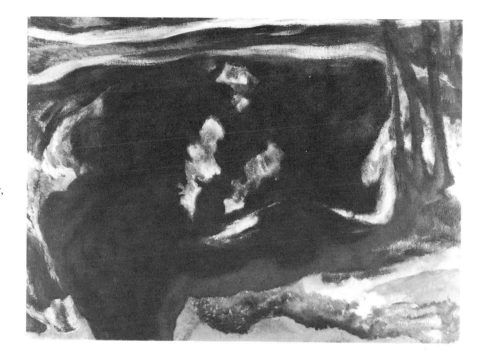

Transitory Clay, 1958
Oil and Lucite 44 on canvas
105.4 x 120.7 cm
C-I-L Art Collection

Argile transitoire, 1958
Huile et lucite 44 sur toile
105,4 x 120,7 cm
Collection d'oeuvres d'art
CIL

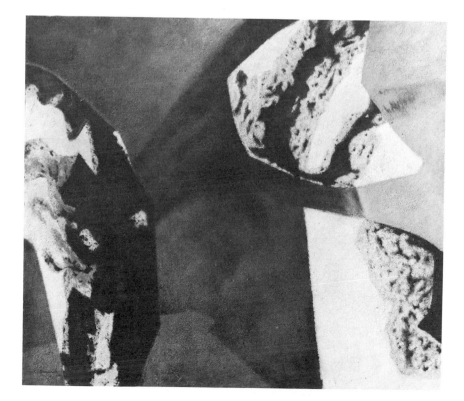

paint in small, calculated brush strokes, Borduas worked with a palette knife in an impasto that differed dramatically from Macdonald's thinly brushed surfaces. In his selection of Lucite as a medium for *Fleeting Breath*, Macdonald chose to explore the fluid and transparent qualities of paint, never abandoning the shallow space that housed his imagery. His softly brushed forms seem to shift and float within the space. Borduas sought to express that space "without the assistance of a series of planes." Using texture, he locked his imagery in the substantial matrix that he had created.[64]

In the fall of 1959, Macdonald painted a series of magnificent yellow canvases. He described these works as "soft, delicate and airy." The colour schemes are limited; yellows and ochres dominate. The mood is gentle, almost sublime. In *Young Summer*, the yellow ground shimmers, and figure and ground coalesce in a composition in which the imagery is scattered across the surface in vibrant

interrelationships. It is difficult not to think of the microscopic slides Macdonald projected for his students during these years – "slides of acid drops that resembled butterfly wings and suggested beautiful imagery as subject matter for paintings."[65] Within the microscopic vision of the acid drop, for instance, the perceptive artist could discover what the philosopher Ananda Coomaraswamy extolled in Indian art as "natura naturans," nature naturing, and it is this experience that Macdonald has expressed in paintings like *Young Summer* and *Fugitive Articulation* (1959).

Memory of Music (1959) reverses the construction of *Young Summer*. The ground here is dark and the transparent lighter colours engage and absorb the ground in a soft and all-embracing web. *Through Shifting Sands* (1959) offers a subtle yet rich colour orchestration. In a landscape evoking the desert, figure and ground are tied in an extraordinarily delicate balance. The artist is in complete control of pictorial space. *Earth Awaken-*

---

que subtiles. Dans ce tableau évoquant le désert, les masses et le fond s'enchevêtrent dans un équilibre d'une extraordinaire délicatesse. L'artiste maîtrise parfaitement l'espace pictural. *Réveil de la terre* constitue une magnifique toile brune et blanche remontant à le même période. Ce tableau où l'artiste, par exception, laisse une grande partie de la toile découverte, évoque la nature et son équilibre, matière et vide. Chacune de ces oeuvres crée une impression de repos et de contemplation, le rythme est doux et engageant et l'effet provoqué est une calme extase.

"Le fait qu'une oeuvre ne cherche pas à reproduire les apparences naturelles ne veut pas dire qu'elle s'évade de la réalité, mais qu'elle constitue plutôt une pénétration dans la réalité et une expression du sens de la vie, un encouragement à vivre davantage."[66]

Dans ces tableaux, les forces cachées de la nature deviennent une réalité visible. Les concepts abstraits sont arrêtés pour qu'on puisse en contempler la beauté. Les motifs utilisés ne sont ni

l'effet d'un caprice ni celui du hasard, ils représentent l'ordre intuitif qui existe entre les choses. Macdonald exprime ce que lui ont appris les modes et les automatiques dans des tableaux traduisant une vision contemporaine du temps et de l'espace.

Memory of Music, 1959
Oil and Lucite 44 on canvas
81.3 x 100.3 cm
Barbara Macdonald

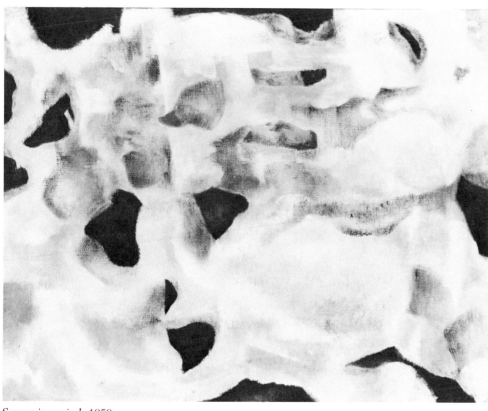

Souvenir musical, 1959
Huile et lucite 44 sur toile
81,3 x 100,3 cm
Barbara Macdonald

ing is a magnificent brown and white painting of the same period. Unique for its large areas of exposed canvas, it is suggestive of nature and nature's balance, synthesizing matter and void. In each of these works, the mood is one of repose and contemplation, the rhythm is gentle but engaging, and the effect is one of quiet ecstasy.
"Because a work does not aim at reproducing natural appearances it is not therefore an escape from life but may be a penetration into reality – and an expression of the significance of life – a stimulating to greater effort in living."[66]
In such paintings as these, the hidden forces of nature take on a visible reality. Abstract concepts are fixed so that their fleeting presence does not escape contemplation. These patterns are not casual or accidental, but represent the intuitional order that exists between objects. The accumulated experience of the modalities and the automatics is expressed in paintings that bespeak the twentieth-century vision of time and space.

Young Summer, 1959
Oil and Lucite 44 on canvas
107.3 x 121.9 cm
Private Collection

Jeune été, 1959
Huile et lucite 44 sur toile
107,3 x 121,9 cm
Collection particulière

Fugitive Articulation, 1959
Oil and Lucite 44 on canvas
107 x 121.9 cm
Collection of the Norman
Mackenzie Art Gallery

Articulation fugitive, 1959
Huile et lucite 44 sur toile
107 x 121,9 cm
Collection de la Norman
Mackenzie Art Gallery

Silken Fable, 1959
Oil and Lucite 44 on canvas
board
40.5 x 50.2 cm
Private Collection

Fable soyeuse, 1959
Huile et lucite 44 sur carton
entoilé
40,5 x 50,2 cm
Collection particulière

*Silvery Forms
Ascending*, 1959
Oil and Lucite 44 on canvas
board
40.2 x 50.8 cm
Private Collection

Montée de formes argentées,
1959
Huile et lucite 44 sur carton
entoilé
40,2 x 50,8 cm
Collection privée

Earth Awakening, 1959
Oil and Lucite 44 on canvas
124.5 x 152.4 cm
Mrs. John David Eaton

Réveil de la terre, 1959
Huile et lucite 44 sur toile
124,5 x 152,4 cm
Mme John David Eaton

Gold of the Ram, 1960
Oil and Lucite 44 on canvas
59.7 x 72 cm
Anonymous Loan

L'Or du bélier, 1960
Huile et lucite 44 sur toile
59,7 x 72 cm
Prêt anonyme

Lilt of Song, 1960
Oil and Lucite 44 on canvas
81.3 x 99.7 cm
Mr. & Mrs. P. Martel

Chant rythmé, 1960
Huile et lucite 44 sur toile
81,3 x 99,7 cm
M. et Mme P. Martel

Through Shifting Sands, 1959
Oil and Lucite 44 on canvas
123.2 x 148.6 cm
Anonymous Loan

À travers les sables mouvants,
1959
Huile et lucite 44 sur toile
123,2 x 148,6 cm
Prêt anonyme

Halls of Morning, 1958
Oil and Lucite 44 on canvas
81 x 100 cm
Private Collection

Antichambres du matin, 1958
Huile et lucite 44 sur toile
81 x 100 cm
Collection particulière

Valiant Dust, 1959
Oil and Lucite 44 on canvas
board
30.5 x 40.6 cm
Jocelyn Macaulay

Vaillante poussière, 1959
Huile et lucite 44 sur carton
entoilé
30,5 x 40,6 cm
Jocelyn Macauley

Macdonald's one-man exhibition opened at the Here and Now Gallery in the first weeks of 1960.[1] In its biographical sketch, the gallery referred to the artist's belief in a continuous process of discovery: "An artist must seek to discover new forms of beauty. If not an arrestment occurs and art becomes a superfluous aestheticism."[2] It was a long way from Nootka, but the artistic necessity remained the same: to paint "other energies, other qualities."[3]

This exhibition included the consummate yellow paintings of 1959. Also shown were *Veils of Morning* (1960) and *Far Off Drums* (1960), two works in which a delicate line is employed to add a further dimension to Macdonald's imagery. In *Far Off Drums*, Macdonald employs drawing as a structuring element to contain thinly painted areas of colour with great economy. His line is as classically elegant here as that of Duccio; it flows gracefully on an open, painterly ground and maintains the absolute frontality of the picture plane. Light permeates the composition, and the material is suggested only in the delicate coloured areas. Line itself is ethereal. Macdonald has resolved the crucial issue of space and the relation of figure and ground in a painting at once vital and harmonious. The work's presence transcends its own material reality to echo the life of the spirit that the artist sought to portray. Macdonald hoped "that his students might create twentieth-century masterpieces";[4] in paintings such as this, it would seem that the master fulfilled the destiny he desired for his students.

Macdonald was to live only one more year, and *Life is Turning* (1960), with its deeper, stronger colours and loosely floating, amorphous black and white shapes, suggests the direction his work would take during that last, busy year. Without specific references to any map, he suggests global concerns in the planet-like spheres; without the use of referential colour, he suggests infinite space in the uniform red ground. Through the simplicity of

---

Le vernissage de l'exposition solo de Macdonald à la *Here and Now Gallery* a lieu au cours des premières semaines de 1960.[1] Dans la notice biographique fournie par la galerie, on explique que l'artiste croit en un processus de découverte incessant: "Il faut que l'artiste cherche à découvrir de nouvelles formes de beauté. Sinon, un blocage se produit et l'art n'est plus qu'un esthétisme superflu."[2] On est loin de Nootka, mais le besoin artistique reste inchangé: il faut peindre "d'autres énergies, d'autres qualités".[3]

Cette exposition comprend les tableaux jaunes de 1959, qui sont des oeuvres consommées. On y retrouve aussi *Voiles du matin* (1960) et *Tambours lointains* (1960), deux oeuvres où une ligne délicate ajoute une dimension nouvelle à l'imagerie de Macdonald. Dans *Tambours lointains*, le peintre utilise le dessin comme élément de construction afin de délimiter sobrement les surfaces de couleur peintes en couche mince. La ligne présente ici l'élégance classique d'un Duccio; elle glisse avec grâce sur un champ ouvert et assure la frontalité absolue de la surface du tableau. La lumière imprègne l'oeuvre, le seul rappel à la matière étant les délicates surfaces de couleur. La ligne elle-même prend un aspect immatériel. Macdonald a enfin résolu le problème crucial de l'espace et des rapports entre l'image et le champ dans un tableau aussi vivant qu'harmonieux. L'oeuvre transcende sa propre matérialité pour évoquer la vie spirituelle que l'artiste cherche à capter. Macdonald espère "que ses étudiants créeront des chefs-d'oeuvre du vingtième siècle";[4] dans des oeuvres comme celle-ci, on peut dire que le maître a suivi la voie qu'il avait indiquée à ses étudiants.

Macdonald n'a plus qu'une année à vivre. *Tournant de la vie* (1960), avec ses couleurs plus sombres et plus fortes de même que ses taches informes noires et blanches flottant librement, symbolise l'orientation que l'oeuvre de l'artiste va prendre au cours de cette dernière année fort remplie. Sans recourir précisément à l'imagerie de la carte géographique, Macdonald évoque un souci de globalité au moyen de sphères rappelant des planètes. Le fond rouge uniforme donne une

his forms, the boldness of his colour, and the expansive treatment of a relatively small picture surface, Macdonald has achieved an image that becomes a signifier of the universal. Returning to the theme of *Departing Day*, painted twenty-five years earlier, he wrestles once more with the creation of a work that intends to "say something significant of the concepts of the twentieth century."[5]

Macdonald's hectic schedule continued; not only did he have two one-man shows in a single season, he also had "a semi-retrospective coming up at the Art Gallery of Toronto, at the end of April."[6] He was flattered and thrilled by the prospect, for never before had a living artist outside the Group of Seven been given such an honour. The exhibition posed a somewhat intimidating challenge. He worried about the small size of earlier canvases:

"In those days . . . 28 x 32″ was considered quite a

---

impression de profondeur infinie sans utilisation de couleurs symboliques. Par la simplicité des formes, la hardiesse de la couleur et le traitement expansif d'une surface assez restreinte, Macdonald parvient à créer une image porteuse d'universel. Revenant au thème de *Tombée du jour*, oeuvre réalisée vingt-cinq ans plus tôt, il tente une fois de plus de créer une oeuvre capable de "dire quelque chose d'important sur les concepts du vingtième siècle".[5]

Macdonald poursuit son activité fébrile; il a non seulement deux expositions solo en une saison, mais même "un genre de rétrospective à l'*Art Gallery of Toronto* à la fin d'avril".[6] L'idée de cette dernière le flatte et l'emballe d'autant plus qu'aucun artiste vivant en dehors du Groupe des Sept ne s'est vu rendre un tel hommage. L'exposition constitue pour lui un défi de taille. Il s'inquiète de la petite dimension de ses tableaux antérieurs.

"À cette époque . . . une toile de 28 po sur 32 po était considérée comme passablement grande. De nos jours, ça tient davantage du timbre-poste! Toutes

Veils of Morning, 1960
Oil and Lucite 44 on canvas
101.6 x 101.6 cm
Mrs. Martin Baldwin

Voiles du matin, 1960
Huile et lucite 44 sur toile
101,6 x 101,6 cm
Mme Martin Baldwin

Far Off Drums, 1960
Oil and Lucite 44 on canvas
90.8 x 106.7 cm
National Gallery of Canada,
Ottawa

Tambours lointains, 1960
Huile et lucite 44 sur toile
90,8 x 106,7 cm
Galerie nationale du Canada,
Ottawa

large work. It looks like a postage stamp today. All this small scale stuff makes one a bit nervous as it certainly doesn't carry much weight in works done from '28 to '45."[7]

But he reassured himself that the early works would be of some interest, since he had "a fair number of abstract, semi-abstract [and] automatic works,"[8] which were important aspects of his exploration of nature, time, space, and motion. In the end, the retrospective was deemed a success.

"I was thankful to hear from Baldwin [the director of the Art Gallery] that he thought the show interesting and exciting. I had felt quite nervous that he might feel he made a mistake in giving me the large main south gallery, plus another gallery off it. The critics spoke very highly of my work, the artists have been quite appreciative and the public thoroughly interested – thank heaven, all is well!"[9]

His pleasure at the exhibition's reception was mixed with relief that it was over:

"It is good to have the terrific rush over. Goodness knows when I found myself so swamped with things having to be done. It was bad timing for [it conflicted with OCA's] annual show, . . . preparing all the marks, passes and failures for the students and attend final meetings for the year. All I can say is that I am in superb condition for my years or I would have dropped with fatigue."[10]

The last sentence provides an ironic twist. In just a few months, Macdonald would suffer a heart attack, and in half a year he would be dead.

The retrospective brought important new opportunities. The Roberts Gallery, which "previously. . . wouldn't look at [his] stuff,"[11] asked to represent him, taking six oils and six watercolours immediately. He was pleased in spite of the gallery's former position, as Roberts was "an excellent gallery."[12] In this last year, Macdonald

Life is Turning, 1960
Oil and Lucite 44 on canvas
61.9 x 76.8 cm
Anonymous Loan

Tournant de la vie, 1960
Huile et lucite 44 sur toile
61,9 x 76,8 cm
Prêt anonyme

ces petites peintures me rendent un peu nerveux, car elles ne font pas le poids dans des dimensions de 28 po à 45 po."[7]

Mais il se rassure en se disant que les premières oeuvres présentent quand même un certain intérêt du fait qu'il dispose "d'un certain nombre d'oeuvres abstraites, semi-abstraites (et) automatiques"[8] illustrant des aspects importants de son exploration de la nature, du temps, de l'espace et du mouvement. La rétrospective se révèle être un succès.

"J'ai été heureux d'apprendre de Baldwin (directeur de l'*Art Gallery*) qu'il avait trouvé l'exposition intéressante et passionnante. J'étais assez nerveux à l'idée qu'il aurait pu considérer avoir commis une erreur en me réservant la grande salle principale de l'aile sud en plus d'une autre salle attenante. Les critiques ont été très élogieux, les artistes ont bien apprécié mes toiles et le public s'est montré très intéressé; Dieu merci, tout va pour le mieux!"[9]

Satisfait de l'accueil qu'a reçu la rétrospective,

Macdonald n'est pas moins heureux qu'elle soit terminée:

"Je suis soulagé que toute cette course effrénée appartienne au passé. Je ne saurais dire quand je me suis trouvé ainsi. Le moment était mal choisi, car ma rétrospective tombait en même temps que l'exposition annuelle (à l'OCA), la préparation des notes, l'établissement des moyennes des étudiants et la participation aux réunions de fin d'année. Tout ce que je peux dire, c'est que je dois être en grande forme pour mon âge, sinon je serais tombé d'épuisement."[10]

Cette dernière phrase prend un sens ironique. Quelques mois plus tard, Macdonald a une crise cardiaque et il meurt avant la fin de l'année.

La rétrospective lui ouvre de nouvelles portes. La *Roberts Gallery*, qui "auparavant . . . ne regardait même pas (ses) oeuvres",[11] lui offre de le représenter et prend immédiatement six huiles et six aquarelles. Macdonald est heureux de cette entente en dépit de l'attitude antérieure de la galerie

was in the enviable position of having no specific commitment –his work was at the Here and Now Gallery, at the Isaacs Gallery, and the Gallery Moos as well. This arrangement gave him the broadest possible exposure, and his sales improved tremendously. In six months, he had sold more than five thousand dollars' worth of paintings, the most he had ever earned from his work. The London art gallery purchased *Desert Rim* (1957), and with this acquisition, Macdonald was represented in every major Ontario gallery except Kitchener. Yet this was small compensation for the fact that he anticipated being forcibly retired in two years with a monthly pension of only one hundred dollars.[13] A risk-taker in his art, Macdonald enjoyed the security teaching provided and was dismayed by the prospect of an income so substantially reduced. Bitter with the Ontario College of Art for the meagre rewards offered to those "who had done all the digging in the art culture of Canada" and who would "be cast into the poorhouse," he resolved to

à son égard, reconnaissant qu'il s'agit d'une "excellente galerie".[12] Pendant cette dernière année, Macdonald est dans une position enviable, celle de ne pas avoir d'engagement exclusif; ses oeuvres se retrouvent simultanément à la *Here and Now Gallery*, à la *Isaacs Gallery* et à la *Gallery Moos*. Il peut ainsi rejoindre un public plus vaste et les ventes grimpent en flèche. En six mois à peine, il vend pour plus de cinq mille dollars de tableaux, plus qu'il n'en a jamais gagné. Avec l'acquisition de *Horizon désertique* (1957) par l'*Art Gallery of London*, Macdonald a désormais des oeuvres dans tous les grands musées de l'Ontario, sauf à Kitchener. Cependant, ceci ne réussit pas à compenser les soucis causés par sa mise à la retraite obligatoire en 1962 avec une pension mensuelle de seulement cent dollars. [13] Aventurier dans son art, Macdonald apprécie néanmoins la sécurité financière offerte par l'enseignement, et la perspective d'une telle baisse de revenu l'effraie. Reprochant à l'*Ontario College of Art* de ne récompenser que chichement ceux "qui ont érigé les fondations de la culture artistique canadienne" et qui "seraient jetés à

So Dream the Sleepers, 1960
Oil and Lucite 44 on canvas
81.3 x 83.8 cm
Mr. & Mrs. R. R. K.
Dickson

Ainsi rêvent les dormeurs, 1960
Huile et lucite 44 sur toile
81,3 x 83,8 cm
M. et Mme R. R. K.
Dickson

continue painting.[14] Anxious about his long-term future, he was already making plans for summer, one year hence. Offered a teaching position at the University of Southern California by the chairman of the Fine Arts Department, Jules Heller, Macdonald eagerly anticipated a new environment that could provide for continued teaching and financial security.[15]

"This will be my last spell at Doon. I have a very interesting appointment for next summer in California. I am keeping this *absolutely secret* until probably next January or February. I don't want to say yet what appointment this is but it is unique for a Canadian artist to be invited to teach there. It may lead to my being retained there on my retirement. Will work for this of course as there isn't anything very good for me to expect in Canada."[16]

He returned to the Ontario College of Art in the fall with a heavy teaching load and classes of more than forty students. His painting, however, was progressing less rapidly than he had hoped.

"I've been painting as much as I possibly can find time for. My painting seems to be going along more slowly this past summer – nothing like the output of the previous summer though I have worked just as strenuously. The paintings have changed somewhat and this I think is the reason why they take longer to do."[17]

The change is obvious in the last of his works from the fall of 1960, *Growing Serenity* (also titled *Harbinger of Silence*) and *Cavern*. Each reveals another step in Macdonald's artistic evolution. In *Growing Serenity*, the whole canvas is brushed in restricted areas of subdued colour. The painting is like an intricately worked puzzle. Areas of pink, blue, and yellow are evenly worked and softly modelled against contrasting white and black areas to create a mood of quiet serenity. Soft contours blend and fold. A sensuous central line is delicately

---

Elemental Fury, 1960
Oil and Lucite 44 on canvas
120.7 x 137.2 cm
Montreal Museum of Fine
Arts
Horsley and Annie
Townsend Bequest

Furie des éléments, 1960
Huile et lucite 44 sur toile
120,7 x 137,2 cm
Musée des beaux-arts de
Montréal
Legs de Horsley et Annie
Townsend

l'hospice", il décide de continuer à peindre.[14] Inquiet de son avenir à long terme, il fait déjà des projets pour l'été de 1961. Quand Jules Heller, directeur du département des beaux-arts de la *University of Southern California*, lui offre un poste de professeur, Macdonald a hâte de se retrouver dans un nouveau milieu lui offrant la possibilité d'enseigner et la sécurité financière souhaitée.[15]

"Ce sera mon dernier séjour à Doon. J'ai une offre très intéressante pour l'été prochain en Californie. Je tiens à garder tout cela *absolument secret* probablement jusqu'en janvier ou février. Je ne peux pas dire encore de quelle nomination il s'agit, mais c'est une chance unique pour un artiste canadien d'être invité à enseigner à cet endroit. Cela me permettra peut-être d'y rester à ma retraite. Je travaillerai évidemment dans ce sens, étant donné que je n'ai rien de très intéressant à espérer au Canada."[16]

Il rentre à l'*Ontario College of Art* à l'automne avec une lourde charge d'enseignement et des classes de plus de 40 étudiants. Sa peinture progresse toutefois moins rapidement qu'il ne l'espérait.

"Je consacre le peu de temps qu'il me reste à la peinture. Mon travail semble s'être ralenti cet été; j'ai produit beaucoup moins par rapport à l'été dernier même si j'ai travaillé avec autant d'ardeur. Mes tableaux ont changé dans une certaine mesure et c'est probablement pourquoi je dois y passer plus de temps."[17]

Ce changement est évident dans les dernières oeuvres de l'automne 1960, *Sérénité grandissante* (aussi appelée *Messager du silence*) et *Caverne*. Chacun de ces tableaux représente un pas de plus dans son évolution artistique. Dans *Sérénité grandissante*, la toile est entièrement recouverte de surfaces délimitées de couleur douce. L'oeuvre ressemble à un casse-tête compliqué où le rose, le bleu et le jaune, appliqués uniformément, sont délicatement modelés et ressortent sur le blanc et le noir pour créer une impression de tranquillité sereine. Les contours adoucis se mêlent et se

Spatial Image, 1960
Oil and Lucite 44 and
graphite on jute canvas
54.6 x 98.4 cm
The Robert McLaughlin
Gallery, Oshawa
Purchase, 1971

Image spatiale, 1960
Huile et lucite 44 et mine de
plomb sur jute
54,6 x 98,4 cm
Robert McLaughlin Gallery,
Oshawa
Achat, 1971

articulated to engage all elements of the composition. In this tranquil work, figuration loses its autonomy and is metamorphosed into "oneness" with the ground.

In contrast to *Growing Serenity, Cavern* evokes a penetrable depth. Floating forms on the picture surface seem to advance into the viewer's realm, and the dark background recedes to suggest a space unusually deep in Macdonald's oeuvre at this time. It is as if the artist is working the space in front of, as well as through the surface of, the canvas.

In November, Macdonald suffered a heart attack. He wrote from his hospital bed:

"A beautiful morning of life giving sunshine. The happiness, the only happiness there is, is in the constant seeking for understanding of the highest spiritual consciousness."[18]

"I know only that if the word 'God' has no meaning for you, ART can have no meaning, creation no meaning, and imagination, no range."[19]

---

replient. Une ligne centrale sensuelle est finement articulée et relie les éléments de la composition. Dans cette oeuvre paisible, image et champ se fondent pour ne faire plus qu'un.

Caverne, par contre, évoque la profondeur. Les formes flottant sur la surface de l'oeuvre semblent avancer vers l'observateur et le fond sombre recule pour suggérer un espace exceptionnellement profond par rapport aux oeuvres de Macdonald de cette époque.

On dirait que l'artiste meuble l'espace situé devant de même que derrière le tableau.

Macdonald a une crise cardiaque en novembre. Il écrit de son lit d'hôpital:

"Matin merveilleux avec un soleil revigorant. Le bonheur, le seul bonheur qui soit, c'est d'être à la recherche constante de la plus haute conscience spirituelle."[18]

"Tout ce que je sais, c'est que si le mot "Dieu" ne veut rien dire pour vous, l'ART ne signifie également rien pour vous, tout comme la création, et l'imagination est limitée."[19]

All Things Prevail, 1960
Oil and Lucite 44 on canvas
105.4 x 120.7 cm
National Gallery of Canada,
Ottawa

*La Prédominance de toutes
choses,* 1960
Huile et lucite 44 sur toile
105,4 x 120,7 cm
Galerie nationale du Canada,
Ottawa

Cavern, 1960
Oil and Lucite 44 on
masonite
105.8 x 121.8 cm
Thelma Van Alstyne

Caverne, 1960
Huile et lucite 44 sur
masonite
105,8 x 121,8 cm
Thelma Van Alstyne

Growing Serenity, 1960
Oil and Lucite 44 on canvas
91.4 x 106.7 cm
Collection of York
University

Sérénité grandissante, 1960
Huile et lucite 44 sur toile
91,4 x 106, 7 cm
Collection de York
University

In 1941 he had called Jack Shadbolt "godless" because he felt that Shadbolt could not see that painting was in essence a religious experience.[20] Thelma Van Alstyne recounts that in 1959 Macdonald once sat up all night at the Doon School discussing religion with a student who had declared himself an atheist.[21] Macdonald's was not a conventional, orthodox religious belief. He believed in the artist's creative ability to understand laws beyond the rational and the visible; the true artist, he felt, can find himself at one with the cosmic order of nature.

Macdonald never stood still; his works continued to grow and evolve. Within the last year of his life, he created works as diverse in imagery as *Contemplation*, *Young Summer*, and *Cavern*. But each painting expresses the same aesthetic concerns that had always preoccupied Macdonald, and each is conditioned by an understanding of the medium and the principles that govern it. Macdonald had embarked on his investigations of the modalities

En 1941, Macdonald a traité Jack Shadbolt de "sans Dieu" parce que, selon lui, ce dernier ne voit pas la peinture comme une expérience essentiellement religieuse. [20] Thelma Van Alstyne se souvient qu'en 1959, Macdonald passe toute une nuit à parler religion avec un étudiant de la *Doon School* qui s'était déclaré athée. [21] Les croyances religieuses de l'artiste ne sont toutefois pas très orthodoxes. Il croit que l'esprit créateur de l'artiste le met en mesure de comprendre des lois dépassant la raison et le monde visible; le véritable artiste, selon lui, peut arriver à ne faire qu'un avec l'ordre cosmique de la nature.

Macdonald est un artiste en constante évolution; son oeuvre continue à s'améliorer et à changer. Pendant la dernière année de sa vie, il produit des oeuvres aussi différentes sur le plan de l'imagerie que *Contemplation*, *Jeune été* et *Caverne*. Chaque tableau révèle cependant les soucis esthétiques qui préoccupent depuis toujours l'artiste et chaque oeuvre est régie par une compréhension profonde du médium et des principes qui le gouvernent. Macdonald a pris le

with the intention of coming to understand the higher order of the universe. In his last works, that order is expressed in paintings that speak of the nature of creation and of the creative process.

In paintings like *Young Summer*, it is the noumenal aspect of the physical universe that Macdonald portrays, and in *Growing Serenity* it is the tranquillity of the spiritual world that he has rendered visible. Matter, space, and colour are synthesized into an expression at once emotional and intellectual, where abstract images speak to us of a larger reality. Macdonald succeeded in transcending the material to find an expression of the spirit.

In his last year, Macdonald wrote to a former student, advising him as he must often have reminded himself:

"Paint to become aware of the spiritual possibilities of the self and for no other reason.... After all how inferior is the human being in his creativeness to the creator of all nature? The artist is a reflector of the creative spirit in nature. To be able to even reflect this creative essence is definitely an astonishing power in the artist."[22]

On his release from hospital, Macdonald looked forward to Christmas vacation and to painting again without interruption. He had purchased a large quantity of watercolour paint and was determined to embark on a new investigation of this medium. On Friday, the last day of term at the art college, he came home to stretch canvases for the next few weeks of work. On Saturday evening, 3 December, he died of a heart attack.

---

chemin des modes dans l'espoir de comprendre l'ordre suprême de l'univers. Cet ordre est présent dans ses derniers tableaux évoquant la nature de la création et le processus créateur.

Dans des tableaux comme *Jeune été*, c'est l'aspect nouménal de l'univers physique que Macdonald décrit sur la toile; dans *Sérénité grandissante*, c'est la paix du monde spirituel qu'il reproduit. Matière, espace et couleur se fondent dans un style à la fois émotif et intellectuel, où des images abstraites évoquent une réalité plus vaste. Macdonald parvient à transcender la matière pour atteindre à l'expression de l'esprit.

Pendant sa dernière année, Macdonald écrit à un ancien étudiant pour lui donner des conseils qu'il devait lui-même souvent se répéter:

"Peignez pour devenir conscient des possibilités spirituelles du moi et pour aucune autre raison... Après tout, l'être humain est tellement inférieur, dans sa créativité, au créateur de toute la nature. L'artiste reflète l'esprit de création dans la nature. Le fait même que l'artiste soit capable de traduire cette essence créatrice représente à n'en pas douter un pouvoir incroyable chez l'artiste."[22]

À sa sortie de l'hôpital, Macdonald songe à prendre des vacances à Noël et à se remettre à peindre sans arrêt. Il s'est procuré une grande quantité de peintures à l'eau en se proposant de repartir à l'exploration de ce médium. Le vendredi 2 décembre, dernier jour de classe à l'*Ontario College of Art*, il rentre chez lui pour tendre les toiles dont il aura besoin pendant les prochaines semaines. Le samedi 3 décembre, il meurt en soirée d'une crise cardiaque.

NOTES

Chapter I

1. Letter from J.W.G. Macdonald to Gerald Tyler, 2 January 1936, Burnaby Art Gallery, B.C.; and I.V. MacIntosh: Interview with the author, 3 June 1979.

2. E. Beresford Chancellor, "London Landmarks," *Appollo* XXIV: 143 (November 1936), p. 257.

3. L. de B. Corriveau, "The Art of James W.G. Macdonald," *Review of Music and Art* III: 1 and 2 (February – March 1944), p. 26.

4. B.C. College of Arts Limited, Illustrated Prospectus, 1934 – 35.

5. Barbara Macdonald: Interview with the author, 6 February 1978.

6. I.V. MacIntosh, op.cit. MacIntosh recalls that Macdonald, who had drawn throughout his stay in France, returned to his architectural studies for approximately one week at the war's end before enrolling in the Edinburgh College.

7. Prospectus, op.cit.

8. Barbara Macdonald, op.cit.

9. Prospectus, op.cit.

10. Barbara Macdonald, op.cit.

11. J.W.G. Macdonald to John Varley, 9 September 1939, National Gallery of Canada, Ottawa. John Varley, Fred Varley's son, studied with Macdonald at the B.C. College of Art and became a close friend. In an interview with the author, Henri van Bentum also recalled Macdonald's referring to himself as a mentor to his students as Theo had been to Vincent.

12. Barbara Macdonald, op.cit.

13. National Gallery of Canada Information Form, received 10 June 1950.

14. Prospectus, op.cit.

15. Barbara Macdonald, op.cit.

16. Prospectus, op.cit.

17. J.W.G. Macdonald to Maxwell Bates, 2 January 1957, McCord Museum, Montreal.

18. J.W.G. Macdonald, "Factory Experience," *The Paintbox* (Vancouver: Vancouver School of Decorative and Applied Arts (VSDAA) 1928, p. 43.

19. Prospectus, op.cit.

20. Barbara Macdonald, op.cit.

21. Ibid.

22. J.W.G. Macdonald, "The Ever Open Book in the Matter of Design," *The Paintbox* 1929.

23. Jack Shadbolt: Interview with the author, 21 February 1978; and Margaret Williams: Interview with the author, 20 February 1978.

24. J.W.G. Macdonald, "Symbolism in Design," "Colour Theory," "Art History" (handwritted lecture notes, which correspond with notes taken by Margaret Williams as a student at the VSDAA), collection of Marilyn Westlake Kuczer. Macdonald's last residence was owned by the late Michael Kuczer. Kuczer was also an artist, and he and Macdonald became close friends. They often discussed their painting together. Certain themes and approaches to composition seen in Macdonald's late works are echoed in Kuczer's work.

25. Margaret Williams, op.cit. See also VSDAA Prospectus 1929/1930, p. 11, for examples of Macdonald's students' work.

26. J.W.G. Macdonald, "Factory Experience."

27. Ibid.

Chapter II

1. I.V. MacIntosh: Interview with the author, 3 June 1979.

2. Peter Mellen, in *The Group of Seven* (Toronto: McClelland and Stewart, 1970), p. 171, notes "Varley deluged [his students] with Japanese

NOTES

Chapitre I

1. Lettre de J.W.G. Macdonald à Gerald Tyler du 2 janvier 1936, *Burnaby Art Gallery,* Burnaby, C.-B.; I.V. MacIntosh, entrevue avec l'auteur, le 3 juin 1979.

2. E. Beresford Chancellor, *London Landmarks, Apollo* XXIV: 143 (novembre 1936), p. 257.

3. L. de B. Corriveau, *The Art of James W.G. Macdonald, Review of Music and Art,* III: 1 et 2 (février –mars 1944), p. 26.

4. *B.C. College of Arts Limited, Illustrated Prospectus,* 1934 –35.

5. Barbara Macdonald, entrevue avec l'auteur, le 6 février 1978.

6. I.V. MacIntosh, op. cit. MacIntosh signale que Macdonald, qui a dessiné pendant tout son séjour en France, reprend ses études en architecture pendant environ une semaine avant de s'inscrire à l'*Edinburgh College of Art.*

7. Prospectus, op. cit.

8. Barbara Macdonald, op. cit.

9. Prospectus, op. cit.

10. Barbara Macdonald, op. cit.

11. J.W.G. Macdonald à John Varley, le 9 septembre 1939, Galerie nationale du Canada, Ottawa. John Varley, fils de Fred Varley, fait lui aussi des études au *B.C. College of Art* et se lie d'amitié avec Macdonald. Dans une entrevue avec l'auteur, Henri van Bentum signale que Macdonald avait l'habitude de se considérer comme un maître pour ses étudiants à la manière de ce qu'avait été Théo pour Vincent.

12. Barbara Macdonald, op. cit.

13. Formule de renseignements de la Galerie nationale du Canada reçue le 10 juin 1950.

14. Prospectus, op. cit.

15. Barbara Macdonald, op. cit.

16. Prospectus, op. cit.

17. J.W.G. Macdonald à Maxwell Bates, le 2 janvier 1957. Musée McCord, Montréal.

18. J.W.G. Macdonald, *Factory Experience, The Paintbox* (Vancouver, *Vancouver School of Decorative and Applied Arts* (VSDAA), 1928, p. 43.

19. Prospectus, op. cit.

20. Barbara Macdonald, op. cit.

21. Ibid.

22. J.W.G. Macdonald, *The Ever Open Book in the Matter of Design, The Paintbox,* 1929.

23. Jack Shadbolt, entrevue avec l'auteur, le 21 février 1978; Margaret Williams, entrevue avec l'auteur, le 20 février 1978.

24. J.W.G. Macdonald, *Symbolism in Design, Colour Theory, Art History* (notes de cours rédigées à la main conformes aux notes prises par Margaret Williams à la VSDAA), collection de Marilyn Westlake Kuczer. La dernière résidence de Macdonald appartenait à feu Michael Kuczer. Artiste lui aussi, Kuczer s'était lié d'amitié avec Macdonald. Ils discutaient souvent de peinture. Certains thèmes et techniques de composition observés dans les dernières oeuvres de Macdonald se retrouvent dans l'oeuvre de Kuczer.

25. Margaret Williams, op. cit. Voir aussi le Prospectus de la VSDAA, 1929 –30, p. 11, où se trouvent des exemples des travaux des étudiants de Macdonald.

26. J.W.G. Macdonald, *Factory Experience.*

27. Ibid.

Chapitre II

1. I.V. MacIntosh, entrevue avec l'auteur, le 3 juin 1979.

2. Peter Mellen, dans *Le Groupe des Sept* (Éditions Marcel Broquet Inc., 1980), p. 171, observe que "Varley inondait (ses étudiants) de gravures japonaises, de manuscrits persans (ainsi que) de tableaux de Matisse et de Puvis de Chavannes."

3. Barbara Macdonald, entrevue avec l'auteur, le 6 février 1978.

4. J.W.G. Macdonald, *Vancouver, F.H. Varley, Paintings and Drawings 1915 –1954* (Toronto, *Art Gallery of Ontario,* 1954 –57).

5. Ibid.

6. Ibid.

prints, Persian Manuscripts [and] the work of Matisse and Puvis de Chavannes."

3. Barbara Macdonald: Interview with the author, 6 February 1978.

4. J.W.G. Macdonald, "Vancouver," *F.H. Varley, Paintings and Drawings 1915–1954* (Toronto: Art Gallery of Ontario, 1954–57).

5. Ibid.

6. Ibid.

7. Ibid.

8. Barbara Macdonald, op.cit.

9. Vis. *Graveyard of the Pacific*, 1935, private collection, Vancouver. Verso oil sketch of Garrow Bay may be by F.H. Varley.

10. Examples of typical paintings of this earlier style are illustrated in J. Russell Harper, *Painting in Canada: A History* (Toronto: University of Toronto Press, 1966): T. Mower Martin, *West Coast Indians Returning From Hunt* (undated), p. 200; W. Frank Lynn, *Winnipeg 1875*, p. 201.

11. Barbara Macdonald: Interview with Ann Pollock, 15 March 1969, quoted in R. Ann Pollock and Dennis Reid, *Jock Macdonald* (Ottawa: National Gallery of Canada, 1969–70), p. 5.

12. Ibid. See also J.W.G. Macdonald to Gerald Tyler, 2 January 1936, Burnaby Art Gallery, B.C.

13. J.W.G. Macdonald to Gerald Tyler, 2 January 1936, Burnaby Art Gallery, B.C.

14. Mrs. Ross Lort: Interview with the author, 26 February 1978. "Black and white" artist was a popular term in this period, and referred to those artists who worked in graphic media. At the 1932 *All Canadian Show* at the Vancouver Art Gallery there was a "black-and-white" room.

15. Ibid.

16. Although the linocut was numbered one out of one hundred, it is unlikely that more than twenty-five prints were ever made.

17. "Editorial," *The Paintbox* (Vancouver: Vancouver School of Decorative and Applied Arts, 1929), p. 5.

18. Vancouver School of Decorative and Applied Arts, Prospectus, 1930/1931.

19. Bea Lennie: Interview with the author, 25 February 1978. Lennie was a former student and later a teaching colleague of Macdonald's. In the late 1930s, she and Macdonald shared studio space.

20. A. Dalton, *The Neighing North*, with drawings by J.W. Galloway Macdonald (Toronto: Ryerson Press, 1931).

21. Ibid, pp. 23 and 31.

22. Ibid, p. 33.

23. A.C. Dalton, *The Future of Our Poetry* (Vancouver: W. Dalton, 1931).

24. The exhibition was organized for the Pacific National Exhibition, August 1931, and focused on the work of Harris and Jackson. See Reta W. Myers, *Vancouver B.C. Province*, 5 July 1931. In 1932, Willie Dalton was chairman of the Exhibition Committee of the *All-Canadian Exhibition* at the Vancouver Art Gallery. This exhibition included "one of Harris' esthetic mountains" along with A.Y. Jackson's *Road to St. Fidele*, Bertram Brooker's *Figures in a Landscape* and Varley's *Dharana*. See Reta Myers, "Art Gallery Display is of Exceptional Merit," *Vancouver B.C. Province*, 12 May 1932.

25. Both drawings are in private collections in Toronto.

26. Bea Lennie, op.cit.

27. J.W.G. Macdonald to Gerald Tyler, op.cit.

28. Gerald Tyler: Interview with Ann Pollock, January 1969, quoted in R. Ann Pollock and Dennis Reid, op.cit., p. 4.

29. J.W.G. Macdonald to Gerald Tyler, op.cit.

7. Ibid.

8. Barbara Macdonald, op. cit.

9. Voir *Cimetière du Pacifique*, 1935, collection privée, Vancouver. L'esquisse de Garrow Bay, au verso, pourrait être de F.H. Varley.

10. On trouve de bons exemples de ce genre de peinture dans J. Russell Harper, *La Peinture au Canada des origines à nos jours* (Québec, Les Presses de l'Université Laval, 1970): T. Mower Martin, *West Coast Indians Returning From Hunt* (sans date), p. 200; W. Frank Lynn, *Winnipeg 1875*, p. 201.

11. Barbara Macdonald, entrevue avec Ann Pollock, le 15 mars 1969, citée dans R. Ann Pollock et Dennis Reid, *Jock Macdonald* (Ottawa, Galerie nationale du Canada, 1969–70), p. 5.

12. Ibid. Voir aussi J.W.G. Macdonald à Gerald Tyler, le 2 janvier 1936, *Burnaby Art Gallery*, C.-B.

13. J.W.G. Macdonald à Gerald Tyler, le 2 janvier 1936, *Burnaby Art Gallery*, C.-B.

14. Mme Ross Lort, entrevue avec l'auteur, le 26 février 1978. On fait souvent allusion aux artistes "noir et blanc" à cette époque en parlant des artistes qui travaillent en art graphique. L'exposition intitulée *All Canadian Exhibition*, tenue à la *Vancouver Art Gallery* en 1932, comporte une salle "noir et blanc".

15. Ibid.

16. Bien que la linogravure porte le numéro 1/100, il est peu probable qu'elle ait été tirée à plus de 25 exemplaires.

17. *Editorial, The Paintbox* (Vancouver, Vancouver School of Decorative and Applied Arts, 1929), p. 5.

18. *Vancouver School of Decorative and Applied Arts*, Prospectus, 1930/31.

19. Bea Lennie, interview avec l'auteur, le 25 février 1978. Mme Lennie, une ancienne élève de Macdonald qui devient par la suite sa collègue, partage un studio avec lui à la fin des années 30.

20. A. Dalton, *The Neighing North*, illustrations de J.W. Galloway Macdonald (Toronto, Ryerson Press, 1931).

21. Ibid., pp. 23 et 31.

22. Ibid., p. 33.

23. A.C. Dalton, *The Future of Our Poetry* (Vancouver, W. Dalton, 1931).

24. L'exposition est organisée pour la *Pacific National Exhibition* en août 1931, principalement avec des oeuvres de Harris et Jackson. Voir Reta W. Myers, *Vancouver B.C. Province* du 5 juillet 1931. En 1932, Willie Dalton est président du comité de l'exposition intitulée *All Canadian Exhibition* tenue à la *Vancouver Art Gallery*. Cette exposition comprend "une des montagnes esthétiques de Harris" ainsi que *Road to St. Fidèle* d'A.Y. Jackson, *Figures in a Landscape* de Bertram Brooker et *Dharana* de Varley. Voir Reta Myers, *Art Gallery Display is of Exceptional Merit, Vancouver B.C. Province* du 12 mai 1932.

25. Les deux dessins font partie de collections privées à Toronto.

26. Bea Lennie, op. cit.

27. J.W.G. Macdonald à Gerald Tyler, op. cit.

28. Gerald Tyler, entrevue avec Ann Pollock en janvier 1969, citée par R. Ann Pollock et Dennis Reid, op, cit., p. 5.

29. J.W.G. Macdonald à Gerald Tyler, op. cit.

Chapitre III

1. J.W.G. Macdonald à H.O. McCurry, le 9 avril 1932, Galerie nationale du Canada, Ottawa.

2. J.W.G. Macdonald à H.O. McCurry, le 2 avril 1937, GNC.

3. J.W.G. Macdonald, *Colour Notes* (notes inédites pour une conférence), collection de Marilyn Westlake Kuczer.

4. Ibid.

5. Cité par Jeremy Adamson, *Lawren S. Harris, Urban Scenes and Wilderness Landscapes 1906–1930* (Toronto, Art Gallery of Ontario, 1978), p. 179.

6. J.W.G. Macdonald, *Science and the Infinite* (Sydney Klein) (notes manuscrites); J.W.G. Macdonald, *Colour Notes III*, collection de Marilyn Westlake Kuczer.

Chapter III

1. J.W.G. Macdonald to H.O. McCurry, 9 April 1932, National Gallery of Canada, Ottawa.

2. J.W.G. Macdonald to H.O. McCurry, 2 April 1937, NGC. Note: Macdonald often wrote in haste; consequently grammar and spelling mistakes occur on occasion. The author has corrected these in this and other quotations in order to facilitate understanding of Macdonald's intentions.

3. J.W.G. Macdonald, "Colour Notes" (unpublished lecture notes), collection of Marilyn Westlake Kuczer.

4. Ibid.

5. Quoted in Jeremy Adamson, *Lawren S. Harris, Urban Scenes and Wilderness Landscapes 1906–1930* (Toronto: Art Gallery of Ontario, 1978), p. 179.

6. J.W.G. Macdonald, "Science and the Infinite (Sydney Klein)" (handwritten notes); and J.W.G. Macdonald, "Colour Notes III," collection of Marilyn Westlake Kuczer.

7. J.W.G. Macdonald, "Art in Relation to Nature" (handwritten lecture notes), collection of Marilyn Westlake Kuczer. Delivered in Vancouver, 8 February 1940. See Appendix 1, p. 1.

8. W. Kandinsky, *Concerning the Spiritual in Art* (New York: Wittenborn Schulz, 1947), p. 27.

9. J.W.G. Macdonald, "Reflections on a trip to the Canadian International Seminar in Breda," *Highlights* 9:1 (March 1950), p. 6.

10. J.W.G. Macdonald to McCurry, op.cit. It is clear that Macdonald knew Harris's *Mountain Form* from Dalton's tribute to this painting in *The Future of Our Poetry* (1931) in his possession.

11. Lawren Harris, "Revelation of Art in Canada," *The Canadian Theosophist* VII:5 (15 July 1926), pp. 85–88.

12. Quoted in J. Adamson, *Harris: Urban Scenes and Wilderness Landscapes* (Toronto: Art Gallery of Ontario, 1978), p. 140.

13. J.W.G. Macdonald, "Art in Relation to Nature" (handwritten lecture notes). See Appendix pp. 1 and 4.

14. Ibid.

15. *Bertram Brooker* (Toronto: The Arts & Letters Club, January 1927).

16. Bertram Brooker, ed. *Yearbook of the Arts*, 2 vols. (Toronto: Macmillan, 1928-29). Jack Shadbolt: Interview with the author, 21 February 1978. Shadbolt recalls that he took the yearbook to the VSDAA's 1931 summer art colony at Hornby Island run by Jock Macdonald. See "Hornby Island chosen for Art School's Summer Colony," *Vancouver B.C. Province*, 15 March 1931.

17. Maria Tippett, *Emily Carr, A Biography* (Toronto: Oxford University Press, 1979), p. 132.

18. Advertisement, *The Paintbox* (Vancouver: Vancouver School of Decorative and Applied Arts, 1929), p. 2.

19. Jack Shadbolt, op.cit.

20. For further discussion of Vanderpant, see Charles C. Hill, *John Vanderpant Photographs* (Ottawa: National Gallery of Canada, 1976).

21. John Vanderpant, "Artery," *The Paintbox* 1928, p. 55.

22. "Tagore and Art," *The Paintbox* 1929, p. 65.

23. Jack Shadbolt, op.cit. Shadbolt recalls that artists were concerned with their astrological signs and their personal colour auras in these years.

24. R. Ann Pollock and Dennis Reid, *Jock Macdonald*, (Ottawa: National Gallery of Canada, 1969–70), p. 6.

---

7. J.W.G. Macdonald, *Art in Relation to Nature* (notes manuscrites pour une conférence), collection de Marilyn Westlake Kuczer. Conférence donnée à Vancouver le 8 février 1940. Voir Appendice 1, p. 1.

8. W. Kandinsky, *Concerning the Spiritual in Art* (New York, Wittenborn Schulz, 1947), p. 27.

9. J.W.G. Macdonald, *Reflections on a trip to the Canadian International Seminar in Breda, Highlights,* 9:1 (mars 1950), p. 6.

10. J.W.G. Macdonald à McCurry, op. cit. Il est clair que Macdonald connaît *Mountain Form* de Harris par l'hommage qu'en fait Dalton dans *The Future of Our Poetry* (1931), ouvrage en sa possession.

11. Lawren Harris, *Revelation of Art in Canada, The Canadian Theosophist,* VII:5 (numéro du 15 juillet 1926), pp. 85–88.

12. Cité dans J. Adamson, *Harris: Urban Scenes and Wilderness Landscapes* (Toronto, Art Gallery of Ontario, 1978), p. 140.

13. J.W.G. Macdonald, *Art in Relation to Nature* (notes manuscrites pour une conférence). Voir Appendice, pp. 1 et 4.

14. Ibid.

15. *Bertram Brooker* (Toronto, The Arts & Letters Club, janvier 1927).

16. Bertram Brooker, ed. *Yearbook of the Arts,* Vol. I et II (Toronto, Macmillan, 1928–29). Jack Shadbolt, entrevue avec l'auteur, le 21 février 1978. Shadbolt se rappelle avoir apporté l'annuaire au camp d'été d'arts plastiques de la VSDAA en 1931 à l'île Hornby, camp dirigé par Jock Macdonald. Voir *Hornby Island chosen for Art School's Summer Colony, Vancouver B.C. Province* du 15 mars 1931.

17. Maria Tippett, *Emily Carr, A Biography* (Toronto, Oxford University Press, 1979), p. 132.

18. Placard publicitaire, *The Paintbox* (Vancouver, Vancouver School of Decorative and Applied Arts,* 1929), p. 2.

19. Jack Shadbolt, op. cit. Shadbolt signale que le milieu artistique de Vancouver s'intéresse à l'époque à l'oeuvre de Sheeler et des *precisionists.*

20. Pour plus d'information sur Vanderpant, voir Charles C. Hill, *John Vanderpant Photographs/Photographies* (Ottawa, Galerie nationale du Canada, 1976).

21. John Vanderpant, *Artery, The Paintbox,* 1928, p. 55.

22. *Tagore and Art, The Paintbox,* 1929, p. 65.

23. Jack Shadbolt, op. cit. Shadbolt raconte que les artistes se préoccupent à l'époque de leur signe du zodiaque et de la couleur de leur aura.

24. R. Ann Pollock et Dennis Reid, *Jock Macdonald* (Ottawa, Galerie nationale du Canada, 1979–70), p. 6.

25. Barbara Macdonald, entrevue avec l'auteur, le 6 février 1978.

26. Jack Shadbolt, op. cit.

Chapitre IV

1. Gerald Tyler, entrevue avec l'auteur, le 28 février 1978.

2. Journal de Mme Rowena Morell, le 25 mai 1933, Galerie nationale du Canada, Ottawa.

3. Ibid., le 27 septembre 1933.

4. *B.C. College of Arts Limited, Illustrated Prospectus,* 1934–35.

5. Ibid.

6. Ibid.

7. Dossier du *B.C. College of Arts,* GNC.

8. Propos recueillis par l'auteur auprès de Jack Shadbolt le 21 février 1978 et de Margaret Williams le 20 février 1978.

9. Harry Täuber à Ann Hillier, le 30 mai 1934, GNC.

10. J.W.G. Macdonald "à qui de droit" au sujet d'Ann Hillier, GNC. La lettre, datée du 1er mai 1934, indique qu'*Anthroposophy* de Murdra Aiklan est un ouvrage requis pour l'enseignement.

25. Barbara Macdonald: Interview with the author, 6 February 1978.

26. Jack Shadbolt, op.cit.

Chapter IV

1. Gerald Tyler: Interview with author, 28 February 1978.

2. Diary of Mrs. Rowena Morell, 25 May 1933, National Gallery of Canada, Ottawa.

3. Ibid., 27 September 1933.

4. B.C. College of Arts Limited, Illustrated Prospectus, 1934–35.

5. Ibid.

6. Ibid.

7. B.C. College of Arts file, NGC.

8. Interviews by the author with Jack Shadbolt, 21 February 1978; and Margaret Williams, 20 February 1978.

9. Harry Täuber to Ann Hillier, 30 May 1934, NGC.

10. J.W.G. Macdonald to "Whom It May Concern" re: Ann Hillier, NGC. Letter says Murdra Aiklan's *Anthroposophy* is required for "instructing purposes," 1 May 1934.

11. Lawren Harris, "The Greatest Book by a Canadian," *The Canadian Bookman* VI:2 (24 February), p. 38.

12. P.D. Ouspensky, *Tertium Organum, A Key to the Enigmas of the World* (London: Routledge and Kegan Paul, 1912).

13. "Mathematics in Art Discussed," *Vancouver Sun*, 8 February 1940, p. 13.

14. Ouspensky, op.cit., Chapter XI, pp. 110-121; n.b. p. 118.

15. J.W.G. Macdonald, "Art in Relation to Nature" (lecture notes, c. 1935–40), pp. 8-9, collection of Marilyn Westlake Kuczer.

16. Ibid., p. 9

17. Ibid., p. 7.

18. Ibid.

19. J.W.G. Macdonald, "Science and the Infinite (Sydney Klein)" (handwritten notes), collection of Marilyn Westlake Kuczer.

20. Quoted in Ouspensky, op.cit., Chapter XVI, pp. 158-177; n.b. p. 176.

21. J.W.G. Macdonald, "Science and the Infinite (Sydney Klein)," p. 5.

22. Ouspensky, op.cit., p. 177.

23. Ibid., "Table of the Four Forms of the Manifestation of Consciousness," endnotes.

24. Ibid.

25. "Fourth Dimension Sight: How Man's Consciousness Develops," *Vancouver Sun*, 1 April 1935.

26. J.W.G. Macdonald, "Art in Relation to Nature." It seems likely that Macdonald delivered this lecture on at least three occasions. One of these may well have been the opening of the *Canadian Abstract Exhibition*, organized by Alexandra Luke for the YWCA in Oshawa in 1952.

27. Jay Hambidge, *Dynamic Symmetry: The Greek Vase*, (New Haven: Yale University Press). Hambidge's work was discussed in "Art in Relation to Nature," pp. 3-4.

28. J.W.G. Macdonald, "Art in Relation to Nature," pp. 3-4.

29. Gerald Tyler: Interview with author, 28 February 1978.

30. J.W.G. Macdonald, "Colour Notes III (C)," collection of Marilyn Westlake Kuczer.

31. A. Ozenfant, *Foundations of Modern Art*, trans. John Rodker (New York: Dover, 1952), p. 266. Philip Surrey, in an interview with Charles Hill (14 September 1973, NGC), said that Ozenfant was popular in the early thirties and that the artist not only read *The Studio* but purchased Ozenfant's *Foundations of Modern Art* around 1933.

32. Ibid., p. 286.

33. J.W.G. Macdonald to Maxwell Bates, 30 July 1956,

---

11. Lawren Harris, *The Greatest Book by a Canadian, The Canadian Bookman,* VI:2 (numéro du 24 février), p. 38.

12. P.D. Ouspensky, *Tertium Organum, A Key to the Enigmas of the World* (Londres, Routledge and Kegan Paul, 1912).

13. *Mathematics in Art Discussed, Vancouver Sun* du 8 février 1940, p. 13.

14. Ouspensky, op. cit., Chapitre XI, pp. 110-121; nota p. 118.

15. J.W.G. Macdonald, *Art in Relation to Nature* (notes pour une conférence, v. 1935–40), pp. 8-9, collection de Marilyn Westlake Kuczer.

16. Ibid., p. 9.

17. Ibid., p. 7.

18. Ibid.

19. J.W.G. Macdonald, *Science and the Infinite* (Sydney Klein) (notes manuscrites), collection de Marilyn Westlake Kuczer.

20. Cité dans Ouspensky, op. cit., Chapitre XVI, pp. 158-177; nota p. 176.

21. J.W.G. Macdonald, *Science and the Infinite* (Sydney Klein), p. 5.

22. Ouspensky, op. cit., p. 177.

23. Ibid., *Table of the Four Forms of the Manifestation of Consciousness*, notes à la fin de l'ouvrage.

24. Ibid.

25. *Fourth Dimension Sight: How Man's Consciousness Develops, Vancouver Sun* du 1er avril 1935.

26. J.W.G. Macdonald, *Art in Relation to Nature*. Il semble que Macdonald donne cette conférence au moins trois fois. Il se peut qu'elle ait été donnée à l'ouverture de la *Canadian Abstract Exhibition*, organisée par Alexandra Luke au YWCA d'Oshawa en 1952.

27. Jay Hambidge, *Dynamic Symmetry: The Greek Vase* (New Haven, Yale University Press). Macdonald discute l'oeuvre de Hambidge dans *Art in Relation to Nature*, pp. 3-4.

28. J.W.G. Macdonald, *Art in Relation to Nature*, pp. 3-4.

29. Gerald Tyler, entrevue avec l'auteur, le 28 février 1978.

30. J.W.G. Macdonald, *Colour Notes III (C)*, collection de Marilyn Westlake Kuczer.

31. A. Ozenfant, *Art* (Jean Budry et Cie, Paris, 1929), pp. 269-270. Philip Surrey, dans une entrevue avec Charles Hill (le 14 septembre 1973, GNC), raconte que l'artiste a non seulement lu *The Studio* mais qu'il a également acheté la version anglaise d'*Art* vers 1933.

32. Ibid., p. 286.

33. J.W.G. Macdonald à Maxwell Bates, le 30 juillet 1956, Musée McCord, Montréal. La date de 1933 est donnée par erreur dans cette lettre. Dans ses dernières années, Macdonald se rappelle souvent incorrectement la date où s'est produit un événement donné ou à laquelle il a peint tel ou tel tableau, donnant généralement des dates antérieures aux dates réelles. C'est ainsi que *l'Huître*, tableau qui, sur le plan du style, ne saurait être antérieur à 1945 et a probablement été peint entre 1946 et 1948, a été daté de 1942 par Macdonald vers la fin de sa vie.

34. Bea Lennie, entrevue avec l'auteur, le 25 septembre 1978.

35. Charles Hill, *John Vanderpant, Photographs/Photographies* (Ottawa, GNC, 1976), p. 27.

Chapitre V

1. Gerald Tyler, entrevue avec l'auteur, le 28 février 1978.

2. J.W.G. Macdonald à Ann Hillier, le 10 août 1935, Galerie nationale du Canada, Ottawa.

3. J.W.G. Macdonald à H.O. McCurry, le 29 décembre 1936, GNC.

4. J.W.G. Macdonald à H.O. McCurry, le 23 octobre 1937, GNC.

5. Barbara Macdonald, entrevue avec l'auteur, le 6 février 1978.

6. J.W.G. Macdonald à H.O. McCurry, le 29 décembre 1936.

7. Barbara Macdonald, entre-

McCord Museum, Montreal. The date 1933 is recalled incorrectly in this letter. In later years, Macdonald was to confuse the dates of events and paintings, usually attributing works to early dates. For example, *The Oyster*, which stylistically cannot be earlier than 1945 and was most likely painted between 1946–48, was dated by Macdonald, at the end of his life, as 1942.

34. Bea Lennie: Interview with the author, 25 September 1978.

35. Charles C. Hill, *John Vanderpant Photographs* (Ottawa: NGC, 1976), p. 27.

Chapter V

1. Gerald Tyler: Interview with the author, 28 February 1978.

2. J.W.G. Macdonald to Ann Hillier, 10 August 1935, National Gallery of Canada, Ottawa.

3. J.W.G. Macdonald to H.O. McCurry, 29 December 1936, NGC.

4. J.W.G. Macdonald to H.O. McCurry, 23 October 1937, NGC.

5. Barbara Macdonald: Interview with the author, 6 February 1978.

6. J.W.G. Macdonald to H.O. McCurry, 29 December 1936.

7. Barbara Macdonald: Interview with the author, 31 July 1980.

8. J.W.G. Macdonald to Gerald Tyler, 23 May 1937, NGC; and Barbara Macdonald: Interview with the author, 31 July 1980.

9. Harry Täuber to Ann Hillier, 3 November 1935, NGC.

10. Barbara Macdonald to Judy Francis, 17 June 1969, Burnaby Art Gallery, B.C.

11. Täuber, op.cit.

12. J.W.G. Macdonald to H.O. McCurry, 29 December 1936, NGC.

13. Barbara Macdonald to Judy Francis, op.cit.

14. R. Ann Pollock and Dennis Reid, *Jock Macdonald* (Ottawa: National Gallery of Canada, 1969-70), p. 9. Cf. letter from Barbara Macdonald to Judy Francis, op.cit.

15. Gerald Tyler: Interview with the author, 28 February 1978.

16. This watercolour paint- ing is in a private collection in Vancouver.

17. This oil work is illustrated in J. Russell Harper, *Painting in Canada: A History* (Toronto: University of Toronto Press, 1966). Macdonald wrote Tyler on 23 May 1937, "I think I have something which will possibly renew your faith in me. It is my last canvas of 'Nootka Lighthouse.' . . . It has given me tremendous pleasure."

18. Barbara Macdonald: Interview with the author, 31 July 1980. Barbara Macdonald suggests this subject on the verso of *Departing Day* (1935) was Father Anthony's house, and notes that the painting is incomplete and not to the artist's satisfaction.

19. Emily Carr, *Indian Church* (1930), Art Gallery of Ontario.

20. Barbara Macdonald: Interview with the author, 6 February 1978. All these works were exhibited in *The 20th British Columbia Society of Fine Art Exhibition*, Vancouver Art Gallery, June 1936.

21. J.W.G. Macdonald to Gerald Tyler, 23 May 1937, NGC.

22. P.D. Ouspensky, *Tertium Organum* (London: Routledge and Kegan Paul, 1970), p. 129.

23. Maxwell Bates, "Jock Macdonald Painter-Explorer," *Canadian Art* XIV:4 (Summer 1957), p. 152.

24. J.W.G. Macdonald to H.O. McCurry, 26 March 1937, NGC.

25. Ibid.

vue avec l'auteur, le 31 juillet 1980.

8. J.W.G. Macdonald à Gerald Tyler, le 23 mai 1937, GNC; Barbara Macdonald, entrevue avec l'auteur, le 31 juillet 1980.

9. Harry Täuber à Ann Hillier, le 3 novembre 1935, GNC.

10. Barbara Macdonald à Judy Francis, le 17 juin 1969, *Burnaby Art Gallery*, C.-B.

11. Täuber, op. cit.

12. J.W.G. Macdonald à H.O. McCurry, le 29 décembre 1936, GNC.

13. Barbara Macdonald à Judy Francis, op. cit.

14. R. Ann Pollock et Dennis Reid, *Jock Macdonald* (Ottawa, Galerie nationale du Canada, 1969–70), p. 9. Voir lettre de Barbara Macdonald à Judy Francis, op. cit.

15. Gerald Tyler, entrevue avec l'auteur, le 28 février 1978.

16. Cette aquarelle fait partie d'une collection privée à Vancouver.

17. Cette oeuvre est reproduite dans J. Russell Harper, *La Peinture au Canada des origines à nos jours* (Québec, Les Presses de l'Université Laval, 1970). Macdonald écrit à Tyler le 23 mai 1937: "Je crois avoir quelque chose qui te redonnera confiance en moi. C'est mon dernier tableau du *Phare de Nootka* . . . Il m'a donné énormément de joie."

18. Barbara Macdonald, entrevue avec l'auteur, le 31 juillet 1980. Barbara Macdonald signale que le sujet du verso de *Tombée du jour* (1935) est la maison du père Anthony, que le tableau est inachevé et que le peintre n'en est pas satisfait.

19. Emily Carr, *Église indienne* (1930), Musée des beaux-arts de l'Ontario.

20. Barbara Macdonald, entrevue avec l'auteur, le 6 février 1978. Toutes ces oeuvres sont exposées à la *20th British Columbia Society of Fine Art Exhibition, Vancouver Art Gallery,* juin 1936.

21. J.W.G. Macdonald à Gerald Tyler, le 23 mai 1937, GNC.

22. P.D. Ouspensky, *Tertium Organum* (Londres, Routledge and Kegan Paul, 1970), p. 129.

23. Maxwell Bates, *Jock Macdonald Painter-Explorer, Canadian Art,* XIV:4 (été 1957), p. 152.

24. J.W.G. Macdonald à H.O. McCurry, le 26 mars 1937, GNC.

25. Ibid.

26. Annie Besant et C.W. Leadbeater, *Thought Forms* (Adyar, Madras, The Theosophical Publications, 1952), p. 31. Première édition en 1901.

27. John Vanderpant à H.O. McCurry, le 5 mars 1937, GNC.

28. J.W.G. Macdonald à H.O. McCurry, avril 1938, le 23 juillet 1938 et le 10 mai 1943, GNC.

29. Bates, op. cit., p. 152.

30. J.W.G. Macdonald, *Science and the Infinite* (Sydney Klein) (notes manuscrites), collection de Marilyn Westlake Kuczer.

31. Ibid.

32. Ibid.

33. Bea Lennie, entrevue avec l'auteur, le 25 février 1978. Mme Lennie se souvient qu'on discute avec grand intérêt des recherches scientifiques de l'heure, des rayons X, des rayons cosmiques et en particulier des théories d'Arthur Compton. Voir des articles de Compton comme: *The Constancy of Cosmic Rays* (R.D. Bennett avec J.C. Stearns et A.H. Compton), *Physical Review,* XXXVIII:8 (numéro du 15 octobre 1931). D'autres articles ont pour titre *Comparison of Cosmic Rays in the Alps and the Rockies* ou *The Secret Message of the Cosmic Ray.* On publie souvent des ouvrages de cette nature dans des journaux populaires du type *Scientific American* et *National Geographic.* La plupart de ces articles sont abondamment illustrés de photographies, comme l'est d'ailleurs l'ouvrage d'Ozenfant, *Art.*

34. Notes manuscrites au verso d'une photographie (dans un album de Macdonald, écrites vers 1960) du *Pacifique.* "Cette toile est

26. Annie Besant and C.W. Leadbeater, *Thought Forms* (Adyar, Madras: The Theosophical Publications, 1952), p. 31. Originally published 1901.

27. John Vanderpant to H.O. McCurry, 5 March 1937, NGC.

28. J.W.G. Macdonald to H.O. McCurry, April 1938, 23 July 1938, and 10 May 1943, NGC.

29. Bates, op.cit., p. 152.

30. J.W.G. Macdonald, "Science and the Infinite (Sydney Klein)" (handwritten notes), collection of Marilyn Westlake Kuczer.

31. Ibid.

32. Ibid.

33. Bea Lennie: Interview with the author, 25 February 1978. Lennie recalls great interest and discussion of current scientific investigations, X-rays, cosmic rays, and in particular the theories of Arthur Compton. Note articles by Compton such as: "The Constancy of Cosmic Rays" (R.D. Bennett with J.C. Stearns and A.H. Compton), *Physical Review* XXXVIII:8 (15, October 1931). Other articles bore titles such as "Comparison of Cosmic Rays in the Alps and the Rockies" and "The Secret Message of the Cosmic Ray." Works of this nature were often published in popular journals such as *Scientific American* and *The National Geographic*. Most were profusely illustrated with photographs similar to those in Ozenfant's *Foundations of Modern Art*.

34. Handwritten notes on back of photo (in Macdonald's album, written c. 1960) of *The Pacific Sea*. "This canvas done from oil sketch of 1935. I called my paintings 'Modalities' in 1935–39 period." In Macdonald's checklist of works sent to the Art Gallery of Toronto retrospective in May 1960, he titled this work *The Wave*. In the exhibition, it was titled *The Pacific Wave*. Dated 1940 in the retrospective, it is more likely the painting was actually completed in 1939.

35. J.W.G. Macdonald, "Symbolism in Decoration" (handwritten notes), collection of Marilyn Westlake Kuczer.

36. A. Ozenfant, *Foundations of Modern Art*, trans. John Rodker (New York: Dover, 1952), p. 284.

Chapter VI

1. J.W.G. Macdonald to A.Y. Jackson, 28 August 1936, National Gallery of Canada, Ottawa.

2. Ibid.

3. Barbara Macdonald to Judy Francis, 17 June 1969, Burnaby Art Gallery, B.C.

4. Nan Cheney: Interview with the author, 22 February 1978.

5. J.W.G. Macdonald to H.O. McCurry, 28 August 1936; A.Y. Jackson to H.O. McCurry, 30 September 1936; and H.O. McCurry to A.Y. Jackson, 3 and 19 October 1936, NGC.

6. J.W.G. Macdonald to H.O. McCurry, 29 December 1936, NGC.

7. J.W.G. Macdonald to H.O. McCurry, 26 March 1937, NGC.

8. J.W.G. Macdonald to John Varley, 19 January 1937, NGC.

9. Ibid.

10. Ibid.

11. Reproduced on the cover of the Vancouver Art Gallery *Bulletin* VI:1 (September 1938, illustrated). Cf. Jean-Paul Lemieux, *Lazare* (oil, 39 3/4" × 32 3/4", 1941), Art Gallery of Ontario. It is interesting to speculate whether Jean-Paul Lemieux saw this work reproduced on the *Bulletin* or on the cover of the *Canadian Forum*.

12. J.W.G. Macdonald to H.O. McCurry, 26 March 1937, NGC.

13. Ibid.

14. J.W.G. Macdonald to H.O. McCurry, 16 June 1938, NGC.

15. J.W.G. Macdonald to H.O. McCurry, 23 October 1937, NGC.

---

réalisée d'après une ébauche à l'huile de 1935. J'ai appelé mes tableaux "Modes" de 1935 à 1939." Dans la liste de titres que Macdonald fait parvenir à l'*Art Gallery of Toronto* pour sa rétrospective de mai 1960, il intitule cette oeuvre *la Vague*. À l'exposition, elle a pour titre *la Vague du Pacifique*. Ce tableau, daté de 1940 pour cette rétrospective, a probablement été terminé en 1939.

35. J.W.G. Macdonald, *Symbolism in Decoration* (notes manuscrites), collection de Marilyn Westlake Kuczer.

36. A. Ozenfant, *Art,* op. cit., p. 268.

Chapitre VI

1. J.W.G. Macdonald à A.Y. Jackson, le 28 août 1936, Galerie nationale du Canada, Ottawa.

2. Ibid.

3. Barbara Macdonald à Judy Francis, le 17 juin 1969, *Burnaby Art Gallery,* C.-B.

4. Nan Cheney, entrevue avec l'auteur, le 22 février 1978.

5. J.W.G. Macdonald à H.O. McCurry, le 28 août 1936; A.Y. Jackson à H.O. McCurry, 30 septembre 1936; H.O. McCurry à A.Y. Jackson, les 3 et 19 octobre 1936, GNC.

6. J.W.G. Macdonald à H.O. McCurry, le 29 décembre 1936, GNC.

7. J.W.G. Macdonald à H.O. McCurry, le 26 mars 1937, GNC.

8. J.W.G. Macdonald à John Varley, le 19 janvier 1937, GNC.

9. Ibid.

10. Ibid.

11. Reproduit en couverture du *Bulletin* de la *Vancouver Art Gallery,* VI:1 (septembre 1938, illustré). Comparer avec *Lazare* de Jean-Paul Lemieux (huile, 39 3/4 x 32 3/4 po, 1941), Musée des beaux-arts de l'Ontario. Il serait intéressant de savoir si Jean-Paul Lemieux avait vu une reproduction de l'oeuvre de Macdonald.

12. J.W.G. Macdonald à H.O. McCurry, le 26 mars 1937, GNC.

13. Ibid.

14. J.W.G. Macdonald à H.O. McCurry, le 16 juin 1938, GNC.

15. J.W.G. Macdonald à H.O. McCurry, le 23 octobre 1937, GNC.

16. Alex Millar, entrevue avec l'auteur en avril 1978. Millar raconte que Macdonald considère Cézanne à la fois comme un artiste et un théoricien, faisant particuliè-rement allusion à la structure des compositions de Cézanne.

17. J.W.G. Macdonald à H.O. McCurry, le 23 octobre 1937, GNC.

18. Ibid.

19. Ibid.

20. Ibid.

21. Ibid.

22. Ibid.

23. J.W.G. Macdonald à H.O. McCurry, le 16 juin 1938, GNC.

24. J.W.G. Macdonald à John Varley, le 30 mai 1938, GNC.

Chapitre VII

1. J.W.G. Macdonald à H.O. McCurry, le 10 mai 1943, Galerie nationale du Canada, Ottawa.

2. J.W.G. Macdonald à John Varley, le 19 janvier 1937, GNC. "Je ne parle à personne de mes travaux expérimentaux pour le moment."

3. J.W.G. Macdonald à John Varley, le 8 décembre 1936, GNC.

4. Ibid.

5. J.W.G. Macdonald à John Varley, le 19 janvier 1937, GNC.

6. Emily Carr à J.W.G. Macdonald, le 18 octobre 1938, en possession de l'auteur.

7. J.W.G. Macdonald à H.O. McCurry, le 24 octobre 1936, GNC. La lettre d'Emily Carr à J.W.G. Macdonald, op. cit., mentionne l'achat par Macdonald, à cette époque, du tableau *Young Pines in Light* de Carr.

8. Emily Carr à J.W.G. Macdonald, novembre 1938, en possession de l'auteur. Sur ces oeuvres abstraites de 1938 de Harris, Macdonald écrit à H.O. McCurry le 16 juin

16. Alex Millar: Interview with the author, April 1978. Millar recalls that Macdonald considered Cézanne as both theorist and artist, referring specifically to the way in which Cézanne structured his compositions.

17. J.W.G. Macdonald to H.O. McCurry, 23 October 1937, NGC.

18. Ibid.

19. Ibid.

20. Ibid.

21. Ibid.

22. Ibid.

23. J.W.G Macdonald to H.O. McCurry, 16 June 1938, NGC.

24. J.W.G. Macdonald to John Varley, 30 May 1938, NGC.

Chapter VII

1. J.W.G. Macdonald to H.O. McCurry, 10 May 1943, National Gallery of Canada, Ottawa.

2. J.W.G. Macdonald to John Varley, 19 January 1937, NGC. "I am keeping my own thoughts on experimental work entirely to myself at present."

3. J.W.G. Macdonald to John Varley, 8 December 1936, NGC.

4. Ibid.

5. J.W.G. Macdonald to John Varley, 19 January 1937, NGC.

6. Emily Carr to J.W.G. Macdonald, 18 October 1938, possession of the author.

7. J.W.G. Macdonald to H.O. McCurry, 24 October 1936, NGC. Emily Carr to J.W.G. Macdonald, op.cit. refers to fact that Macdonald purchased her *Young Pines in Light* at this time.

8. Emily Carr to J.W.G. Macdonald, November 1938, possession of the author. Of those Harris 1938 abstractions, Macdonald wrote to H.O. McCurry, 16 June 1938: "I would wish to see Lawren Harris represented in the completeness of his expression today as I feel that his abstractions must hold a significant meaning in creative thought."

9. J.W.G. Macdonald to H.O. McCurry, 22 July 1938, NGC.

10. J.W.G. Macdonald to H.O. McCurry, 16 June 1938, NGC. "I exhibited four of my 'thought-expressions,' at our gallery in April," but J.W.G. Macdonald to John Varley, 30 May 1938, writes, of the same works, "My modalities are stuck in the Gallery."

11. Barbara Macdonald: Interview with the author, 31 July 1980. Barbara Macdonald suggests this term was proposed by Sydney Smith; Bea Lennie recalls a group meeting when the use of the word was struck upon after consulting a dictionary to confirm the definition.

12. A. Ozenfant, *Foundations of Modern Art*, trans. John Rodker (New York: Dover, 1952), p. 266.

13. J.W.G. Macdonald to H.O. McCurry, 10 May 1943, NGC. Cf. Ouspensky, *Tertium Organum*, pp. 39-40. "The fourth dimension is bound up with ideas of time and motion. But we shall not be able to understand the fourth dimension unless we shall understand the fifth dimension. . . . Kant imagines time as a line extending from the infinite future into the infinite past . . . extension in time is extension into unknown space and therefore time is the fourth dimension of space."

14. J.W.G. Macdonald to H.O. McCurry, 16 June 1938, NGC.

15. J.W.G. Macdonald to H.O. McCurry, 24 October 1938, NGC. See also J.W.G. Macdonald to H.O. McCurry, 29 April 1938, NGC: "I am not selling [my modalities] yet . . . until I have sufficient for one-man show . . . probably in three years time."

1938: "J'aimerais voir un Lawren Harris déjà en pleine possession de son expression vu que, selon moi, ses oeuvres abstraites doivent avoir un sens profond en pensée créatrice."

9. J.W.G. Macdonald à H.O. McCurry, le 22 juillet 1938, GNC.

10. J.W.G. Macdonald à H.O. McCurry, le 16 juin 1938, GNC. "J'ai exposé quatre des mes "expressions de pensée" à notre galerie en avril". Mais le 30 mai 1938, J.W.G. Macdonald écrit à John Varley à propos des mêmes oeuvres: "Mes modes ne sortiront jamais de la Galerie."

11. Barbara Macdonald, entrevue avec l'auteur, le 31 juillet 1980. Barbara Macdonald prétend que le terme est suggéré par Sydney Smith; Bea Lennie se souvient d'une réunion où on décide d'utiliser le mot après en avoir vérifié le sens dans un dictionnaire.

12. A. Ozenfant, *Art*, op. cit. p. 252.

13. J.W.G. Macdonald à H.O. McCurry, le 10 mai 1943, GNC. Voir Ouspensky, *Tertium Organum*, pp. 39-40. "La quatrième dimension comporte les idées de temps et de mouvement. Mais on ne saurait comprendre la quatrième dimension sans comprendre la cinquième dimension . . . Kant se représente le temps comme une ligne allant de l'infini du futur à l'infini du passé . . . l'extension dans le temps est une extension dans un espace infini, ce qui veut dire que le temps est la quatrième dimension de l'espace."

14. J.W.G. Macdonald à H.O. McCurry, le 16 juin 1938, GNC.

15. J.W.G. Macdonald à H.O. McCurry, le 24 octobre 1938, GNC. Voir aussi J.W.G. Macdonald à H.O. McCurry, le 29 avril 1938, GNC: "Je ne vends pas encore mes modes, j'attends d'en avoir assez pour une exposition solo . . . probablement dans trois ans."

16. J.W.G. Macdonald, *Symbolism in Decoration* (notes manuscrites pour une conférence), collection de Marilyn Westlake Kuczer.

17. Ibid.

18. J.W.G. Macdonald à H.O. McCurry, le 16 juin 1938, GNC. Voir aussi note 8.

19. *Transcendental Painting Group* (brochure, s.d.). Les membres dont le nom est donné sont Raymond Jonson (président), Bill Lumpkins (secrétaire-trésorier) et Lawren Harris de Santa Fe, Emil Bisttram, Robert Gribbrock, Florence Miller et H. Towner Pierle de Taos, Agnes Pelton de Cathedral City, Californie, et Stuart Walker d'Alburquerque, Nouveau-Mexique.

20. L'auteur n'a vu de la troisième peinture qu'une diapositive 35 mm.

21. Wassily Kandinsky, *Reminiscences, Modern Artists on Art*, Robert Herbert, ed. (Englewood Cliffs, N.J., Prentice Hall, 1964), p. 26.

22. John Schofield (architecte) à J.W.G. Macdonald, le 19 décembre 1938, GNC.

23. J.W.G. Macdonald à Nan Cheney, le 25 mars 1939, GNC.

24. J.W.G. Macdonald à H.O. McCurry, le 29 mai 1939, GNC.

25. Jack Shadbolt, entrevue avec l'auteur en février 1978.

26. Robert Ayre, *Murals in Our Public Buildings, Saturday Night* du 25 mai 1940, p. 2.

27. J.W.G. Macdonald à Maxwell Bates, le 2 janvier 1957, Musée McCord, Montréal.

28. Ruth Woodcock à l'auteur, printemps 1978.

29. *Contemporary Art*, catalogue de la *Golden Gate International Exposition* (San Francisco, 1939). *Enterrement indien* est exposé dans la section canadienne et porte le numéro 18.

30. J.W.G. Macdonald à John Varley, le 9 septembre 1939, GNC.

31. Ibid.

32. Ibid.

16. J.W.G. Macdonald, "Symbolism in Decoration" (handwritten lecture notes), collection of Marilyn Westlake Kuczer.

17. Ibid.

18. J.W.G. Macdonald to H.O. McCurry, 16 June 1938, NGC. See also footnote 8.

19. *Transcendental Painting Group* (pamphlet, n.d.). Members listed include Raymond Jonson (chairman), Bill Lumpkins (secretary-treasurer), and Lawren Harris from Sante Fe, Emil Bisttram, Robert Gribbrock, Florence Miller, and H. Towner Pierle from Taos, Agnes Pelton from Cathedral City, California, and Stuart Walker from Albuquerque, New Mexico.

20. The third painting is known to this author only from a 35 mm slide reproduction.

21. Wassily Kandinsky, "Reminiscences," *Modern Artists on Art*, editor Robert Herbert (Englewood Cliffs, N.J.: Prentice Hall, 1964), p. 26.

22. John Schofield (architect) to J.W.G. Macdonald, 19 December 1938, NGC.

23. J.W.G. Macdonald to Nan Cheney, 25 March 1939, NGC.

24. J.W.G. Macdonald to H.O. McCurry, 29 May 1939, NGC.

25. Jack Shadbolt: Interview with the author, February 1978.

26. Robert Ayre, "Murals in Our Public Buildings," *Saturday Night*, 25 May 1940, p. 2.

27. J.W.G. Macdonald to Maxwell Bates, 2 January 1957, McCord Museum, Montreal.

28. Ruth Woodcock to the author, Spring 1978.

29. *Contemporary Art*, Catalogue of Golden Gate International Exposition (San Francisco, 1939). *Indian Burial* was exhibited in the Canadian Section as No. 18.

30. J.W.G. Macdonald to John Varley, 9 September 1939, NGC.

31. Ibid.

32. Ibid.

Chapter VIII

1. J.W.G. Macdonald to John Varley 9 September 1939, National Gallery of Canada, Ottawa.

2. J.W.G. Macdonald to H.O. McCurry, 2 December 1939, NGC.

3. Emily Carr to J.W.G. Macdonald, 23 May 1940, in possession of the author.

4. H.O. McCurry to J.W.G. Macdonald, 23 January 1940, NGC; and J.W.G. Macdonald to H.O. McCurry, 30 July 1940, NGC.

5. J.W.G. Macdonald to H.O. McCurry, 2 December 1939.

6. J.W.G. Macdonald to H.O. McCurry, 30 July 1940.

7. Ibid.

8. Ibid.

9. "Mathematics in Art Discussed," *Vancouver Sun*, 8 February 1940, p. 13.

10. The other artists were Miller Brittain, Adrien Hébert, and Bernard Middle-ton. Toronto, Art Gallery of Toronto, April 1941, *Four Canadian Painters: Middleton, Macdonald, Hébert and Brittain*. Eighteen works by Macdonald exhibited.

11. Mural (Hotel Vancouver); *Drying Herring Roe* (purchased by IBM in 1941); *Indian Burial* (Vancouver Art Gallery).

12. Vancouver Art Gallery, 6–18 May 1941, *J.W.G. Macdonald*, no catalogue. about 40 words exhibited – landscapes and modalities.

13. Palette [J. Delisle Parker], "British Columbia Landscapes and Scenes," *Vancouver Province*, 15 May 1941, from *Indian Life on Display*.

14. Ibid.

15. J.W.G. Macdonald to H.O. McCurry, 2 December 1939, NGC. See also J.W.G.

Chapitre VIII

1. J.W.G. Macdonald à John Varley, le 9 septembre 1939, Galerie nationale du Canada, Ottawa.

2. J.W.G. Macdonald à H.O. McCurry, le 2 décembre 1939, GNC.

3. Emily Carr à J.W.G. Macdonald, le 23 mai 1940, appartient à l'auteur.

4. H.O. McCurry à J.W.G. Macdonald, le 23 janvier 1940, GNC; J.W.G. Macdonald à H.O. McCurry, le 30 juillet 1940, GNC.

5. J.W.G. Macdonald à H.O. McCurry, le 2 décembre 1939.

6. J.W.G. Macdonald à H.O. McCurry, le 30 juillet 1940.

7. Ibid.

8. Ibid.

9. *Mathematics in Art Discussed*, *Vancouver Sun* du 8 février 1940, p. 13.

10. Les autres artistes sont Miller Brittain, Adrien Hébert et Bernard Middleton. Toronto, *Art Gallery of Toronto*, avril 1941, *Four Canadian Painters: Middleton, Macdonald, Hébert and Brittain*. Dix-huit oeuvres de Macdonald sont exposées.

11. Peinture murale (Hôtel Vancouver); *Séchage des oeufs de hareng* (acheté par IBM en 1941); *Enterrement indien* (*Vancouver Art Gallery*).

12. *Vancouver Art Gallery*, du 6 au 18 mai 1941, *J.W.G. Macdonald*, sans catalogue. Une quarantaine d'oeuvres, des paysages et des modes, sont exposées.

13. Palette (J. Delisle Parker), *British Columbia Landscapes and Scenes, Vancouver Province* du 15 mai 1941, tiré de *Indian Life on Display*.

14. Ibid.

15. J.W.G. Macdonald à H.O. McCurry, le 2 décembre 1939, GNC. Voir aussi J.W.G. Macdonald à John Varley, le 26 mars 1937, GNC: "Dans mes nouvelles expériences, je dois vivre avec la nature et être sans cesse en contact avec ses forces vitales."

16. Voir Chapitre VII, note 20, pour une description du mouvement transcendantal.

17. J.W.G. Macdonald, *The Development of Painting in the West, Journal of Royal Architectural Institute of Canada*, série n° 269, 25:1 (janvier 1948), p. 21.

18. J.W.G. Macdonald à H.O. McCurry, le 8 juin 1941, GNC.

19. Jack Shadbolt, entrevue avec l'auteur, le 21 février 1978.

20. Cité dans Jeremy Adamson, *Lawren S. Harris, Urban Scenes and Wilderness Landscapes 1906-1930* (Toronto, *Art Gallery of Toronto*, 1978), p. 186.

21. Ibid., p. 142.

22. J.W.G. Macdonald à Eric Brown, le 7 septembre 1938, GNC.

23. J.W.G. Macdonald à H.O. McCurry, le 7 septembre 1938, GNC.

24. J.W.G. Macdonald à H.O. McCurry, le 1er novembre 1943, GNC.

25. Ibid.

26. Ibid.

27. Ibid.

28. J.W.G. Macdonald à H.O. McCurry, le 10 mai 1943, GNC.

29. H.O. McCurry à J.W.G. Macdonald, le 17 mai 1943, GNC.

30. J.W.G. Macdonald à H.O. McCurry, le 30 juillet 1940, GNC.

31. Ibid.

32. M.V. Thornton, *Fine Showing by BC Man At Art Gallery, Vancouver Sun* du 28 novembre 1944: "une (vue) vigoureuse et colorée de l'arrière-pays de la Colombie-Britannique... L'artiste semble avoir laissé de côté ses couleurs sombres pour se lancer dans un éclatement de couleur."

33. Ibid.

34. J.W.G. Macdonald à H.O. McCurry, le 10 mai 1943.

Chapitre IX

1. Montréal, Théâtre de l'Ermitage, du 25 avril au 2 mai: "Peintures Surréalistes". Quarante-cinq gouaches sont exposées.

2. Michel Remy, *Surrealism in England* (Nancy, France, Group Edition Marges, 1978). Grace Pailthorpe

255

Macdonald to John Varley, 26 March 1937, NGC: "In my new experiments I have to live with nature and be in constant touch with its life forces."

16. See Chapter VII, footnote 20 for description of transcendental movement.

17. J.W.G. Macdonald, "The Development of Painting in the West: Observations on a Decade 1938–48," *Royal Architectural Institute of Canada* 25:1, p. 20.

18. J.W.G. Macdonald to H.O. McCurry, 8 June 1941, NGC.

19. Jack Shadbolt: Interview with the author, 21 February 1978.

20. Quoted in Jeremy Adamson, *Lawren S. Harris, Urban Scenes and Wilderness Landscapes 1906–1930* (Toronto:

Art Gallery of Ontario, 1978), p. 186.

21. Ibid., p. 142.

22. J.W.G. Macdonald to Eric Brown, 7 September 1938, NGC.

23. J.W.G. Macdonald to H.O. McCurry, 7 September 1938, NGC.

24. J.W.G. Macdonald to H.O. McCurry, 1 November 1943, NGC.

25. Ibid.

26. Ibid.

27. Ibid.

28. J.W.G. Macdonald to H.O. McCurry, 10 May 1943, NGC.

29. H.O. McCurry to J.W.G. Macdonald, 17 May 1943, NGC.

30. J.W.G. Macdonald to H.O. McCurry, 30 July 1940, NGC.

31. Ibid.

32. M.V. Thornton, "Fine Showing by BC Man At Art Gallery," *Vancouver Sun*, 28 November 1944: "a vigorous and colourful [view] of British Columbia's hinterland. . . . The artist seems to have departed from his former sombre colouring to break into a visible riot of colour."

33. Ibid.

34. J.W.G. Macdonald to H.O. McCurry, 10 May 1943.

Chapter IX

1. Montreal, Théâtre de l'Ermitage, 25 April to 2 May. "Peintures Surréalistes." Forty-five gouaches were exhibited.

2. Michel Remy, *Surrealism in England* (Nancy, France:

Group Edition Marges, 1978). Grace Pailthorpe (1883–1971) was a member of British Surrealists from 1936–41. Numerous dates from 1882 to 1890 have been assigned as her birthdate. See also E.L.T. Mesens, "Living Art in England," *London Bulletin*, 8-9, (January, 1939).

3. Barbara Macdonald to Margaret McLaughlin, 5 November 1954, Robert McLaughlin Gallery, Oshawa. "She is the person who . . . initiated Jock into automatic painting."

4. Grace W. Pailthorpe, *What We Put In Prison* (London: Williams and Norgates, 1932). Preface by M. Hamblin Smith, pp. 9-14, discusses Pailthorpe's theories and their roots in Freudian analysis.

5. Michel Remy, op.cit.; and Conroy Maddox: Interview with author, 28 February 1979. Painter and writer, Maddox joined the British surrealists group in 1939 and took part in all its activities.

6. Werner von Alvensleben, "Automatic Art," *London Bulletin* 13 (April 1939), pp. 22-24. This article attacked Pailthorpe's theories. She responded in *London Bulletin* 17 (June 1939), pp. 22-23. The *London Bulletin* was the most important vehicle for the British surrealists. In same issue as Alvensleben's article is a letter (p. 21) to the American representative of the magazine from Parker Tyler dated N.Y. City, February 25, 1939, lamenting the drawing of an equivalency between surrealism and psychoanalysis.

(1883-1971) fait partie des surréalistes britanniques de 1936 à 1941. On spécule sur sa date de naissance, qui varie de 1882 à 1890. Voir aussi E.L.T. Mesens, *Living Art in England, London Bulletin*, 8-9 (janvier 1939).

3. Barbara Macdonald à Margaret McLaughlin, le 5 novembre 1954, *Robert McLaughlin Gallery*, Oshawa. "C'est elle qui a . . . initié Jock à la peinture automatique."

4. Grace Pailthorpe, *What We Put In Prison* (Londres, Williams and Norgates, 1932). Préface de M. Hamblin Smith, pp. 9-14, où celui-ci discute les théories de Pailthorpe et leur source dans l'analyse freudienne.

5. Michel Remy, op. cit.; Conroy Maddox, entrevue avec l'auteur, le 28 février 1979. Peintre et écrivain, Maddox se joint au groupe

des surréalistes britanniques en 1939 et participe à toutes les activités de celui-ci.

6. Werner von Alvensleben, *Automatic Art, London Bulletin*, 13 (avril 1939), pp. 22-24. Cet article s'en prend aux théories de Pailthorpe. Celle-ci répond dans le *London Bulletin*, 17 (juin 1939), pp. 22-23. Le *London Bulletin* était le principal organe des surréalistes britanniques. Dans le même numéro où l'on publie l'article d'Alvensleben, on retrouve une lettre (p. 21) adressée au représentant américain du magazine par Parker Tyler, datée à New York du 25 février 1939, dans laquelle Parker regrette qu'on établisse des correspondances entre le surréalisme et la psychanalyse.

7. Conroy Maddox, op. cit.

8. Une critique de cette exposition paraît dans le

London Bulletin, 13 (avril 1939), p. 23.

9. Voir *The Spotted Oozle* (1942), huile sur toile, et *Midnight Flight* (le 26 juillet 1939), huile sur carton entoilé. Dans chaque cas, les images semblent avoir été conçues selon la technique automatique dans un autre médium puis transposées sur toile. Le traitement de la peinture est contenu et mécanique.

10. Conroy Maddox, op. cit.

11. *Vancouver Sun* du 13 avril 1944.

12. Ibid.

13. G. Pailthorpe, *The Scientific Aspects of Surrealism, London Bulletin*, 7 (décembre 1938-janvier 1939), pp. 10-16.

14. Ibid., p. 10.

15. André Breton, *Manifestes du surréalisme* (Paris, Gallimard, 1963), p. 37.

16. Pailthorpe, op. cit., pp. 11-12.

17. Ibid., p. 15.

18. Ibid.

19. *Vancouver Sun*, op. cit.

20. Voir *Crowd Braves Rain to Hear Surrealist, Vancouver Sun*, avril 1944. Voir aussi Herbert Read, *Education Through Art* (Londres, Faber & Faber, 1943). Dans Herbert Read, *Surrealism* (Londres, Faber & Faber, 1936), Pailthorpe est représentée par le dessin *Ancestors II* (illustration n°72).

21. J.W.G. Macdonald à Margaret McLaughlin, le 19 décembre 1954, *Robert McLaughlin Gallery*.

22. Ibid.

23. Gerald Tyler, entrevue avec l'auteur, le 2 février 1978. (Tyler essaie également la peinture automatique sous les conseils de Pailthorpe.)

24. Ibid.

25. André Breton, op. cit., pp. 42 et 43.

26. J.W.G. Macdonald à Russell Harper, le 20 janvier 1952, Musée des beaux-arts de l'Ontario, Toronto.

27. J.W.G. Macdonald à Maxwell Bates, le 30 juillet 1956, Galerie nationale du Canada, Ottawa.

28. Maxwell Bates, *Jock Macdonald Painter-Explorer, Canadian Art*, XIV:4 (été 1957), pp. 151-153.

29. J.W.G. Macdonald à H.O. McCurry, le 10 mai 1943, GNC.

30. Lilias Farley et Faith Steadler, entrevue, le 26 février 1969, citée dans C.M. Nicholson et R.J. Francis, *J.W.G. Macdonald: The Western Years* (manuscrit inédit soumis à la GNC en 1969), p. 19.

7. Conroy Maddox, op.cit.

8. A review of this exhibition appeared in the *London Bulletin* 13 (April 1939), p. 23.

9. See *The Spotted Oozle* (1942) oil on canvas, and *Midnight Flight* (26 July 1939), oil on canvas board. In each instance the figures appeared to have been automatically conceived in another medium and then transposed to canvas. The handling of paint is controlled and mechanical.

10. Conroy Maddox, op.cit.

11. *Vancouver Sun*, 13 April 1944.

12. Ibid.

13. G. Pailthorpe, "The Scientific Aspects of Surrealism," *London Bulletin* 7 (December 1938 –January 1939), pp. 10-16.

14. Ibid., p. 10.

15. Ibid.

16. Ibid., pp. 11 – 12.

17. Ibid., p. 15.

18. Ibid.

19. *Vancouver Sun*, op.cit.

20. See "Crowd Braves Rain to Hear Surrealist," *Vancouver Sun*, April 1944. Cf. Herbert Read, *Education Through Art* (London: Faber & Faber, 1943). In Herbert Read, *Surrealism* (London: Faber & Faber, 1936), Pailthorpe is represented by the drawing, *Ancestors II* (illustration #72).

21. J.W.G. Macdonald to Margaret McLaughlin, 19 December 1954, Robert McLaughlin Gallery.

22. Ibid.

23. Gerald Tyler: Interview with author, 2 February 1978. (Tyler also tried automatic painting under Pailthorpe's guidance.)

24. Ibid.

25. André Breton, *What Is Surrealism?* 1934. Reproduced in Herschel Chipp, *Theories of Modern Art* (Berkeley and Los Angeles: University of California Press, 1968), p. 413.

26. J.W.G. Macdonald to Russell Harper, 20 January 1952, Art Gallery of Ontario, Toronto.

27. J.W.G. Macdonald to Maxwell Bates, 30 July 1956, National Gallery of Canada, Ottawa.

28. Maxwell Bates, "Jock Macdonald Painter-Explorer," *Canadian Art* XIV:4 (Summer 1957), pp. 151-53.

29. J.W.G. Macdonald to H.O. McCurry, 10 May 1943, NGC.

30. Lilias Farley and Faith Staedler: Interview, 26 February 1969, quoted in C.M. Nicholson and R.J. Francis, "J.W.G. Macdonald: The Western Years" (Unpublished manuscript submitted to NGC, 1969), p. 19.

31. "B.C. Society Show Excels that of 1945," *Vancouver Daily Province*, 4 June 1946.

32. Vancouver Art Gallery, 1-18 September 1946, *J.W.G. Macdonald*, no catalogue. One-man show of automatic watercolours.

33. Jennifer C. Watson, *Alexandra Luke: A Tribute* (Oshawa, Robert McLaughlin Gallery, 1977).

34. *Permanent Collection. Robert McLaughlin Gallery* (Oshawa. 1978), p. 64. See *Untitled* c. 1948 –50.

35. Quoted in Ann Payne, "Jim and Marion Nicoll," *Art West* VI (1977), p. 14.

36. Ibid.

37. J.W.G. Macdonald to M. Nicoll, 3 October 1946, NGC.

38. J.W.G. Macdonald to H.O. McCurry, 7 September 1946, NGC.

39. J.W.G. Macdonald to Nan Cheney, 27 June 1947, NGC.

40. San Francisco Museum of Art, San Francisco, California. Checklist: "Paintings by J.W.G. Macdonald," August 5 –31, 1947, provided by the museum; titles but not dates of paintings. (The museum is now the San Francisco Museum of Modern Art.)

---

31. *B.C. Society Show Excels that of 1945, Vancouver Daily Province* du 4 juin 1946.

32. *Vancouver Art Gallery*, du 1er au 18 septembre 1946. *J.W.G. Macdonald*, sans catalogue. Exposition solo d'aquarelles automatiques.

33. Jennifer C. Watson, *Alexandra Luke: A Tribute* (Oshawa, *Robert McLaughlin Gallery*, 1977).

34. *Permanent Collection, Robert McLaughlin Gallery* (Oshawa, 1978), p. 64. Voir *Sans titre*, v. 1948-50.

35. Cité dans Ann Payne, *Jim and Marion Nicoll, Art West*, VI (1977), p. 14.

36. Ibid.

37. J.W.G. Macdonald à M. Nicoll, le 3 octobre 1946, GNC.

38. J.W.G. Macdonald à H.O. McCurry, le 7 septembre 1946, GNC.

39. J.W.G. Macdonald à Nan Cheney, le 27 juin 1947, GNC.

40. *San Francisco Museum of Art*, San Francisco, Californie. Liste: *Paintings by J.W.G. Macdonald*, du 5 au 31 août 1947, fournie par le musée; titres, mais sans les dates des tableaux. (Ce musée est devenu le *San Francisco Museum of Modern Art.*)

41. Spencer Barefoot, *Around Art Galleries, San Francisco Chronicle*, le 1er septembre 1947.

42. Pailthorpe, comme plusieurs psychologues, croit que l'inconscient organise son désordre naturel grâce à l'imposition du mandala. Conroy Maddox, entrevue avec l'auteur, le 28 février 1979.

43. Frank Palmer à l'auteur, 12 février 1978. Il se rappelle que les artistes préférés de Macdonald sont Kandinsky et Mondrian. Grace Morley envoie à l'artiste un texte de Mondrian en 1946.

44. I.V. MacIntosh, entrevue avec l'auteur, le 3 juin 1979.

45. J.W.G. Macdonald à Maxwell Bates, le 19 septembre 1959, Musée McCord, Montréal.

46. I.V. MacIntosh, op. cit.

47. J.W.G. Macdonald à Nan Cheney, le 27 juin 1947, GNC.

48. J.W.G. Macdonald à Nan et Hill Cheney, le 3 novembre 1946, GNC.

49. J.W.G. Macdonald à Nan Cheney, le 27 juin 1947.

50. J.W.G. Macdonald, *The Development of Painting in the West: Observations on a Decade 1938-48, Royal Architectural Institute of Canada*, 25:1, p. 20.

51. J.W.G. Macdonald à H.O. McCurry, le 26 avril 1947, GNC; à McCurry, le 3 mars 1948, GNC; à Marion Nicoll, le 18 septembre 1948, Musée McCord; à M. Nicoll, le 21 octobre 1948, Musée McCord. Voir également J.W.G. Macdonald, *Heralding a New Group, Canadian Art*, V:1 (automne 1947), pp. 35-36.

52. J.W.G. Macdonald à Nan Cheney, le 27 juin 1947.

53. Ibid.

54. Barbara Macdonald, entrevue avec l'auteur, le 6 juin 1978.

55. Colin Graham, entrevue avec l'auteur, le 1er mars 1978.

56. Alex Millar, entrevue avec l'auteur, juin 1978. Millar se rappelle la présence de cette oeuvre, qui est découverte en possession de Macdonald après son décès. Il est intéressant de noter que Kandinsky a représenté une source importante d'inspiration pour Macdonald depuis que celui-ci a commencé à peindre. Les élèves de Macdonald à Vancouver et à Calgary se souviennent des reproductions d'oeuvres de Kandinsky ornant les salles de classe de Macdonald. Macdonald lui-même se réfère aux théories chromatiques de Kandinsky dans ses notes de cours de 1930.

57. J.W.G. Macdonald, *Reflections of a trip to the Canadian International Seminar at Breda, Holland, Highlights* (journal de l'*Alberta Society of Artists*, Calgary, 1950), 4:2, p. 6.

58. Ibid.

59. Marion Nicoll, entrevue avec l'auteur, le 24 mars 1980.

60. Le titre de *Métamorphose* apparaît sur une photogra-

41. Spencer Barefoot, "Around Art Galleries," *San Francisco Chronicle*, 1 September 1947.

42. Pailthorpe, like many psychologists, espoused the belief that the unconscious would organize its naturally chaotic state through the imposition of the Mandala. Conroy Maddox: Interview with the author, 28 February 1979.

43. Frank Palmer to the author, 12 February 1978. Frank Palmer recalls that Macdonald was concerned with the "creating of 'meaningful order' in painting, largely due to Bauhaus influence although he was not bound by Bauhaus structure."

44. I.V. MacIntosh: Interview with the author, 3 June 1979.

45. J.W.G. Macdonald to Maxwell Bates, 19 September 1959, McCord Museum, Montreal.

46. I.V. MacIntosh, op.cit.

47. J.W.G. Macdonald to Nan Cheney, 27 June 1947, NGC.

48. J.W.G. Macdonald to Nan and Hill Cheney, 3 November 1946, NGC.

49. J.W.G. Macdonald to Nan Cheney, 27 June 1947.

50. J.W.G. Macdonald, "The Development of Painting in the West: Observations on a Decade 1938 –48," *Royal Architectural Institute of Canada* 25:1, p. 20.

51. J.W.G. Macdonald to H.O. McCurry, 26 April 1947, NGC; to McCurry 3 March 1948, NGC; to Marion Nicoll, 18 September 1948, McCord Museum; to M. Nicoll, 21 October 1948, McCord Museum. See also J.W.G. Macdonald, "Heralding a New Group," *Canadian Art* V:1 (Autumn 1947), pp. 35-36.

52. J.W.G. Macdonald to Nan Cheney, 27 June 1947.

53. Ibid.

54. Barbara Macdonald: Interview with author, 6 June 1978.

55. Colin Graham: Interview with author, 1 March 1978.

56. Alex Millar: Interview with the author, June 1978. Millar recalled the presence of this work, which was found in Macdonald's possessions at his death. It is interesting to note that Kandinsky had been a vital source for Macdonald's work since he began painting. Students in Vancouver and Calgary recall reproductions of Kandinsky's work in Macdonald's classrooms, and Macdonald himself referred to Kandinsky's colour theories in his 1930 teaching notes.

57. J.W.G. Macdonald, "Reflections on a trip to the Canadian International Seminar at Breda, Holland," *Highlights* (paper of the Alberta Society of Artists, Calgary, 1950) 4:2, p. 6.

58. Ibid.

59. Marion Nicoll: Interview with author, 24 March 1980.

60. The title *Metamorphosis* appears on a photo of this work in the artist's hand.

61. Margaret McLaughlin, "Notes from Jock Macdonald" (undated notebooks), Robert McLaughlin Gallery.

62. These resist techniques were used throughout the late forties and fifties by Macdonald.

63. Victoria Art Centre, July 1952, *Jock Macdonald*, no catalogue. About 30 works exhibited.

64. Review (special reviewer), "Macdonald's Art Easy To Live With," *The Daily Colonist*, Victoria, B.C., 20 July 1952.

Chapter X

1. J. Plaskett, "Some New Canadian Painters and Their Debt to Hans Hofmann," *Canadian Art* X:2 (Winter 1953), pp. 59-60. See also Roger Lee, "The Theories of Hans Hofmann and Their Influence on His West Coast

---

phie de Macdonald tenant cette oeuvre.

61. Margaret McLaughlin, *Notes from Jock Macdonald* (cahiers sans date), *Robert McLaughlin Gallery*.

62. Macdonald utilise ces techniques de fixage à la cire à la fin des années 40 et pendant les années 50.

63. *Victoria Art Centre*, juillet 1952, *Jock Macdonald*, sans catalogue. Une trentaine d'oeuvres sont exposées.

64. Compte rendu (critique spécial), *Macdonald's Art Easy To Live With, The Daily Colonist*, Victoria, C.-B., numéro du 20 juillet 1952.

Chapitre X

1. J. Plaskett, *Some New Canadian Painters and Their Debt to Hans Hofmann, Canadian Art*, X:2 (hiver 1953), pp. 59-60. Voir aussi Roger Lee, *The Theories of Hans Hofmann and Their Influence on His West Coast Canadian Students* (thèse présentée dans le cadre de ses travaux préparatoires à une maîtrise au département des beaux-arts, Université de la Colombie-Britannique, avril 1966).

2. Notes de Margaret McLaughlin, *Robert McLaughlin Gallery*.

3. J.W.G. Macdonald à M. Nicoll, le 21 octobre 1948, Musée McCord, Montréal.

4. Notes de Margaret McLaughlin, op. cit.

5. J.W.G. Macdonald à M. Bates, le 28 août 1959, Musée McCord. Macdonald se réfère très certainement à une seule de ses visites à Provincetown.

6. Communiqué de la *Here and Now Gallery* avec les corrections de Macdonald, du 8 janvier au 1er février 1960, en possession de M. et Mme S. Ajzenstat.

7. J.W.G. Macdonald, *Art in Relation to Nature*, pp. 5-6.

8. Questionnaire *Who's Who in American Art* reçu le 13 septembre 1946, Galerie nationale du Canada, Ottawa.

9. J.W.G. Macdonald à Nicoll, op. cit. Voir magazine *Life* du 4 octobre 1948, pp. 56-79.

10. J.W.G. Macdonald à Margaret McLaughlin, le 17 juillet 1949, *Robert McLaughlin Gallery*. Voir la mention du voyage en Hollande, Chapitre X, p. 19.

11. Intitulé *Intérieur de studio* par l'artiste pour sa rétrospective à l'*Art Gallery of Toronto* en 1960. Le tableau s'intitulait auparavant *Artiste dans son studio*. À la rétrospective de la *Roberts Gallery* en 1962, le titre est devenu *Dans le studio*.

12. Barbara Macdonald à Margaret McLaughlin, le 19 août 1952, *Robert McLaughlin Gallery*.

13. Dennis Reid, *A Concise History of Canadian Painting* (Toronto, Oxford University Press, 1973), p. 238.

14. J.W.G. Macdonald, *Reflections on a trip to the Canadian International Summer at Breda, Highlights*, 4:1 (mars 1950), p. 6. À cette époque, Macdonald est déjà membre de la *British Columbia Society of Artists* (il en a été vice-président en 1939 et président de 1941 à 1943, avant d'être élu membre à vie en 1946); membre fondateur du *Canadian Group of Painters* (créé en 1933); membre de la *Canadian Society of Painters in Water Colour* (il a été élu membre en 1948 et en a été le président de 1952 à 1954); membre de l'*Ontario Society of Artists* depuis 1949 et membre de l'exécutif de cette société pendant les années 50. En plus, Macdonald expose régulièrement ses oeuvres à l'Académie royale des Arts, dont il est devenu membre associé en 1959.

15. J.W.G. Macdonald, *A Statement on Painters XI Group of Toronto, Canada, A Canadian Portfolio* (Dallas, *Dallas Museum for Contemporary Art*, 1958).

16. Cette exposition commence au YWCA d'Oshawa en octobre 1952 et est présentée dans diverses galeries du Sud de l'Ontario. Elle est présentée à *Hart House* en 1953. Tous les peintres qui vont participer à *Abstracts at Home*, dont Macdonald, y sont représentés (sauf Kazuo Nakamura). Macdonald participe à l'exposition de 1951 de l'*Ontario College of Art* dans une *Special Section: Ways*

Canadian Students" (Thesis submitted in partial fulfilment of the requirements for the degree of Master of Arts, Department of Fine Arts, University of British Columbia, April 1966).

2. Margaret McLaughlin notebooks, Robert McLaughlin Gallery, Oshawa.

3. J. W. G. Macdonald to M. Nicoll, 21 October 1948, McCord Museum, Montreal.

4. McLaughlin notebooks, op.cit.

5. J. W. G. Macdonald to M. Bates, 28 August 1959, McCord Museum. Macdonald obviously refers to only one of his Provincetown visits in this letter.

6. Here and Now Gallery press release with Macdonald's corrections, 8 Janu-ary through 1 February 1960, in possession of Mr. and Mrs. S. Ajzenstat.

7. J. W. G. Macdonald, "Art in Relation to Nature," pp. 5-6.

8. Questionnaire: "Who's Who in American Art," received 13 September 1946, National Gallery of Canada, Ottawa

9. J. W. G. Macdonald to Nicoll, op.cit. See Life magazine, 4 October 1948, pp. 56-79.

10. J. W. G. Macdonald to Margaret McLaughlin, 17 July 1949, Robert McLaughlin Gallery. See reference to trip to Holland, Chapter X, p. 19.

11. Titled Studio Interior by the artist for his Art Gallery of Toronto Retrospective (1960). He had earlier called it Artist in the Studio. In the Roberts Gallery retrospective (1962) it was titled In the Studio.

12. Barbara Macdonald to Margaret McLaughlin, 19 August 1952, Robert McLaughlin Gallery.

13. Dennis Reid, A Concise History of Canadian Painting (Toronto: Oxford University Press, 1973), p. 238.

14. J. W. G. Macdonald, "Reflections on a Trip to the Canadian International Summer at Breda," Highlights 4:1 (March 1950), p. 6. By this time Macdonald was a member of the British Columbia Society of Artists (he had been vice-president of the society in 1939, president from 1941–43 and was elected a life-member in 1946); a charter member of the Canadian Group of Painters (founded in 1933); a member of the Canadian Society of Painters in Water Colour (he was elected a member in 1948 and served as president from 1952–54); a member in the Ontario Society of Artists since 1949 and on its executive council during the fifties. In addition, he exhibited regularly with the Royal Canadian Academy and became an associate member in 1959.

15. J. W. G. Macdonald, "A Statement on Painters XI Group of Toronto, Canada," A Canadian Portfolio (Dallas: Dallas Museum for Contemporary Art, 1958).

16. This exhibition opened at the Oshawa YWCA in October 1952 and toured the southern Ontario gallery circuit. It was shown at Hart House in 1953. All of the participants of the later Abstracts at Home show were included (except Kazuo Nakamura), as was Macdonald. In the 1951 OSA show Macdonald participated in "Special Section: Ways of Painting," Toronto, 10 March – 15 April 1941, 79th Annual Spring Exhibition of The Ontario Society of Artists, Art Gallery of Toronto (catalogue) 1951, which examined new media such as Duco and experimental approaches to painting.

17. George Elliott, "The Search for Vitality in Ontario," Canadian Art XII:3 (Spring 1955).

18. J. W. G. Macdonald to Maxwell Bates, 17 March 1951, McCord Museum.

19. Undated notebooks, col-

---

of Painting, Toronto, du 10 mars au 15 avril 1951, 79th Annual Spring Exhibition of The Ontario Society of Artists, Art Gallery of Toronto (catalogue), 1951, où on examine de nouveaux médiums tels le Duco et l'expérimentation en peinture.

17. George Elliott, The Search for Vitality in Ontario, Canadian Art, XII:3 (printemps 1955).

18. J. W. G. Macdonald à Maxwell Bates, le 17 mars 1951, Musée McCord.

19. Notes sans date, collection de Marilyn Westlake Kuczer.

20. Alex Millar, entrevue avec l'auteur, juin 1978. Voir aussi Hans Hofmann, Search for the Real (Cambridge, Mass., The M.I.T. Press, 1948).

21. Maxwell Bates, Jock Macdonald Painter-Explorer, Canadian Art, XIV:4 (été 1957), p. 153.

22. William Ronald, entrevue avec R. Ann Pollock, le 23 février 1969.

23. Alex Millar, Thelma Van Alstyne et Bill Ronald comptent parmi les étudiants qui s'en souviennent. D'autres livres, comme In Search of the Miraculous de Gurdjieff et Vision and Motion de Moholy-Nagy, comptent parmi les lectures recommandées.

24. Voir Joan Murray, Jock Macdonald's Students (Oshawa, Robert McLaughlin Gallery, mars 1981). Cette exposition, organisée pour coïncider avec la rétrospective Jock Macdonald, comporte des oeuvres et des souvenirs de quinze anciens étudiants de Macdonald.

25. J. W. G. Macdonald à Maxwell Bates, le 14 avril 1956, Musée McCord.

26. Joan Murray, Painters XI in Retrospect (Oshawa, Robert McLaughlin Gallery, 1979), p. 9.

27. Alex Millar, op. cit.

28. William Scott, entrevue avec l'auteur, le 30 novembre 1978. On y retrouve également des oeuvres de John Minton et de Henry Moore.

29. Eric Newton, The Paintings of Graham Sutherland, Canadian Art, IX:3 (printemps 1952), p. 118. En possession de l'artiste à son décès.

30. Ibid.

31. William Scott, op. cit.

32. Tirée sur la table à café de Maxwell Bates. Maxwell Bates, entrevue avec l'auteur, le 2 mars 1978.

33. J. W. G. Macdonald à M. Bates, le 20 mars 1955, Musée McCord.

34. Maxwell Bates, entrevue avec l'auteur, le 2 mars 1978.

35. Pour tout renseignement concernant cette exposition et le groupe Painters Eleven, voir Joan Murray, Painters XI in Retrospect, op. cit., p. 8.

36. Dennis Reid, A Concise History of Canadian Painting, p. 245.

37. Joan Murray, op. cit., p. 8.

38. Ray Mead, entrevue avec Joan Murray, le 4 septembre 1977. Cité dans Murray, op. cit., p. 9.

39. Reid, op. cit., p. 246.

40. J. W. G. Macdonald à M. McLaughlin, le 24 novembre 1954, Robert McLaughlin Gallery.

41. William Ronald, entrevue avec Ann Pollock, le 23 février 1969, GNC.

42. Ibid.

Chapitre XI

1. J. W. G. Macdonald à M. Bates, le 28 mai 1954, Musée McCord, Montréal.

2. Ibid.

3. Barbara Macdonald à Margaret McLaughlin, le 9 août 1954; à J. W. G. Macdonald, le 28 août 1954, Robert McLaughlin Gallery, Oshawa.

4. J. W. G. Macdonald à Margaret McLaughlin, le 20 octobre 1954, Robert McLaughlin Gallery.

5. Ibid.

6. J. W. G. Macdonald à A. Y. Jackson, le 31 octobre 1954, Galerie nationale du Canada, Ottawa. Voir aussi J. W. G. Macdonald à Maxwell Bates, le 28 septembre 1954, Musée McCord.

7. J. W. G. Macdonald à M. Bates, le 28 septembre 1954, Musée McCord.

8. J. W. G. Macdonald à Heather Martin, le 17 novembre

lection of Marilyn Westlake Kuczer.

20. Alex Millar: Interview with the author, June 1978. See also Hans Hofmann, *Search for the Real* (Cambridge, Mass., The M.I.T. Press, 1948).

21. Maxwell Bates, "Jock Macdonald Painter-Explorer," *Canadian Art* XIV:4 (Summer 1957), p. 153.

22. William Ronald: Interview with Ann Pollock, 23 February 1969.

23. Alex Millar, Thelma Van Alstyne, and Bill Ronald are among the students who recall this. Other books, such as Gurdjieff, *In Search of the Miraculous,* and Moholy-Nagy, *Vision and Motion,* were also among the texts he recommended.

24. See Joan Murray, *Jock Macdonald's Students* (Oshawa,

Robert McLaughlin Gallery, March 1981). This exhibition, organized to coincide with the Jock Macdonald Retrospective, includes the work and recollections of fifteen of Macdonald's former students.

25. J. W. G. Macdonald to M. Bates, 14 April 1956, McCord Museum.

26. Joan Murray, *Painters XI in Retrospect* (Oshawa: Robert McLaughlin Gallery, 1979), p. 9.

27. Alex Millar, op.cit.

28. William Scott: Interview with the author, 30 November 1978. Other artists whose work was included were John Minton and Henry Moore.

29. Eric Newton, "The Paintings of Graham Sutherland," *Canadian Art* IX:3 (Spring 1952), p. 118. In artist's possession at death.

30. Ibid.

31. William Scott, op.cit.

32. Pulled on Maxwell Bates's coffee table. Maxwell Bates: Interview with author, 2 March 1978.

33. J. W. G. Macdonald to M. Bates, 20 March 1955, McCord Museum.

34. Maxwell Bates: Interview with author, 2 March 1978.

35. For a full discussion of Painters Eleven and this exhibition, see Joan Murray, *Painters XI in Retrospect,* op.cit., p. 8.

36. Dennis Reid, *A Concise History of Canadian Painting,* p. 245.

37. Joan Murray, op.cit., p. 8.

38. Ray Mead: Interview with Joan Murray, 4 September 1977. Quoted Murray, op.cit. p. 9.

39. Reid, op.cit. p. 246.

40. J. W. G. Macdonald to M. McLaughlin, 24 November 1954, Robert McLaughlin Gallery.

41. William Ronald: Interview with Ann Pollock, 23 February 1969, NGC.

42. Ibid.

Chapter XI

1. J. W. G. Macdonald to M. Bates, 28 May 1954, McCord Museum, Montreal.

2. Ibid.

3. Barbara Macdonald to Margaret McLaughlin, 19 August 1954; and J. W. G. Macdonald, 28 August 1954, Robert McLaughlin Gallery, Oshawa.

4. J. W. G. Macdonald to Margaret McLaughlin, 20

October 1954, Robert McLaughlin Gallery.

5. Ibid.

6. J. W. G. Macdonald to A. Y. Jackson, 31 October 1954, National Gallery of Canada, Ottawa. See also J. W. G. Macdonald to Maxwell Bates, 28 September 1954, McCord Museum.

7. J. W. G. Macdonald to M. Bates, 28 September 1954, McCord Museum.

8. J. W. G. Macdonald to Heather Martin, 17 November 1954, in possession of the author.

9. J. W. G. Macdonald to Margaret McLaughlin, 24 November 1954, Robert McLaughlin Gallery.

10. J. W. G. Macdonald to Margaret McLaughlin, 10 January 1955, Robert McLaughlin Gallery.

1954, en possession de l'auteur.

9. J.W.G. Macdonald à Margaret McLaughlin, le 24 novembre 1954, *Robert McLaughlin Gallery.*

10. J.W.G. Macdonald à Margaret McLaughlin, le 10 janvier 1955, *Robert McLaughlin Gallery.*

11. J.W.G. Macdonald à M. Bates, le 26 décembre 1954, Musée McCord.

12. J.W.G. Macdonald à M. Bates, le 20 mars 1955, Musée McCord.

13. J.W.G. Macdònald, *Paintings on Exhibition, Loaned and Sold: "Formes ovales* (non objective) 1954 (36 x 42)."

14. Ibid., *"Cercle orange* (non objective) (1955) (en France) (30 x 36)."

15. J.W.G. Macdonald à M. Bates, le 20 mars 1955, Musée McCord.

16. J.W.G. Macdonald à M. Bates, le 20 mars 1955, Musée McCord.

17. Il parle de Chagall dans des lettres à A.Y. Jackson (le 31 octobre 1954), Maxwell Bates (le 26 décembre 1954) et Margaret McLaughlin (le 10 janvier 1955). Dans cette dernière lettre, il raconte qu'il a rencontré Chagall à un concert et lui a demandé son autographe.

18. Jean Dubuffet, entrevue avec l'auteur, le 25 avril 1979.

19. Ibid.

20. Ibid.

21. J.W.G. Macdonald à M. Bates, le 20 mars 1955, Musée McCord.

22. Ibid.

23. Ibid.

24. Ibid.

25. J.W.G. Macdonald à M. Bates, le 9 juillet 1955, Musée McCord.

26. Ibid.

27. Ibid.

28. J.W.G. Macdonald à Jack Bush, le 16 août 1955; à Margaret McLaughlin, le 18 août 1955.

Chapitre XII

1. J.W.G. Macdonald à Maxwell Bates, le 30 juillet 1956, Musée McCord, Montréal. Aussi à Bates, le 5 décembre 1955, il écrit: "Je partirais demain s'il se présentait quelque chose d'intéressant . . . On fait l'impossible ici pour condamner la peinture moderne."

2. Barbara Macdonald à Margaret McLaughlin, le 25 novembre 1954.

3. J.W.G. Macdonald à M. Bates, le 13 mars 1956, Musée McCord.

4. New York, *Riverside Museum,* du 8 avril au 20 mai

1956. *20th Annual American Abstract Artists with "Painters Eleven" of Canada.*

5. Stuart Preston, *The New York Times* du 15 septembre 1956. Aussi *Rebels in Manhattan, Time* (édition canadienne, LXVII:19, du 7 mai 1956, p. 38; L.C. Lawrence Campbell, *Canadian Painters Eleven, Art News,* LV:3 (mai 1956), p. 50.

6. J.W.G. Macdonald à M. Bates, le 13 mars 1956, Musée McCord.

7. J.W.G. Macdonald à M. Bates, le 30 juillet 1956, Musée McCord.

8. Ibid. Le 2 janvier 1957, Macdonald écrit à Maxwell Bates qu'Ostiguy s'est rendu à Toronto peu de temps avant Noël "pour voir les oeuvres d'art de certains artistes de la ville." Celui-ci "fut terriblement impressionnné par l'oeuvre du groupe *Painters*

XI, confiant à Ray Mead qu'il n'avait jamais rien découvert d'aussi dynamique ailleurs au pays—d'est en ouest."

9. Ibid. Voir aussi le 3 avril 1956.

10. Barbara Macdonald, entrevue avec l'auteur, automne 1980. Macdonald photographie Borduas à l'exposition. Joan Murray, dans *Painters XI in Retrospect* (Oshawa, *Robert McLaughlin Gallery,* 1979), p. 17, pense que cette visite à l'exposition tenue à la *Laing Gallery* date des années 1955 –56 bien que François Gagnon, dans *Borduas* (Montréal, Fides, 1978), ne la mentionne pas. Macdonald parle de sa rencontre avec Borduas dans ses lettres à Gordon Smith du 7 mars 1960, Galerie nationale du Canada, Ottawa, et à Marion Nicoll du 5 mars 1960, Musée McCord.

11. J. W. G. Macdonald to M. Bates, 26 December 1954, McCord Museum.

12. J. W. G. Macdonald to M. Bates, 20 March 1955, McCord Museum.

13. J. W. G. Macdonald, "Paintings on Exhibition, Loaned and Sold": "*Oval Forms*" (non-objective) 1954 (36 x 42)."

14. Ibid.: "*Orange Circle* (non-objective) (1955) (French) (30 x 36)."

15. J. W. G. Macdonald to M. Bates, 20 March 1955, McCord Museum.

16. J. W. G. Macdonald to M. Bates, 20 March 1955. McCord Museum.

17. He spoke of Chagall in letters in to A. Y. Jackson (31 October 1954), to Maxwell Bates (26 December 1954), and to Margaret McLaughlin (10 January 1955). In the latter, he wrote of meeting Chagall at a concert and getting Chagall's autograph.

18. Jean Dubuffet: Interview with author, 25 April 1979.

19. Ibid.

20. Ibid.

21. J. W. G. Macdonald to M. Bates, 20 March 1955, McCord Museum.

22. Ibid.

23. Ibid.

24. Ibid.

25. J. W. G. Macdonald to M. Bates, 9 July 1955, McCord Museum.

26. Ibid.

27. Ibid.

28. J. W. G. Macdonald to Jack Bush, 16 August 1955; and to Margaret McLaughlin, 18 August 1955.

Chapter XII

1. J. W. G. Macdonald to Maxwell Bates, 30 July 1956, McCord Museum, Montreal. Also to Bates, 5 December 1955, he wrote: "I would leave tomorrow if something turned up for me. . . . Everything to damn modern painting is done here."

2. Barbara Macdonald to Margaret McLaughlin, 25 November 1954.

3. J. W. G. Macdonald to M. Bates, 13 March 1956, McCord Museum.

4. New York, Riverside Museum, 8 April – 20 May 1956. *20th Annual American Abstract Artists with "Painters Eleven" of Canada.*

5. Stuart Preston, *The New York Times,* 15 September 1956. Also "Rebels in Manhattan," *Time* (Canadian edition, LXVII: 19 [7 May 1956], p. 38; and L. C. Lawrence Campbell, "Canadian Painters Eleven," *Art News* LV:3 (May 1956), p. 50.

6. J. W. G. Macdonald to M. Bates, 13 March 1956, McCord Museum.

7. J. W. G. Macdonald to M. Bates, 30 July 1956, McCord Museum.

8. Ibid. On 2 January 1957, Macdonald wrote Maxwell Bates that Ostiguy had visited Toronto shortly before Christmas "to look over the art being done by certain artists in town." On that occasion "he was terribly impressed by the work of Painters XI telling Ray Mead that he hadn't discovered anything so dynamic anywhere in the country – east or west."

9. Ibid. See also 3 April 1956.

10. Barbara Macdonald: Interview with the author, Fall 1980. Macdonald photographed Borduas at the exhibition. Joan Murray, *Painters XI In Retrospect* (Oshawa: Robert McLaughlin Gallery, 1979), p. 17, dates this visit to an exhibition at Laing, 1955 – 56, although François Gagnon, *Borduas* (Montreal: Fides, 1978) lists no such exhibition. Macdonald discusses his meeting with Borduas in letters to Gordon Smith, 7 March 1960, National Gallery of Canada, Ottawa, and 5 March 1960 to Marion Nicoll, McCord Museum.

11. J. W. G. Macdonald to M. Bates, 30 July 1956, McCord Museum.

---

11. J. W. G. Macdonald à M. Bates, le 30 juillet 1956, Musée McCord.

12. Ray Mead, entrevue avec Joan Murray, le 4 septembre 1977, *Robert McLaughlin Gallery,* Oshawa.

13. J. W. G. Macdonald à M. Bates, le 30 juillet 1956.

14. Maxwell Bates, *J.W.G. Macdonald Painter-Explorer* (exemplaire annoté par J. W. G. Macdonald, qui écrit qu'il a utilisé la pyroxyline "seulement 8 mois"), collection de Marilyn Westlake Kuczer.

15. J. W. G. Macdonald à Bates, le 30 juillet 1956.

16. J. W. G. Macdonald à Bates, le 8 avril 1957, Musée McCord.

17. J. W. G. Macdonald à M. Bates, le 7 août 1957, Musée McCord.

18. J. W. G. Macdonald à M. Bates, le 3 juin 1957, Musée McCord. Stewart et Gilbert Bagnani se chargent de payer le voyage de Macdonald à New York. Ils aimaient aider Macdonald et Ronald. William Ronald, entrevue avec l'auteur, automne 1980.

19. Ibid.

20. Ibid.

21. Joan Murray, *Painters XI In Retrospect,* p. 69.

22. Ibid., p. 74.

23. Ibid.

24. J. W. G. Macdonald à M. Bates, le 3 juillet 1957, Musée McCord.

25. J. W. G. Macdonald à M. Bates, le 30 juillet 1956, Musée McCord.

26. J. W. G. Macdonald à M. Bates, le 3 juillet 1957.

27. Ibid.

28. Barbara Macdonald, entrevue avec l'auteur, automne 1979.

29. Alex Millar, entrevue avec l'auteur, juin 1978. Millar observe que Macdonald met l'accent sur la grille pour ses compositions.

30. J. W. G. Macdonald à Maxwell Bates, le 3 juillet 1957.

31. Ibid.

32. Cité dans Ibid.

33. J. W. G. Macdonald à M. Bates, le 7 août 1957, Musée McCord.

34. J. W. G. Macdonald, *Paintings on Exhibition, Loaned and Sold.* Dans cette liste, l'artiste ne mentionne pas l'utilisation de la lucite, mais seulement de l'huile. Même chose pour les tableaux à l'huile et à la lucite 44 exposés à la rétrospective de 1960. Barbara Macdonald, entrevue avec l'auteur, le 5 décembre 1980. Elle signale qu'après avoir découvert la lucite, son mari "n'a jamais cessé de l'utiliser."

35. Toronto, *Hart House,* Université de Toronto, novembre-décembre 1957. *Jock Macdonald, One Man Exhibition.* Sans catalogue. On possède encore une liste des tableaux numérotés de la main de Macdonald. Vingt-neuf tableaux sont exposés.

36. J. W. G. Macdonald à M. Bates, le 10 décembre 1957, Musée McCord.

37. Ibid.

38. Ibid.

39. Dennis Reid, *A Concise History of Canadian Painting* (Toronto, Oxford University Press, 1973), p. 258.

40. Ibid.

41. J. W. G. Macdonald à M. Bates, le 17 février 1958, Musée McCord.

42. Ibid.

43. Ibid.

44. J. W. G. Macdonald à M. Bates, le 17 mai 1958, Musée McCord.

45. Ibid.

46. Cité dans Thelma Van Alstyne à l'auteur, octobre 1978, en possession de l'auteur.

47. J. W. G. Macdonald à M. Bates, le 17 février 1958.

48. Ibid.

49. Ibid.

50. Ibid. Voir *Paul Duval Warns, Bitterness is almost bound to boil over, Telegram* du 23 août 1958.

51. J. W. G. Macdonald à Jim et Marion Nicoll, le 28 mai 1958, Musée McCord.

52. J. W. G. Macdonald à M. Bates, le 12 juin 1958, Musée McCord.

53. J. W. G. Macdonald à M. Bates, le 17 février 1958, Musée McCord.

54. J. W. G. Macdonald à M. McLaughlin, le 3 août 1958, Musée McCord.

12. Ray Mead: Interview with Joan Murray, 4 September 1977, Robert McLaughlin Gallery, Oshawa.

13. J. W. G. Macdonald to M. Bates, 30 July 1956.

14. Maxwell Bates, "J. W. G. Macdonald Painter-Explorer" (annotated copy by J. W. G. Macdonald notes that he used pyroxylin for "8 months only"), collection of Marilyn Westlake Kuczer.

15. J. W. G. Macdonald to Bates, 30 July 1956.

16. J. W. G. Macdonald to Bates, 8 April 1957, McCord Museum.

17. J. W. G. Macdonald to M. Bates, 7 August 1957, McCord Museum.

18. J. W. G. Macdonald to M. Bates, 3 June 1957, McCord Museum. Stewart and Gilbert Bagnani under-

took to fund Macdonald's travel to New York. They were active supporters of both Macdonald and Ronald. William Ronald: Interview with the author, Fall 1980.

19. Ibid.

20. Ibid.

21. Joan Murray, *Painters XI In Retrospect*, p. 69.

22. Ibid, p. 74.

23. Ibid.

24. J. W. G. Macdonald to M. Bates, 3 July 1957, McCord Museum.

25. J. W. G. Macdonald to M. Bates, 30 July 1956, McCord Museum.

26. J. W. G. Macdonald to M. Bates, 3 July 1957.

27. Ibid.

28. Barbara Macdonald: Interview with the author, Fall 1979.

29. Alex Millar: Interview with author, June 1978. Millar suggests Macdonald stressed the grid in structuring a painting.

30. J. W. G. Macdonald to Maxwell Bates, 3 July 1957.

31. Ibid.

32. Quoted in ibid.

33. J. W. G. Macdonald to M. Bates, 7 August 1957, McCord Museum.

34. J. W. G. Macdonald, "Paintings on Exhibition, Loaned and Sold." In this list the artist does not record the use of Lucite but specifies oil only. The same is true for paintings in oil and Lucite 44, which were exhibited in his 1960 retrospective. Barbara Macdonald: Interview with author, 5 December 1980. Barbara Macdonald stated that once her husband found

Lucite "he never stopped using it."

35. Toronto, Hart House, University of Toronto, November – December 1957. *Jock Macdonald.* No catalogue. A numbered checklist in Macdonald's hand has survived. Twenty-nine works exhibited.

36. J. W. G. Macdonald to M. Bates, 10 December 1957, McCord Museum.

37. Ibid.

38. Ibid.

39. Dennis Reid, *A Concise History of Canadian Painting* (Toronto: Oxford University Press, 1973), p. 258.

40. Ibid.

41. J. W. G. Macdonald to M. Bates, 17 February 1958, McCord Museum.

42. Ibid.

43. Ibid.

44. J. W. G. Macdonald to M. Bates, 17 May 1958, McCord Museum.

45. Ibid.

46. Quoted in Thelma Van Alstyne to the author, October 1978, possession of the author.

47. J. W. G. Macdonald to M. Bates, 17 February 1958.

48. Ibid.

49. Ibid.

50. Ibid. See "Paul Duval Warns: 'Bitterness is almost bound to boil over,'" *Telegram,* 23 August 1958.

51. J. W. G. Macdonald to Jim and Marion Nicoll, 28 May 1958, McCord Museum.

52. J. W. G. Macdonald to

55. Toronto, *The Park Gallery,* du 31 octobre au 15 novembre 1958. *Painters Eleven and the work of ten distinguished artists from Quebec.* Programme-souvenir. Sans liste de tableaux numérotés.

56. J. W. G. Macdonald à M. Bates, le 12 novembre 1958, Musée McCord.

57. Rodolphe de Repentigny, *Le Groupe des Onze, Vie des Arts,* II:12 (automne 1958), p. 29.

58. J. W. G. Macdonald à M. Bates, le 17 avril 1959, Musée McCord.

59. Ibid.

60. Ibid.

61. J. W. G. Macdonald à Frank Palmer, le 21 avril 1959, collection de Frank Palmer.

62. J. W. G. Macdonald à M. Bates, le 15 novembre 1959, Musée McCord.

63. J.W.G. Macdonald à M. Bates, le 18 novembre 1959.

64. François Gagnon, *Borduas,* (Québec, Fides, 1978), p. 428.

65. Thelma Van Alstyne à l'auteur, octobre 1978, en possession de l'auteur.

66. Cité dans Ibid.

Chapitre XIII

1. Toronto, *Here and Now Gallery,* du 8 janvier au 1er février 1960, *Jock Macdonald.*

2. Communiqué préparé par la *Here and Now Gallery,* janvier 1960.

3. J.W.G. Macdonald à Russel Harper, le 20 janvier 1952, Galerie nationale du Canada, Ottawa.

4. Ibid.

5. Ibid.

6. J. W. G. Macdonald à M. Bates, le 17 février 1960, Musée McCord, Montréal.

7. J.W.G. Macdonald à Marion et Jim Nicoll, le 5 mars 1960, Musée McCord.

8. J.W.G. Macdonald à M. Bates, le 17 février 1960.

9. J.W.G. Macdonald à M. Bates, le 10 mai 1960, Musée McCord.

10. Ibid.

11. J.W.G. Macdonald à Marion et Jim Nicoll, le 11 mai 1960, Musée McCord.

12. Ibid.

13. J.W.G. Macdonald à Marion et Jim Nicoll, le 5 mars 1960.

14. J.W.G. Macdonald à Frank Palmer, le 18 mars 1960, collection de Frank Palmer.

15. Jules Heller à l'auteur, le 30 mai 1978.

16. J.W.G. Macdonald à M. Bates, le 10 mai 1960.

17. J.W.G. Macdonald à Marion et Jim Nicoll, le 25

octobre 1960, Musée McCord.

18. Cité dans une lettre de Thelma Van Alstyne à l'auteur, octobre 1978.

19. Ibid. J.W.G. Macdonald, *Art in Relation to Nature* (notes pour une conférence), p. 5, collection de Marilyn Westlake Kuczer.

20. Jack Shadbolt, entrevue avec l'auteur, le 19 février 1978.

21. Van Alstyne, op. cit.

22. J.W.G. Macdonald à Frank Palmer, le 20 avril 1959, collection de Frank Palmer.

M. Bates, 12 June 1958, McCord Museum.

53. J. W. G. Macdonald to M. Bates, 17 February 1958, McCord Museum.

54. J. W. G. Macdonald to M. McLaughlin, 3 August 1958, McCord Museum.

55. Toronto, The Park Gallery, 31 October – 15 November 1958. *Painters Eleven and the work of ten distinguished artists from Quebec.* Souvenir Pamphlet issued. No numbered checklist.

56. J. W. G. Macdonald to M. Bates, 12 November 1958, McCord Museum.

57. Rodolphe de Repentigny, "Le Groupe des onze," *Vie des Arts* II:12 (Autumn 1958), p. 29.

58. J. W. G. Macdonald to M. Bates, 17 April 1959, McCord Museum.

59. Ibid.

60. Ibid.

61. J. W. G. Macdonald to Frank Palmer, 21 April 1959, collection of Frank Palmer.

62. J. W. G. Macdonald to M. Bates, 15 November 1959, McCord Museum.

63. J. W. G. Macdonald to M. Bates, 18 November 1959.

64. François Gagnon, *Borduas* (Quebec: Fides, 1978), p. 428.

65. Thelma Van Alstyne to the author, October 1978, in possession of the author.

66. Quoted in ibid.

Chapter XIII
1. Toronto, Here and Now Gallery, 8 January – 1 February 1960, *Jock Macdonald.*

2. Press release prepared by Here and Now Gallery, January 1960.

3. J. W. G. Macdonald to Russel/Harper, 20 January 1952, National Gallery of Canada, Ottawa.

4. Ibid.

5. Ibid.

6. J. W. G. Macdonald to M. Bates, 17 February 1960, McCord Museum, Montreal.

7. J. W. G. Macdonald to Marion and Jim Nicoll, 5 March 1960, McCord Museum.

8. J. W. G. Macdonald to M. Bates, 17 February 1960.

9. J. W. G. Macdonald to M. Bates, 10 May 1960, McCord Museum.

10. Ibid.

11. J. W. G. Macdonald to Marion and Jim Nicoll, 11 May 1960, McCord Museum.

12. Ibid.

13. J. W. G. Macdonald to Marion and Jim Nicoll, 5 March 1960.

14. J. W. G. Macdonald to Frank Palmer, 18 March 1960, Collection of Frank Palmer.

15. Jules Heller to the author, 30 May 1978.

16. J. W. G. Macdonald to M. Bates, 10 May 1960.

17. J. W. G. Macdonald to Marion and Jim Nicoll, 25 October 1960, McCord Museum.

18. Quoted in letter from Thelma Van Alstyne to the author, October 1978.

19. Ibid. J. W. G. Macdonald: "Art in Relation to Nature (lecture notes)," p. 5, collection of Marilyn Westlake Kuczer.

20. Jack Shadbolt: Interview with the author, 19 February 1978.

21. Van Alstyne, op.cit.

22. J. W. G. Macdonald to Frank Palmer, 20 April 1959, collection of Frank Palmer.

PHOTO CREDITS

All photographs of works in the exhibition were taken by Larry Ostram of the Art Gallery of Ontario, unless otherwise listed below.

Robert Keziere: pp. 25, 32, 33, 36, 73, 75, 84, 100 top, 102 top, 116, 119, 146 top, 131, 158

National Gallery of Canada, Ottawa: pp. 26, 55, 77, 125 top, 239, 245

Art Gallery of Greater Victoria: pp. 37, 147

Provincial Archives of British Columbia: p. 40

James Chambers: pp. 41, 60, 195, 225 bottom, 213

Trevor Mills: p. 58

Vida/Saltmarche, Toronto: pp. 70, 125 bottom, 181, 184, 190, 227 bottom

Powey Chang, Art Gallery of Ontario: p. 106

T.D.F. Artists Ltd.: p. 114

John Dean, Calgary: p. 122 top, centre

Peter W. Richardson: pp. 133 bottom, 136, 176, 205, 227 top, 210 bottom, 224 centre, 244

Mario Schembri, Whitby: p. 128

McMichael Canadian Collection, Kleinberg, Ontario: pp. 50, 149

Glenbow Photograph, Calgary: p. 132 centre

G. Locklin: p. 84

Ernest Mayer, Winnipeg Art Gallery: p. 177

Imperial Oil. pp. 178, 200

Art Gallery of Hamilton: p. 206

McIntosh Gallery, University of Western Ontario: p. 202 bottom

Victor Sakuta: p. 226 bottom

O. Broadhurst, Royal Bank: p. 201

Norman Mackenzie Art Gallery: p. 231

Montreal Museum of Fine Arts: p. 242 bottom

J.E.H. Nolte: p. 246 bottom

PHOTOGRAPHES

C'est Larry Ostram du Musée des beaux-arts de l'Ontario, qui a pris les photographies des oeuvres exposées sauf dans les cas suivants:

Robert Keziere: pp. 25, 32, 33, 36, 73, 75, 84, 100 en haut, 102 en haut, 116, 119, 146 en haut, 131, 158

Galerie nationale du Canada, Ottawa: pp. 26, 55, 77, 125 en haut, 239, 245

Art Gallery of Greater Victoria: pp. 37, 147

Archives provinciales de Colombie-Britannique: p. 40

James Chambers: pp. 41, 60, 195, 225 en bas, 213

Trevor Mills: p. 58

Vida/Saltmarche, Toronto: pp. 70, 125 en bas, 181, 184, 190, 227 en bas

Powey Chang, Musée des beaux-arts de l'Ontario: p. 106

T.D.F. Artists Ltd.: p. 114

John Dean, Calgary: p. 122 en haut, au centre

Peter W. Richardson: pp. 133 en bas, 136, 176, 205, 227 en haut, 210 en bas, 224 au centre, 244

Mario Schembri, Whitby: p. 128

McMichael Canadian Collection, Kleinberg, Ontario: pp. 50, 149

Glenbow Photograph, Calgary: p. 132, centre

G. Locklin: p. 84

Ernest Mayer, Winnipeg Art Gallery: p. 177

Compagnie Pétrolière Impériale: pp. 178, 200

Art Gallery of Hamilton: p. 206

McIntosh Gallery, Université Western Ontario: p. 202 en bas

Victor Sakuta: p. 226 en bas

O. Broadhurst, Banque royale: p. 201

Norman Mackenzie Art Gallery: p. 231

Musée des beaux-arts de Montréal: p. 242 en bas

J.E.H. Nolte: p. 246 en bas

studbolt boog. ?

CHRONOLOGY

1897-1922: born in Thurso, Scotland, 31 May, 1897; educated in the Miller Institute, Thurso and George Watson's Boys' College, Edinburgh; one year (1914) as architectural draughtsman for Lord Dean of Guild Henry, Edinburgh; enlists (1915), serves with the 14th Argyle and Sutherland Highlanders in France (wounded, 1918; demobilized, 1919); enters Edinburgh College of Art specializing in textiles, commercial advertising and wood-carving (awarded prize in wood-carving and third-year design scholarship); graduates (1922) with diploma in Design and Art Specialist Teacher's certification; marries Barbara Niece.

1922-25: staff designer for Morton Sundour Fabrics, Carlisle, England.

1925-26: Head of Design Department, Lincoln School of Art, Lincoln, England.

1926: moves to Vancouver in fall of 1926 to become head of design and instructor in Commercial Advertising, Vancouver School of Decorative and Applied Arts; meets Frederick Varley; Vanderpant Galleries opens at 1216 Robson Street, Vancouver.

1927: teaches at VSDAA; begins painting in oils under Varley's tutelage; sets up studio with Varley. Daughter Fiona born.

1928: Rabindranath Tagore lectures in Vancouver.

1929: exhibits two oils at the National Gallery of Canada.

1930: designs cover for VSDAA Prospectus (also in 1931, 1932, 1933); exhibits *Royal Canadian Academy and All Canadian Exhibition*, NGC; becomes member British Columbia Society of Artists (exhibits regularly until 1947).

1931: exhibits *RCA All Canadian Exhibition*, NGC (honourable mention, Lord Willington, All Canadian Competition –Landscape); illustrates *The Neighing North* by Annie Charlotte Dalton; in charge of summer art colony, Hornby Island, July 3 – 31.

1932: member of judging committee, *All Canadian Exhibition* at Vancouver Art Gallery; exhibits two paintings, one linocut and one sculpture (only sculpture he ever exhibited); summer art school camp at Vancroft, Buccaneer Bay (June 18 – 26); sketching trip up the Fraser to Lytton; first trip into Garibaldi; Harry Täuber arrives in Vancouver, teaches art and metaphysics at the Vanderpant Galleries; NGC purchases *Lytton Church*; exhibits RCA; council member, VAG (re-elected 1934, 1936) and member Hanging & Exhibition Committee (also 1933 – 34).

1933 taylor annem school Vs BCHA + hambree

1933: leaves teaching post at VSDAA in June; Macdonald and Varley announce their intention to form new school (May 25); British Columbia College of Art incorporated (July 20); BCCA opens; J.W.G.M. first vice-president (September 13); becomes charter member of Canadian Group of Painters; designs logo for BCCA; exhibits *RCA NGC*.

1934: summer in Garibaldi; exhibits *RCA All Canadian Exhibition*, NGC; paints first semi-abstract painting, *Formative Colour Activity*.

1935: BCCA closes, bankrupt; Macdonald arranges affairs of school (spring); leaves with his wife and daughter for Nootka (west coast, Vancouver Island); Harry Täuber and Leslie Planta also travel to Nootka; paints coastal landscape; begins work on the semi-abstract and abstract paintings which he later calls "modalities".

1936: travels to Vancouver to consult osteopath about his badly strained back and arranges for exhibition of his

---

BIOGRAPHIE

1897 –1922: Naissance de Jock Macdonald le 31 mai 1897 à Thurso, en Écosse. Études au *Miller Institute*, à Thurso, et au *George Watson's Boys' College*, à Édimbourg. Dessinateur en architecture pendant un an (1914) chez *Lord Dean of Guild Henry* à Édimbourg. Mobilisé (1915) dans le *14th Argyle and Sutherland Highlanders* en France (blessé en 1918, démobilisé en 1919). S'inscrit à l'*Edinburg College of Art* et se spécialise dans le dessin en tissu, la publicité commerciale et la sculpture sur bois; il obtient le prix de sculpture sur bois et la bourse offerte aux étudiants en design de troisième année. Obtient son diplôme en design et son certificat d'enseignement spécialisé dans les arts (1922). Mariage avec Barbara Niece.

1922 –1925: Designer attitré à la *Morton Sundour Fabrics,* à Carlisle, en Angleterre.

1925 –1926: Directeur du département de design de la *Lincoln School of Art,* en Angleterre.

1926: Déménage à Vancouver, à l'automne, pour devenir directeur du design et professeur de publicité commerciale à la *Vancouver School of Decorative and Applied Arts*. Fait la connaissance de Frederick Varley. Ouverture des *Vanderpant Galleries* au 1216, rue Robson, à Vancouver.

1927: Professeur à la VSDAA. Premières peintures à l'huile sous la direction de Varley. Partage un atelier avec Varley. Naissance de sa fille Fiona.

1928: Conférence de Rabindranath Tagore à Vancouver.

1929: Exposition de deux huiles à la Galerie nationale du Canada.

1930: Conception de la couverture du prospectus de la VSDAA (aussi en 1931, 1932, 1933). Expose à l'Académie royale des Arts et participe à l'Exposition de peintres canadiens, Galerie nationale du Canada. Adhésion à la *British Columbia Society of Artists* (expose régulièrement jusqu'en 1947).

1931: Expose à l'Académie royale des Arts et participe à l'Exposition de peintres canadiens, Galerie nationale du Canada (mention honorable, Lord Wellington, Concours de peintres canadiens — paysages). Illustration du recueil de poèmes d'Annie Charlotte Dalton, *The Neighing North*. Responsable d'un camp d'arts plastiques, à Hornby Island (3-31 juillet).

1932: Membre du jury, *All Canadian Exhibition,* à la *Vancouver Art Gallery.* Exposition de deux tableaux, d'une linogravure et d'une sculpture (la seule jamais exposée). Camp école d'arts plastiques, à Vancroft, Buccaneer Bay (18-26 juin). Remonte le Fraser jusqu'à Lytton (croquis). Première excursion au parc Garibaldi. Harry Täuber arrive à Vancouver, enseigne l'art et la métaphysique aux *Vanderpant Galleries*. La Galerie nationale du Canada achète *Église de Lytton*. Exposition à l'Académie royale des Arts. Membre du conseil de la *Vancouver Art Gallery* (réélu en 1934, 1936) et membre du *Hanging & Exhibition Committee* (aussi en 1933–1934).

1933: Quitte son poste de professeur à la VSDAA en juin. Macdonald et Varley annoncent leur intention de fonder une école (25 mai). Constitution du *British Columbia College of Arts* (20 juillet). Ouverture de l'école; Macdonald est nommé premier vice-président (13 septembre). Membre fondateur du *Canadian Group of Painters*. Conception du logotype du *B.C. College of Arts*. Exposition à l'Académie royale des Arts et à la Galerie nationale du Canada.

1934: Été au parc Garibaldi. Expose à l'Académie royale des Arts et participe à l'Exposition de peintres canadiens, Galerie nationale du Canada. Premier tableau semi-abstrait, *Composition chromatique*.

1935: Fermeture du *B.C. College of Arts* qui a fait faillite. Macdonald règle la situation financière de l'école (printemps). Départ pour Nootka avec sa femme et sa

work at Harry Hood's Art Emporium; returns to Nootka with John Varley; special exhibition of Nootka sketches at Art Emporium, *Recent Nootka Sketches* (February); the Macdonalds return to Vancouver unable to stay in Nootka due to J.W.G.M.'s back injury; becomes part-time instructor at the Canadian Institute of Associated Arts and organizes private classes; exhibits two oils (*Black Tusk* and *Friendly Cove*) in travelling exhibition organized by NGC, *Exhibition of Contemporary Canadian Painting*, which travelled to Southern Dominions (1936–37).

1937: of three western oils selected for the *Coronation Exhibition* in London, two works (*Indian Burial* and *Pacific Combers*) are by J.W.G.M.; suffers a collapsed lung (April); in summer, travels to California; visits Cézanne exhibition in San Francisco and an exhibition of modern art in Los Angeles; obtains British Columbia Art Specialist Teacher's Certificate.

1938: appointed art teacher, Templeton Junior High School; shares studio with Bea Lennie in the Vancouver Block (space is used for private evening classes); exhibits four modalities at VAG; exhibits *Drying Herring Roe, Pilgrimage* at the Tate Gallery, London, *A Century of Canadian Art*; *Spring Awakening* reproducing on cover of VAG *Bulletin*; summer in Garibaldi; judge at 7th Annual B.C. Artists Exhibition.

1939: begins mural for Hotel Vancouver (CNR); exhibits *Winter* and *Black Tusk* at New York World's Fair; exhibits *Indian Burial* at San Francisco Golden Gate Exposition; exhibits two modalities (*Rain* and *Flight*) with the Canadian Group of Painters at the Art Gallery of Toronto in November; elected vice-president of BCSA; summer in California and Mexico; visits San Francisco World Fair; moves from Templeton Junior High school to Vancouver Technical High School (September).

1940: moves to Capilano; gives public speech "Art in Relation to Nature" (February); Lawren Harris arrives in Vancouver.

1941: charter member of Federation of Canadian Artists; first one-man show (40 canvases) opens at VAG (May 15); exhibits in four-man show at AGT; elected president, BCSFA (1941–43); delegate to Kingston Conference; summer in Rockies with the Lawren Harrises.

1942: re-elected president BCSFA; summer in Garibaldi.

1943: council member of VAG for eleventh year; begins Saturday morning children's classes at VAG; designs silkscreen poster *B.C. Indian Village* for NGC; c. 1943: Pailthorpe and Mednikoff arrive in Vancouver; begins working automatically (*Fish Family* first known "automatic"); designs poster for Vancouver Symphony (also in 1944).

1944: Pailthorpe exhibits her paintings at the VAG, lectures on surrealism (April); designs cover for *B.C. Society of Fine Arts 34th Annual Exhibition*; summer in Okanagan Valley; VAG exhibition of Okanagan scenes.

1945: first summer teaching at Banff School of Fine Arts; meets Alexandra Luke.

1946: becomes life member of the BCSA; exhibits automatics in annual *BCSA Exhibition* (June); summer at Banff School of Fine Art; one-man exhibition of automatics at VAG (September); moves to Calgary to become head of the Art Department at the Provincial Institute of Technology (September).

1947: designs Prospectus for Provincial Institute; one-man exhibition at San Francisco Museum of Art, *J.W.G. Macdonald: Water Colours* – 48 automatic watercolours shown (August); instrumental in founding The Calgary Group;

---

fille (côte ouest, île de Vancouver); Harry Täuber et Leslie Planta se rendent aussi à Nootka. Paysages côtiers; premiers tableaux abstraits et semi-abstraits qu'il appelle par la suite "modes".

1936: Voyage à Vancouver pour consulter un spécialiste des os à cause d'une blessure au dos. Organise une exposition de ses oeuvres à l'*Art Emporium* de Harry Hood. Retour à Nootka avec John Varley. Exposition spéciale des esquisses de Nootka à l'*Art Emporium, Récents Croquis de Nootka* (février). Les Macdonald rentrent à Vancouver, parce que l'artiste ne peut plus vivre à Nootka à cause de sa blessure au dos. Professeur à temps partiel au *Canadian Institute of Associated Arts;* organise des cours particuliers. Présente deux huiles (*Défense noire* et *Friendly Cove*) à l'exposition itinérante, *Exposition de la peinture canadienne contemporaine,* organisée par la Galerie nationale du Canada dans les Dominions du Sud (1936–37).

1937: Deux huiles de Macdonald (*Enterrement indien* et *Vagues du Pacifique*) comptent parmi les trois huiles choisies dans l'Ouest du Canada pour l'exposition en l'honneur du couronnement du roi à Londres.
Souffre d'une perforation de la plèvre (avril). Voyage en Californie pendant l'été; visite une exposition Cézanne à San Francisco et une exposition d'art moderne à Los Angeles. Obtient son certificat d'enseignement spécialisé dans les arts, de la Colombie-Britannique.

1938: Nommé professeur d'art, *Templeton Junior High School*. Partage un atelier avec Bea Lennie dans le *Vancouver Block* (y donne des cours du soir particuliers). Exposition de quatre modes à la *Vancouver Art Gallery*. Présente *Séchage des oeufs de hareng* et *Pèlerinage* à l'exposition, *Un siècle d'art canadien,* à la *Tate Gallery* de Londres. *Réveil du printemps* illustre la couverture du *Vancouver Art Gallery Bulletin*. Été au parc Garibaldi. Juge à la Septième exposition annuelle des artistes de la C.-B.

1939: Commence une peinture murale pour l'hôtel Vancouver (CNR). Présente *Hiver* et *Défense noire* à l'Exposition internationale de New York. Présente *Enterrement indien* à l'Exposition Golden Gate de San Francisco. Exposition de deux modes (*Pluie* et *Envol*) avec le *Canadian Group of Painters* à l'*Art Gallery of Toronto,* en novembre. Élu vice-président de la *B.C. Society of Artists.* Passe l'été en Californie et au Mexique; visite l'Exposition internationale de San Francisco. Quitte le *Templeton Junior High School* pour le *Vancouver Technical High School* (septembre).

1940: Déménage à Capilano. Conférence publique intitulée *Art in Relation to Nature* (février). Lawren Harris arrive à Vancouver.

1941: Membre fondateur de la *Federation of Canadian Artists*. Première exposition solo (40 tableaux) à la *Vancouver Art Gallery* (15 mai). Participe à une exposition regroupant quatre artistes, à l'*Art Gallery of Toronto*. Élu président de la *B.C. Society of Fine Arts* (1941–43). Délégué au congrès de Kingston. Passe l'été dans les Rocheuses avec les Harris.

1942: Réélu président de la *B.C. Society of Fine Arts.* Été au parc Garibaldi.

1943: Membre du conseil de la *Vancouver Art Gallery* pour la onzième année. Début des classes d'art pour les enfants, le samedi en matinée, à la *Vancouver Art Gallery.* Dessine l'affiche *Village indien de C.-B.,* sérigraphie commandée par la Galerie nationale du Canada. *Vers 1943:* Pailthorpe et Mednikoff arrivent à Vancouver. Commence des expériences en art automatique (*Famille de poissons* est la première oeuvre automatique connue). Dessine l'affiche de l'Orchestre symphonique de Vancouver (aussi en 1944).

1944: Pailthorpe expose ses tableaux à la *Vancouver Art Gallery,* donne une conférence sur le surréalisme (avril).

writes articles for *Canadian Art*, "Heralding a New Group," about Calgary Group; summer at Banff School of Fine Arts; moves to Toronto as instructor in painting at the Ontario College of Art and remains until his death in 1960; one-man exhibition of automatics at Hart House Art Gallery (November).

1948: writes article "The Development of Painting in the West, *Journal Royal Architectural Institute of Canada* (January 1948); exhibits in *Contemporary Canadian Painting* at NGC at Waldorf Astoria in New York City (The Canadian Club of New York); elected to membership CSPW; spring: visit to Hans Hofmann's School of Art in Provincetown, Massachusetts; summer at Banff School of Fine Arts.

1949: elected to membership OSA; visits Hans Hofmann's School of Art in Provincetown (June); professor of art, International Students' Seminars, Unesco, Breda, Holland; while in Europe visits Thurso, Edinburgh, Chester, London, etc.; writes "Reflections on A Trip to the Canadian International Seminar at Breda Holland" (Part I, II, III) published in *Highlights* (1948–49).

1950: spends summer as professor at International Students' Seminars, Pontigny, France.

1951: member executive council and hanging committee, OSA; summer at Banff; studies batik with Marion Nicoll; experiments further with wax resist in paintings.

1952: member executive council OSA; president of CSPW 1952–1954; summer as artist-in-residence, Art Gallery of Greater Victoria; gives public lectures and holds one-man exhibition of automatic painting; Alexandra Luke organizes travelling *Canadian Abstract Exhibition* for the YWCA, Oshawa (fall). Macdonald exhibits in the show and lectures at the YWCA.

1953: judges exhibition at Calgary Stampede with Maxwell Bates; summer at Banff; William Scott also on staff; prints *Polynesian Night* (only lithograph); *Abstracts at Home* at Robert Simpson Co., organized by William Ronald (fall); inception of Painters Eleven; J.W.G.M. is a charter member; wins Queen's Coronation Medal.

1954: first *Painters Eleven Exhibition*, Roberts Gallery, Toronto; exhibits in *Four Modern Canadians*, Willistead Art Gallery (January); awarded Royal Society of Canada Fellowship to travel and study in France for one year (spring); departs for France (summer); visits Thurso, Edinburgh; travels in England (stays with Grace Pailthorpe at Battle, Sussex and in William Scott's flat in London); visits Paris and Nice; rents studio in Vence; promotes Painters Eleven during travels.

1955: exhibits two watercolours in *Painters Eleven Exhibition*. Roberts Gallery (February); meets Jean Dubuffet who encourages him to seek new approach to painting in oil; travels in southern Italy with Kenneth Saltmarche; returns briefly to Vence; sails for North America (August); returns to OCA in fall.

1956: gives private classes in Toronto and Oshawa; lectures in Stratford; exhibits in *20th Annual Exhibition of American Abstract Artists with Painters Eleven of Canada*, New York Riverside Museum (April–May); begins experiments with Duco and works in this medium for eight months (spring to fall); begins experiments with Lucite 44 (fall).

1957: article by Maxwell Bates "Jock Macdonald: Painter-Explorer" appears in *Canadian Art* magazine; attends William Ronald's opening at the Kootz Gallery in New York (May); Clement Greenberg visits Toronto to critique works of Painters Eleven (June); one-man show at Hart House (29 works, approximately 20 in Lucite) (November); *Painters Eleven Exhibition*, Park Gallery (October–November).

Conception de la couverture du compte rendu de la 34ᵉ Exposition annuelle de la *B.C. Society of Fine Arts*. Passe l'été dans la vallée de l'Okanagan. Exposition des paysages de l'Okanagan à la *Vancouver Art Gallery*.

1945: Premier été d'enseignement à la *Banff School of Fine Arts;* fait la connaissance d'Alexandra Luke.

1946: Devient membre à vie de la *B.C. Society of Artists*. Présente des oeuvres automatiques à l'exposition annuelle de la *B.C. Society of Artists* (juin). Passe l'été à la *Banff School of Fine Arts*. Exposition solo de ses oeuvres automatiques à la *Vancouver Art Gallery* (septembre). Déménage à Calgary pour diriger le département des beaux-arts du *Provincial Institute of Technology* (septembre).

1947: Conception du prospectus du *Provincial Institute*. Exposition solo au *San Francisco Museum of Art*, J.W.G. Macdonald. Aquarelles — 48 oeuvres automatiques (août). Participe à la fondation du *Calgary Group*. Écrit un article pour le *Canadian Art,* "Heralding a New Group", au sujet du *Calgary Group*. Passe l'été à la *Banff School of Fine Arts*. Déménage à Toronto pour devenir professeur de peinture à l'*Ontario College of Art;* il y demeure jusqu'à sa mort en 1960. Exposition solo de ses oeuvres automatiques à la *Hart House Art Gallery* (novembre).

1948: Écrit l'article "The Development of Painting in the West", *Journal, Royal Architectural Institute of Canada* (janvier 1948). Présente ses oeuvres à l'Exposition de la peinture canadienne contemporaine, organisée par la Galerie nationale du Canada, au *Waldorf Astoria* à New York (*The Canadian Club of New York*). Élu membre de la *Canadian Society of Painters in Water Colour*. Printemps: visite de la *Hans Hofmann's School of Art,* à Provincetown, Massachusetts. Passe l'été à la *Banff School of Fine Arts*.

1949: Élu membre de l'*Ontario Society of Artists*. Visite de la *Hans Hofmann's School of Art,* à Provincetown (juin). Professeur d'art pour des groupes internationaux d'étudiants, Unesco, Breda, Hollande. Séjour à Thurso, Édimbourg, Chester, Londres, etc. Écrit "Reflections on A Trip to the Canadian International Seminar at Breda Holland" (en trois parties), article publié dans *Highlights* (1948–49).

1950: Donne des cours d'été à Pontigny, en France, à des groupes internationaux d'étudiants.

1951: Membre du comité directeur et du comité chargé de l'accrochage des tableaux de l'*Ontario Society of Artists*. Pendant l'été, à Banff, il étudie la technique du batik avec Marion Nicoll. Expérimente les fixatifs à la cire dans ses tableaux.

1952: Membre du comité directeur de l'*Ontario Society of Artists*. Président de la *Canadian Society of Painters in Water Colour,* 1952-1954. Passe l'été à l'*Art Gallery of Greater Victoria* à titre d'artiste en résidence; conférences publiques; exposition solo de ses oeuvres automatiques. Alexandra Luke organise l'exposition itinérante *Exposition abstraite canadienne* pour le YWCA, Oshawa (automne). Macdonald participe à l'exposition et donne une conférence au YWCA.

1953: Membre du jury avec Maxwell Bates, à l'exposition du Stampede de Calgary. Enseigne à Banff pendant l'été avec William Scott. Tire sa seule lithographie, intitulée *Nuit polynésienne*. Exposition *Abstracts at Home* chez *Robert Simpson Co.*, organisée par William Ronald (automne). Formation du groupe *Painters Eleven;* Macdonald en est membre fondateur. Lauréat de la médaille offerte lors du Couronnement de la reine.

1954: Première exposition du groupe *Painters Eleven*, à la *Roberts Gallery* de Toronto. Participe à l'exposition *Quatre Canadiens modernes, Willistead Art Gallery* (janvier). Bourse de la Société royale du Canada lui permettant d'étudier un an en France

1958: Greenberg visits Toronto; says J.W.G.M.'s working "hitting absolute tops" (January); *Slumber Deep* selected to represent Ontario in Guggenheim Competition; one-man show at Park Gallery (April); *Painters Eleven 1958*, Ecole des Beaux-Arts, Montreal; *Painters Eleven*, The Alan Cherry Gallery, Hamilton (May); organizes "abstract room" for CNE art exhibition; in summer spends three weeks teaching at Doon School of Fine Arts, Kitchener; exhibits, Museum for Contemporary Arts, Dallas, Texas, *A Canadian Portfolio* (introductory catalogue statement by J.W.G.M.) (September); *Painters Eleven* at Park Gallery (October–November); *Painters Eleven* (circulating exhibition through the NGC) – (1958–59); *Point of View* (circulating exhibition through the London Public Library and Art Museum); *Painters Eleven with Ten Distinguished Artists from Quebec*, The Park Gallery (October–November).

1959: private classes; first profitable year for painting sales; becomes associate member, Royal Canadian Academy; teaches at Doon in summer; OSA purchase award for *Fleeting Breath*; one-man exhibition Westdale Gallery, Hamilton; one-man exhibition Toronto Arts & Letters Club.

1960: elected life member of International Art & Letters Society; one-man exhibition at Toronto Here & Now Gallery (January); *Painters Eleven*, The Stable Gallery, The Montreal Museum of Fine Arts (April); semi-retrospective at the Art Gallery of Toronto (April); teaches at Doon; suffers heart attack in November; dies on December 3.

(printemps). Départ pour la France (été). Visite à Thurso, Edimbourg; voyage en Angleterre (loge chez Grace Pailthorpe à Battle, Sussex, et chez William Scott à Londres). Visites à Paris et à Nice. Loue un studio à Vence. Fait la promotion du groupe *Painters Eleven* au cours de ses déplacements.

1955: Présente deux aquarelles dans l'exposition du groupe *Painters Eleven* à la *Roberts Gallery* (février). Fait la connaissance de Jean Dubuffet qui l'encourage à expérimenter de nouvelles techniques pour ses huiles. Voyages dans le sud de l'Italie avec Kenneth Saltmarche. Retour à Vence pour une visite éclair. S'embarque pour l'Amérique du Nord (août). Retour à l'*Ontario College of Art* à l'automne.

1956: Donne des cours particuliers à Toronto et à Oshawa. Conférence à Stratford. Expose avec le groupe *Painters Eleven* à la *Twentieth Annual Exhibition of American Abstract Artists*, au *Riverside Museum* de New York (avril-mai). Commence à faire des expériences avec le Duco et utilise ce médium pendant huit mois (printemps-automne). Premiers essais avec la lucite 44 (automne).

1957: Article de Maxwell Bates, "Jock Macdonald: Painter-Explorer", dans le magazine *Canadian Art*. Macdonald assiste au vernissage de l'exposition de William Ronald à la *Kootz Gallery*, New York (mai). Le critique Clement Greenberg vient à Toronto rencontrer les membres du groupe *Painters Eleven* (juin). Exposition solo à *Hart House* (29 oeuvres dont une vingtaine à la lucite) (novembre). Exposition du groupe *Painters Eleven* à la *Park Gallery* (octobre–novembre).

1958: Greenberg passe par Toronto et trouve les oeuvres de Macdonald "extraordinaires à tout point de vue" (janvier) *Sommeil profond* représente l'Ontario au concours du Guggenheim. Exposition solo à la *Park Gallery* (avril). *Painters Eleven 1958*, École des beaux-arts de Montréal; *Painters Eleven, The Alan Cherry Gallery*, Hamilton (mai). Organise la "salle abstraite" pour l'Exposition nationale canadienne. Enseigne pendant trois semaines, l'été, à la *Doon School of Fine Arts*, Kitchener. Exposition au *Museum for Contemporary Arts*, Dallas, Texas, "A Canadian Portfolio" (déclaration de Macdonald dans l'introduction du catalogue) (septembre). Exposition du groupe *Painters Eleven* à la *Park Gallery* (octobre–novembre). Le groupe *Painters Eleven* (exposition itinérante de la Galerie nationale du Canada) (1958–1959). *Point de vue* (Exposition itinérante de la *London Public Library and Art Museum*). Le groupe *Painters Eleven et dix artistes réputés du Québec*, Park Gallery (octobre–novembre).

1959: Cours particuliers. Pour la première fois, la vente de ses tableaux est rentable. Membre associé de l'Académie royale des Arts. Enseigne à Doon pendant l'été. Prix d'acquisition de l'*Ontario Society of Artists* pour *Souffle fugitif*. Exposition solo à la *Westdale Gallery*, Hamilton. Exposition solo, *Arts & Letters Club*, Toronto.

1960: Élu membre à vie de l'*International Arts & Letters Society*. Exposition solo à la *Here and Now Gallery* de Toronto (janvier). Exposition du groupe *Painters Eleven, The Stable Gallery*, Musée des beaux-arts de Montréal (avril). Semi-rétrospective à l'*Art Gallery of Toronto* (avril). Enseigne à Doon. Crise cardiaque en novembre. Meurt le 3 décembre.

Appendix

"Art in Relation to Nature": Notes for a lecture first delivered by Macdonald in February 1940.

Appendice

"Art in Relation to Nature", notes pour une conférence donnée pour la première fois par Macdonald en février 1940.

Art and its Relation to Nature.

①

In our talk this morning we must associate ourselves with the question which puzzles the majority of people — "To what extent does Art relate itself to Nature"? To find an answer we must first of all ask ourselves "What do we mean by Nature?" Do we limit nature to our visual perceptions, or are we to extend our conception of Nature to include the whole universe. Art is not found in the mere imitation of nature, but the artist does perceive through his study of nature the awareness of a force which is the one order to which the whole universe conforms. Art in all its various activities is trying to tell us something, something about nature, something about the universe, and something about life. Art must include in its study of nature the whole universe, if it is to envisage some aspect of the universal truth & help humanity to become conscious of the meaning of life.

Yet, the artist in a paradoxical way must first of all study nature at close quarters. To observe nature, as it were, in a picture plane, it is nearly always apparently chaotic; the wild flowers in a meadow are not in orderly arrangement, the branches of trees are without rythm, the patches of snow on the hillside are unbalanced in relation to their areas and the stones from broken crags of a mountain are static and without vitality. One cannot become aware of the hidden laws of Nature from this perspective; the laws which awaken in us the universal truth of all-relating harmony and the sense of unity, the laws which are found in every department of man's activity, an expression of order, relation, union and unity.

Plato in his close study of nature came to the conclusion that in the reason of nature "God for ever Geometrises. He reveals

of this truth.

    Pythagoras found in his great ~~theorem~~ theorem
"The ~~area of the~~ squares on the two (smaller) sides of a
right-angled triangle are together equal to the square
on the greatest side," the secret of natures law
of relationship of areas. He also found that the
length of the diagonal of a square was mathematically
related to the side of the square, and in testing
this relationship with nature he found that the
geometrical relationships of lines and curves were
consistant throughout.   No matter what
object of nature one wishes to examine, this
geometrical or mathematical relationship will
be found to fit the structural forms. This is the
first law of Nature — the dynamic symmetry
of form — the relationship of the part to the
whole, ~~tooth~~ whether in line (contour) or area.
Nature however provides unlimited examples of
variety of enrichment, rythem of line, and
surface texture. All nature is mathematically
related and all the infinite structures of nature
are based on the relationships of nature which
Pythagoras discovered — or became conscious of.
Examples of relationship illustrated..

Simple relationships of lines.

Simple relationships of area.

Laws of nature.

So far the examples we have taken are free units, that is, they are not placed within a boundary. When one has to decorate a bounded space the problem of balance is doubly increased. The design must balance and also the background; or if one would prefer we might state it in this way — the pattern and the space relationships made by the pattern must balance. ~~In other words~~ The space relationships cannot be measured but through continual practice one becomes sensitive to true balance. In other words one feels or becomes conscious of true relationships. Intuitively all people have some degree of the universal law of balance, it is part of nature. It can be found in the arrangements of a room, in the laying of a table, or in the desire to have good proportion in articles of everyday use.

The Pythagoras theory of line and area proportion was used by the Greeks in their Architecture, Ornaments, and Decorative designs ~~for~~ all articles. From the period of Greek culture up to the present time it has always been felt that there was some advanced aesthetic quality in the Greek ~~culture~~ expression, some secret quality of relationships which died with the fall of that Civilisation. The Romans endeavoured to discover the secret of Greek perfection and thought that by basing their proportions on numerical relationships they would arrive at the bases of Greek proportion. Granted that numerical relationships: 1 part to 2, 1 part to 3, 2 parts to 3, 3 parts to 5, etc; are fairly satisfactory, one does not hesitate to notice that the Grecian column is far more refined, dignified & subtle than the Roman column.

Only ~~fifteen~~ 25 years ago the secret of the relationships of structural form throughout all nature was re-discovered by the German-American Hambidge. Hambidge interested himself in searching for the secret of Greek expression. He (intuitively) tested the theories of Pythagoras — the mathematical relationship of the diagonal of a square to

the side of the square – and found to his amazement that this was the bases of Greek proportion. Here we have our reason why all functional design has so decidedly changed during the past fifteen years. There are also other reasons but this first reason must be included in the expression of design today. You must be aware of the noticeable change in the design of furniture, utensils, architectural plans and elevations – the re-establishing of aesthetic truth in relationships of line and area.

Introduce the natural tendencies this shall remain

Design of today

In mentioning this change I would like to refer to a criticism I often hear about the design of today. It is this "It is far too plain and uninteresting" Yes! I am inclined to agree with this view but I think that the return to perfect relationships of the various parts is an advancement and it is the only bases on which any decoration should be established. At this time the correct type of design has not yet been created – suitable decoration can only evolve slowly & at this moment the designers of the new proportions find aesthetic enjoyment in pure simplicity & rest.

Intuitive Knowledge of all

The laws of nature are also within us. They are part of the essence of our minds. Since the time of the Greeks there are many examples of great art – yet the artist did not consciously know, or use, this law of the proportions of nature. When the great masterpieces were reexamined compositionally by the test of dynamic symmetry it was found that they fitted the test exactly. Intuitively artists create within the structural forms of nature. The quality of this intuitive expression determines one of the first necessary requirements of a work of art.

We have so far only dealt with the geometrical structure of work of art and its relationship to nature. A work of art which expresses only the objective form always has an over-emphasized naturalistic effect.

Through our sensations, perceptions, conceptions, and feelings we become aware of other activities

in the existence of the world outside of us. Here enters the second order in the expression of a work of art, through appealing to the senses and achieving values beyond the material. The interpretation of emotional feeling and emotional understanding is the problem of the artist. In viewing a sunset we feel the symbols of approaching rest, peacefulness after the striving of the day, the passing of light into darkness, the shadow of death. In viewing the sunrise we feel the birth of the new day, the awakening warmth of life, the enduring and everlasting power of creation & the spirit of God. The interpretation of the world, in art, through the sense perceptions become expressions of our inner consciousness — our subjective thoughts manifested through objective observations. Art now ~~becomes~~ reaches the plane where it becomes the expression of ideals and spiritual aspirations. The artist no longer strives to imitate ~~nature~~ the exact appearance of nature, but rather to express the spirit therein. The artist is quite justified in his expression of those characteristics of heightened sensibility and imaginative apprehension, but the majority of people neglect to look for this message in a work of art and judge the artists merit entirely on the craftsmanship.

Some very common criticisms of pictorial art are :— " I never saw anything like that", "The public have the ~~only~~ right to judge a work of art", & "It does not represent what we visually see, it is not art." Artists find it impossible to understand why the public — in the mass — seem to think that they are justified in expressing judgement as to what a work of art should consist of, nor why the artist should be expected to limit his conceptions to the conscious ~~development~~ level of the public. ~~Again I repeat that a~~ It is admitted that a work of art must appeal through the senses; but unless it achieves values beyond the material & the reasonable, it fails of

of the purpose ascribed to it by every prophet & seer through the ages.

Let us now consider what the public thinks of as real and reasonable & what the message is that the artist wishes to express. Mere visual representation is what the public seek, but the artist seeks the spirit in matter as I have already stated. In this day and age the public put their faith in Science so let us now examine what the Scientist has to say about reality & matter.

Science studies the structural forms of nature. Where has this study brought the Scientist to today? A tremendous revolution has taken place within the past forty years, the result of which, we have discovered what we feel through our sense perceptions to be "reality", is only an illusion of reality. It was felt at the beginning of this century that if we could isolate the atom we would know what "matter" was. The atom was isolated ~~by~~ & very soon it was broken by Sir. J. J. Thomas, who found that the atom was made up of molecules & those molecules were nothing other than electrons and protons. Sir James Jeans, the eminent English Scientist says in his "Mysterious Universe" — "Electrons & protons, the fundamental units of which all matter is composed can appear ~~as~~ now as particles, & now as waves (electrical) — no one has ever seen an electron, or has the remotest conception as to what it would look like." ("Actually a system of waves provides a picture which has never yet failed to predict the behaviour of electrons, while the conception of an electron as a hard particle has failed on innumerable occasions.) In this way we are beginning to ~~think~~ suspect that we live in a universe of waves & nothing but waves." The waves are electrical.

Now Minkowski states — "Matter is electrical in substance, so that all physical phenomena are ultimately electrical."

A little later Minkowski, Sir Arthur Eddington & Sir Oliver Lodge agree that " Space & Time separately have

vanished into the merest shadows, and only a sort of combination of the two preserves any reality".

(Still later) Professor Einstein says & I quote - "The study of the inner workings of nature has passed from the engineering - scientist to the mathematician."

Sir James Jeans speaking of the law of Gravitation says, & again I quote "The law of Gravitation is, strictly speaking, nothing more than a mathematical formula giving the acceleration of a moving body - the rate at which it changes its speed of motion."

We hasten along our road in the study of apparent "reality" & further revelations stagger us. Here is another statement by Sir James Jeans - "The critics who say today that the universe must admit of material representation cannot possibly be granted this conclusion." "Scientists today insist on the finiteness of space at all costs, & cannot admit the material representation; and the reason is that it has become a mere mental concept." "The universe is a universe of Thought & its creation must have been an act of Thought." "Indeed the finiteness of Time & Space almost compels us, of themselves, to picture the creation as an act of Thought." ("Mind no longer appears as an accidental intruder into the realm of matter; we are beginning to suspect that we ought rather to hail it as the creator & governor of the realm of nature - not of course our individual minds, but the minds in which the atoms out of which our individual minds have grown exist as thoughts.)"

Now Art is expressing the same truth pictorially — the inner meaning of apparent reality.

The discoveries of empirical science help humanity to form new conceptions about nature & has a definite share in the evolving of a new consciousness.

I must now speak of the new concepts of the Philosophers of today as later on we can the more clearly understand similar expressions of thought in the art of our time.

The study of the mind is the study of consciousness and its unfolding. There are different grades of consciousness observable in nature — those of the vegetable-animal, animal and Man (with the sense of Space). As consciousness changes & develops, so also does the sense of space change & develop. That is to say, the dimensionality of the world depends on the development of consciousness. Man has a sense of three-dimensional space, & has that sense only because that is the stage of development which he has reached.

Philosophers today speak of the 4th Dimensional consciousness which man is evolving into. This 4th dimension deals with new concepts of "Time & Space". For those of you who may desire to study this new philosophy I would like to mention recommend for its clearness of explanation — "Tertium Organum" — "A Key to the Enigmas of the World" — by P. D. Ouspensky. Ouspensky was first of all an important Russian scientist before he devoted his interest to Philosophy. As an introduction to this 4th Dimensional Philosophy I now quote from Ouspensky — "Matter is that in which proceed changes called motion and motions are those changes which proceed in matter." (objective knowledge). Then he says "The existance in us of psychic psyche life i.e. of sensations, perceptions, conceptions, reasoning, feeling and desires, etc; & the existance of the world outside of us — from these Two fundamental data, immediately proceed our common & clearly understood division of everything that we know into subjective & objective."

"Our relation to the objective world is most exactly defined by the fact that we perceive it as existing in Time & Space: otherwise, out of these conditions, we can neither conceive nor imagine it."
"In general, we say that the objective world consists of things & phenomena, i.e. things & changes in states of things. The Phenomena exists for us in Time, the things in Space." "By Time we mean the distance

separating events in the order of their succession &
binding them in different wholes." This distance lies
in a direction not contained in three dimensional space,
therefore it will be the new dimension of space.

(Use examples of dimension extension).

Point, Line, Plane, Cube, Time.

Point moving in space gives the line; space & movement gives the concept of time.

We noted earlier that Art, in its fullest expression,
is knowledge, made concrete, of the inner truths of
nature, or creation — all being. What does the new
art of today express. It has begun to express the
4th dimensional space concept. This is first found
in the work of Cézanne & that is the chief reason
why his work is so important already. Cézanne
felt 4th Dimensional Space intuitively — before it
became the conscious thoughts of Philosophers
and Scientists. The expression of this new art cannot
help itself evolving — it is the art which is the
conscious expression of our time. There is no
possibility of returning to the art of the past. And this
art is not art gone chaotic. We Creative thought
knows not chaos, only the material side of life
can become chaotic. The creative geniuses of today,
whose consciousness has advanced to concepts of the
4th dimension of thought, carry the torch of a new
understanding together with the Philosophers & Scientists.

In case it may be felt that artists of today
have no appreciation of the arts of the past, I must state,
that artists who have any understanding of todays
expression cannot possibly have reached that understanding
without knowing that each period of conscious
development throughout the centuries, has its
masterpieces of art. I ask — who can fail to appreciate
the masterpieces of art? Surely not the artists!

There are, we must admit, many pseudo
artists who have adapted the techniques of the new
art & have inflicted the unfortunate public with crude
and blatant works. This makes it extremely difficult
for the public to know what is true & what is false.

276

⑨

The cube included in time is the extension into unknown space & therefore time is the 4th dimension of space.

Cézanne of the explanation of the lines of the forms.

Emily Carr
Varley

The creative artist knows that his creating is for knowledge & not for pleasure, & is one only for pleasure to learn would cease of the clouds would cease or end.

The desire for true Beauty is an intellectual feeling.

People who have no special education in matters pertaining to art can detect which is which, by searching into the development of the artist. No artist can be conscious of the expression of this new art unless he or she has devoted years of searching through naturalistic & idealistic art. The development of an art expression can only be obtained through the most intimate & extended study of nature. Again, one must not be mislead by artists who appear very dexterous & produce modern art works by the dozen— An analysis of their work will be found to record almost direct plagiarisms of the various technical expressions of the worlds most creative leaders of art. Even the Geniuses of art in the world today are unable to produce ten creative works a year. The threshold of intuitive feeling can not be reached at will and even when it is reached the artist has to mentally formulate the thought - forms & be able to accomplish bringing them into physical manifestation.

There are many levels or planes of art expression, just as there are many planes of musical, literary & dance expressions. Each plane has its value for humanity as they serve as stepping-stones to the understanding of the highest. We must strive to know the highest.

Let us now look for the inner meaning of the arts of today.

Architecture :- (1) Releasing oneself from the material world. (2) The attempt to grasp Space. (3) The uniqueness of newly invented alloys fitting the requirements of the conscious will.

Sculpture :- (1) Space concepts expressed in the concave and convex. (2) Space by not expressing the form completely (3) Mobile sculpture.

Painting :- (1) Extending cubistically the 3rd dimension (2) Kinetism — apparent reality expressed in movement. (3) Abstract — aesthetic relationships of pure form — elimination,

Space expressed in volume projected; colour planes.
(4) Sur-realism — study of dream state — point where sub-conscious & conscious mind meet.

Literature :— (1) Extension of the mental concepts — introducing all thoughts *while* still continuing the original theme (E.E. Cummings). (2) Musical vibrations of the sound of repeated words.

Dance :— (1) Expressive interpretations (Martha Graham).
(2) Aesthetic values of choreography.

Colour :— (1) Space, ~~values~~ through intensity & value.
(2) Physical reactions.

— + ++ —

Mans consciousness is always in a state of change. With the change of consciousness comes the change of Art. Art is a record of the evolution of Humanity. Our knowledge of Nature has changed. The artists expression must change as the artist finds his inspiration for ever stimulated by searching into nature.

Thomas Mann ~~say~~ said in "Joseph in Egypt" —
"We are children of our age, and it seems to me it is always better to live by the time of the truth wherein we are born than to try to guide ourselves by the immemorial past, & the stern maxims of antiquity & so doing to deny our souls.

———

PRINCIPAL EXHIBITIONS

1936
Vancouver, Art Emporium, February. *J.W.G. Macdonald*. Recent Nootka sketches.

Vancouver, Vancouver Art Gallery, 26 June – 12 July. *B.C. Society of Fine Arts 26 Annual*. 8 works. Checklist available.

1936/37
Ottawa, National Gallery of Canada. *Exhibition of Contemporary Canadian Painting*. 56. *The Black Tusk, Garibaldi Park, B.C.* 57. *Friendly Cove*. Travelled through Southern Dominions.

1938
London, The Tate Gallery. *A Century of Canadian Art*. 147. *Pilgrimage* 148. *Drying Herring Roe*.

Vancouver, Vancouver Art Gallery, 29 April – 15 May. *B.C. Society of Fine Arts*. Exhibited 4 modalities.

1939
New York, New York World's Fair, 1939. *Exhibition of Canadian Art* (Under the direction of the National Gallery of Canada). 38. *Winter 39. The Black Tusk, Garibaldi Park, B.C.*

San Francisco, The Golden Gate International Exposition. *Contemporary Art*. Canada 18. *Indian Burial*.

Vancouver, Vancouver Art Gallery, 9 – 25 June. *B.C. Society of Fine Arts*. Exhibited 6 works (3 modalities).

1941
Toronto, Art Gallery of Toronto, April. *Four Canadian Painters: Middleton, Macdonald, Hébert, and Brittain*. Exhibited 18 works. Checklist.

Toronto, Canadian National Exhibition. *Contemporary Art of the Western Hemisphere*. Organized by International Business Machines. *Drying Herring Roe*.

Vancouver, Vancouver Art Gallery, 6 – 18 May. *J.W.G. Macdonald*. Exhibited about 40 works.

Vancouver, Vancouver Art Gallery, 8 – 21 September. *J.W.G. Macdonald*. Exhibited 22 sketches of the Rockies.

1944
Vancouver, Vancouver Art Gallery, 21 November – December. J.W.G. Macdonald.

1946
Vancouver, Vancouver Art Gallery. *J.W.G. Macdonald*.

PRINCIPALES EXPOSITIONS

1936
Vancouver, *Art Emporium*, février. *J.W.G. Macdonald*. Récents croquis de Nootka.

Vancouver, *Vancouver Art Gallery*, du 26 juin au 12 juillet. *B.C. Society of Fine Arts 26 Annual*. 8 oeuvres. Liste disponible.

1936-1937
Ottawa, Galerie nationale du Canada. *Exhibition of Contemporary Canadian Painting*. 56. *La Défense noire, parc Garibaldi*. 57. *Friendly Cove*. Exposition présentée dans les Dominions du Sud.

1938
Londres, *The Tate Gallery, A Century of Canadian Art*. 147. *Pèlerinage*. 148. *Séchage des oeufs de hareng*.

Vancouver, *Vancouver Art Gallery*, du 29 avril au 15 mai. *B.C. Society of Fine Arts*. 4 modes sont exposés.

1939
New York, Exposition internationale de New York, 1939. *Exhibition of Canadian Art* (sous la direction de la Galerie nationale du Canada). 38. *Hiver*. 39. *La Défense noire, parc Garibaldi*.

San Francisco, *The Golden Gate International Exhibition, Contemporary Art*. Canada 18. *Enterrement indien*.

Vancouver, *Vancouver Art Gallery*, du 9 au 25 juin. *B.C. Society of Fine Arts*. 6 oeuvres sont exposées (3 modes).

1941
Toronto, *Art Gallery of Toronto*, avril. *Four Canadian Painters: Middleton, Macdonald, Hébert and Brittain*. 18 oeuvres sont exposées. Liste.

Toronto, Exposition nationale canadienne, *Contemporary Art of the Western Hemisphere*. Organisée par la société *International Business Machines*. *Séchage des oeufs de hareng*.

Vancouver, *Vancouver Art Gallery*, du 6 au 18 mai. *J.W.G. Macdonald*. Une quarantaine d'oeuvres sont exposées.

Vancouver, *Vancouver Art Gallery*, du 8 au 21 septembre. *J.W.G. Macdonald*. 22 esquisses des Rocheuses sont exposées.

1944
Vancouver, *Vancouver Art Gallery*, du 21 novembre au mois de décembre. *J.W.G. Macdonald*.

1946
Vancouver, *Vancouver Art Gallery*, *J.W.G. Macdonald*. Exposition d'aquarelles automatiques. Sans catalogue.

1947
San Francisco, *San Francisco Museum of Art*, du 5 au 31 août. 279

Exhibition of automatic water-colours. No catalogue.

1947
San Francisco, San Francisco Museum of Art, 5–31 August. *Paintings by J.W.G. Macdonald.* Checklist of 48 automatic watercolours.

Toronto, Hart House Gallery, November. *J.W.G. Macdonald.*

1952
Victoria, Victoria Art Centre, July – August. *Jock Macdonald.* No catalogue. About 30 works were exhibited, chiefly automatics.

1954
Windsor, Ontario, Willistead Art Gallery. *Four Modern Canadians: P.H. Tacon, Sydney Watson, James W.G. Macdonald, Hortense M. Gordon.* 7 works displayed. Catalogue available.

1957
Toronto, Hart House Gallery, November-December. *Jock Macdonald.* 29 works displayed. No catalogue. A numbered checklist exists.

1958
Toronto, The Park Gallery, 21 April – 3 May. *J.W.G. Macdonald.* 32 works exhibited. Catalogue exists.

1959
Toronto, The Arts & Letters Club, 9 March – 15 April. *Jock Macdonald.* 18 works exhibited. List in artist's notebook.

Hamilton, Westdale Gallery, November 1959. *Jock Macdonald.* List in artist's notebook.

1960
Toronto, Here & Now Gallery, 8 January – 1 February.

Jock Macdonald. Checklist. Toronto, The Art Gallery of Toronto, May. *Jock W.G. Macdonald: A Retrospective Exhibition.* An exhibition of 66 works. Annotated catalogue.

1962
Toronto, Roberts Gallery, 5 – 20 January. *Jock Macdonald: A Restrospective.* Illustrated catalogue.

1970
Burnaby, Burnaby Art Gallery, 20 January – 15 February. *Jock Macdonald, Retrospective Exhibition.* Numbered checklist of 22 works.

Ottawa, National Gallery of Canada, *Jock Macdonald.* A full catalogue.

Paintings by J.W.G. Macdonald. Liste de 48 aquarelles automatiques.

Toronto, *Hart House Gallery*, novembre. *J.W.G. Macdonald.*

1952
Victoria, *Victoria Art Centre*, juillet-août. *Jock Macdonald.* Sans catalogue. Une trentaine d'oeuvres sont exposées, surtout des tableaux automatiques.

1954
Windsor, Ontario, *Willistead Art Gallery, Four Modern Canadians: P.H. Tacon, Sydney Watson, James W.G. Macdonald, Hortense M. Gordon.* 7 oeuvres sont exposées. Catalogue disponible.

1957
Toronto, *Hart House Gallery*, novembre-décembre. *Jock Macdonald.* 29 oeuvres sont exposées. Sans catalogue. Liste

des oeuvres numérotées.

1958
Toronto, *The Park Gallery*, du 21 avril au 3 mai. *J.W.G. Macdonald.* 32 oeuvres sont exposées. Catalogue.

1959
Toronto, *The Arts & Letters Club*, du 9 mars au 15 avril, *Jock Macdonald.* 18 oeuvres sont exposées. Liste dans les notes de l'artiste.

Hamilton, *Westdale Gallery*, novembre 1959. *Jock Macdonald.* Liste dans les notes de l'artiste.

1960
Toronto, *Here & Now Gallery*, du 8 janvier au 1er février. *Jock Macdonald.* Les archives du Musée des beaux-arts de l'Ontario disposent d'une liste des oeuvres exposées.

Toronto, *The Art Gallery of Toronto*, mai. *Jock Macdonald: A Retrospective Exhibition.* Expo-

sition de 66 oeuvres. Catalogue annoté disponible.

1962
Toronto, *Roberts Gallery*, du 5 au 20 janvier. *Jock Macdonald: A Retrospective.* Catalogue illustré.

1970
Burnaby, *Burnaby Art Gallery*, du 20 janvier au 15 février. *Jock Macdonald, Retrospective Exhibition.* Liste de 22 oeuvres numérotées.

Ottawa, Galerie nationale du Canada. *Jock Macdonald.* Catalogue complet.

CATALOGUE OF THE EXHIBITION

Dimensions are given in centimetres, height preceding width.
*-Toronto
**-Toronto and Windsor only

1. *Lytton Church, British Columbia*, 1930
Oil on canvas
61.6 x 71.1 cm
National Gallery of Canada, Ottawa

2. *Yale, B.C.*, 1932
Oil on panel
30.5 x 36.8 cm
Beatrice Lennie

3. *Table Mountain, Garibaldi Park, B.C.*, 1934
Oil on panel
29.2 x 36.8 cm
Dr. Hamish McIntosh, Vancouver

4. *Howe Sound*, 1933
Oil on panel
30.5 x 38.1 cm
Art Gallery of Greater Victoria
Gift of Harold Mortimer-Lamb

5. *Landscape Sketch*, 1934
Oil on panel
30.2 x 37.8 cm
The Vancouver Art Gallery

6. *Panorama Ridge*, 1935
Oil on Panel
27.3 x 36.8 cm
Dr. Evelyn A. Gee

7. *The Black Tusk, Garibaldi Park, B.C.* 1932
Oil on panel
71.1 x 91.4 cm
Private Collection

8. *The Black Tusk*, 1934
Oil on panel
30.3 x 38.1 cm
Provincial Archives of British Columbia

9. *In the White Forest*, 1932
Oil on canvas
66 x 76.2 cm
Collection of the Art Gallery of Ontario
Purchase, 1975

10. *Formative Colour Activity*, 1934
Oil on canvas
77.2 x 66.4 cm
National Gallery of Canada, Ottawa

11. *Russian Hermit's Cabin, Maquinna Point, Nootka*, 1935
Oil on panel
29.2 x 36.8 cm
R.A.H. Lort

12. *Pacific Ocean Experience*, c.1935
Oil on panel
34.9 x 27.6 cm
Samuel and Janet Ajzenstat

13. *Etheric Form*, 1935
Oil on panel
38.1 x 30.5 cm

CATALOGUE DE L'EXPOSITION

Les dimensions sont données en centimètres, la longueur précédant la largeur.
* = Toronto seulement.
** = Toronto et Windsor seulement.

1. *Église de Lytton, Colombie-Britannique*, 1930
Huile sur toile
61,6 x 71,1 cm
Galerie nationale du Canada, Ottawa

2. *Yale, C.-B.*, 1932
Huile sur bois
30,5 x 36,8 cm
Beatrice Lennie

3. *Table Mountain, parc Garibaldi, C.-B.*, 1934
Huile sur bois
29,2 x 36,8 cm
Docteur Hamish McIntosh, Vancouver

4. *Howe Sound*, 1933
Huile sur bois
30,5 x 38,1 cm
Art Gallery of Greater Victoria
Don de Harold Mortimer-Lamb

5. *Esquisse de paysage*, 1934
Huile sur bois
30,2 x 37,8 cm
Vancouver Art Gallery

6. *Panorama Ridge*, 1935
Huile sur bois
27,3 x 36,8 cm
Docteur Evelyn A. Gee

7. *La Défense noire, parc Garibaldi*, 1932
Huile sur bois
71,1 x 91,4 cm
Collection particulière

8. *La Défense noire*, 1934
Huile sur bois
30,3 x 38,1 cm
Archives provinciales de la Colombie-Britannique

9. *Dans la forêt blanche*, 1932
Huile sur toile
66 x 76,2 cm

Collection du Musée des beaux-arts de l'Ontario
Achat, 1975

10. *Composition chromatique*, 1934
Huile sur toile
77,2 x 66,4 cm
Galerie nationale du Canada, Ottawa

11. *Cabane de l'ermite russe, Maquinna Point, Nootka*, 1935
Huile sur bois
29,2 x 36,8 cm
R.A.H. Lort

12. *Expérience de l'océan Pacifique*, vers 1935
Huile sur bois
34,9 x 27,6 cm
Samuel et Janet Ajzenstat

13. *Forme éthérée*, 1935
Huile sur bois
38,1 x 30,5 cm
Collection particulière

14. *Tombée du jour*, 1935
Huile sur bois
34,9 x 27,6 cm
Collection du Musée des

Private Collection

14. *Departing Day,* 1935
Oil on panel
34.9 x 27.6 cm
Collection of the Art Gallery
of Ontario
Purchased with assistance
from Wintario, 1979

15. *Friendly Cove, Nootka
Sound, B.C.,* 1935
Oil on canvas
63.8 x 82.6 cm
Mr. & Mrs. Kenneth Caple

16. *Indian Burial, Nootka,*
1937
Oil on canvas
92.6 x 71.9 cm
The Vancouver Art Gallery

17. *Pilgrimage,* 1937
Oil on canvas
78.7 x 61 cm
National Gallery of Canada,
Ottawa

18. *Drying Herring Roe,* 1938
Oil on canvas

Mr. & Mrs. F. Schaeffer

19. *Fall (Modality 16),* 1937
Oil on canvas
71.1 x 61 cm
Private Collection

20. *Rain,* 1938
Oil on canvas
55.9 x 45.7 cm
Collection of Judith Brown

21. *Chrysanthemum,* 1938
Oil on canvas
56.5 x 46.1 cm
Private Collection

22. *Flight,* 1939
Oil on canvas
56.5 x 46.4 cm
Private Collection

23. *Winter,* 1938
Oil on canvas
56 x 45.9 cm
Collection of the Art Gallery
of Ontario
Gift of Miss Jessie A. B.
Staunton in
Memory of her parents, Mr.

& Mrs. V. C. Staunton, 1961

24. *Birth of Spring,* 1939
Oil on panel
38.4 x 30.5
Anonymous Loan

25. *The Wave,* 1939
Oil on canvas
101.6 x 81.3 cm
Collection of Dr. & Mrs.
Keith Macleod,
Windsor, Ontario

26. *Tantalus Range from
Garibaldi Park,* 1939
Oil on canvas
74.9 x 86.4 cm
Private Collection

27. *Columbia Ice Fields,
Glacier, Alberta,* c.1941
Oil on panel
30.5 x 38.1 cm
Dr. Hamish McIntosh,
Vancouver

28. *Ice Forms – Columbia Ice
Fields,* 1941
Oil on panel

30.5 x 38.1 cm
Private Collection

29. *Lake O'Hara Looking
East,* 1941
Oil on panel
30.5 x 38.1 cm
Private Collection

30. *Castle Towers Garibaldi
Park,* 1943
Oil on canvas
71.8 x 96.5 cm
Private Collection

31. *Mt. Lefroy, Lake O'Hara,*
1944
Oil on canvas
101.6 x 81.3 cm
University of British
Columbia

32. *Kelowna Landscape,* 1944
Oil on canvas
76.2 x 91.4 cm
Mr. M. Sharf

33. *Fish Family,* 1943*
Watercolour on paper
40 x 48.3 cm

Hart House Permanent
Collection
University of Toronto

34. *Arctic Vibrations,* 1945
Watercolour on paper
26 x 36.8 cm
Anonymous Loan

35. *The Oyster,* 1942 (?)
Watercolour on paper
25.4 x 34.9 cm
Amy and Clair Stewart

36. *Prehistoric World,* 1945
Watercolour on paper
16.5 x 24.1 cm
Collection of Mr. & Mrs.
J. D. Turner, Calgary

37. *Automatic (Untitled),* 1945
Watercolour on paper
24.1 x 34.3 cm
Private Collection

38. *New Fruit,* 1946
Watercolour on paper
16.5 x 24.1 cm
Collection of Mr. & Mrs.
J. D. Turner, Calgary

---

beaux-arts de l'Ontario
Achat subventionné par
Wintario, 1979

15. *Friendly Cove, Nootka
Sound, C.-B.,* 1935
Huile sur toile
63,8 x 82,6 cm
M. et Mme Kenneth Caple

16. *Enterrement indien,
Nootka,* 1937
Huile sur toile
92,6 x 71,9 cm
Vancouver Art Gallery

17. *Pèlerinage,* 1937
Huile sur toile
78,7 x 61 cm
Galerie nationale du Canada,
Ottawa

18. *Séchage des oeufs de hareng,*
1938
Huile sur toile
71,1 x 81,3 cm
M. et Mme F. Schaeffer

19. *Automne (Mode 16),* 1937
Huile sur toile
71,1 x 61 cm
Collection particulière

20. *Pluie,* 1938
Huile sur toile
55,9 x 45,7 cm
Collection de Judith Brown

21. *Chrysanthème,* 1938
Huile sur toile
56,5 x 46,1 cm
Collection particulière

22. *Envol,* 1939
Huile sur toile
56,5 x 46,4 cm
Collection particulière

23. *Hiver,* 1938
Huile sur toile
56 x 45,9 cm
Collection du Musée des
beaux-arts de l'Ontario
Don de Mlle Jessie A. B.
Staunton à la mémoire des ses
parents,
M. et Mme V. C. Staunton,
1961

24. *Naissance du printemps,*
1939
Huile sur bois
38,4 x 30,5 cm
Prêt anonyme

25. *La Vague,* 1939
Huile sur toile
101,6 x 81,3 cm
Collection du docteur et de
Mme Keith Macleod,
Windsor (Ontario)

26. *Tantalus Range, parc
Garibaldi,* 1939
Huile sur toile
74,9 x 86,4 cm
Collection particulière

27. *Champ de glace Columbia,
Parc des Glaciers, Alberta,* vers
1941
Huile sur bois
30,5 x 38,1 cm
Docteur Hamish McIntosh,
Vancouver

28. *Relief de glace — Champ de
glace Columbia,* 1941
Huile sur bois
30,5 x 38,1 cm
Collection particulière

29. *Lac O'Hara, vue de l'est,*
1941
Huile sur bois
30,5 x 38,1 cm
Collection particulière

30. *Castle Towers, parc
Garibaldi,* 1943
Huile sur toile
71,8 x 96,5 cm
Collection particulière

31. *Mont Lefroy, lac O'Hara,*
1944
Huile sur toile
101,6 x 81,3 cm
University of British
Columbia

32. *Paysage de Kelowna,* 1944
Huile sur toile
76,2 x 91,4 cm
M.M. Sharf

33. *Famille de poissons,* 1943*
Aquarelle sur papier
40 x 48,3 cm
Collection permanente de
Hart House
University of Toronto

34. *Vibrations arctiques,* 1945
Aquarelle sur papier
26 x 36,8 cm
Prêt anonyme

35. *L'Huître,* 1942 (?)
Aquarelle sur papier
25,4 x 34,9 cm
Amy et Clair Stewart

36. *Monde préhistorique,* 1945
Aquarelle sur papier
16,5 x 24,1 cm
Collection de M. et Mme
J.D. Turner, Calgary

37. *Automatique (sans titre),*
1945
Aquarelle sur papier
24,1 x 34,3 cm
Collection particulière

38. *Fruits nouveaux,* 1946
Aquarelle sur papier
16,5 x 24,1 cm
Collection de M. et Mme
J.D. Turner, Calgary

39. *Le Papillon,* 1946
Aquarelle et encre noire sur
papier
25,4 x 35,6 cm
Robert McLaughlin Gallery,
Oshawa
Achat, 1971

39. *The Butterfly*, 1946
Watercolour with black ink
on paper
25.4 x 35.6 cm
The Robert McLaughlin
Gallery, Oshawa
Purchase, 1971.

40. *Garden Magic*, 1946
Watercolour on paper
24.8 x 34.9 cm (sight)
Mr. M. Sharf

41. *Automatic (Untitled)*, 1946
Watercolour on paper
17.8 x 25.4 cm
Private Collection,
Vancouver, B.C.

42. *Abstract – Vermilion
Centre*, 1946
Watercolour on paper
17.2 x 24.8 cm (sight)
Mr. M. Sharf

43. *Abstract – Lines and
Spaces*, 1946
Watercolour on paper
17.5 x 24.8 cm

Private Collection

44. *Music Hour*, 1946
Watercolour and black ink on
paper,
16.5 x 24.1 cm
The Robert McLaughlin
Gallery, Oshawa
Purchase, 1979

45. *Russian Fantasy*, 1946
Watercolour and ink on paper
25.1 x 35.9 cm (sight)
Collection of the Art Gallery
of Ontario
Purchase, Peter Larkin
Foundation, 1962

46. *The Ram*, 1946
Watercolour on paper
39.4 x 49.2 cm
Mr. & Mrs. Harry L. Fogler

47. *The Ram*, 1946
Watercolour and ink on paper
16.5 x 24.8 cm
The Robert McLaughlin
Gallery,
Oshawa Purchase, 1979

48. *Sandpiper*, 1946
Watercolour and ink on paper
24.8 x 34.9 cm (sight)
Mr. M. Sharf

49. *Orange Bird*, 1946
Watercolour and ink on paper
17.2 x 24.8 cm (sight)
Mr. M. Sharf

50. *Strange Friends*, 1946
Watercolour on paper
21.6 x 27.9 cm
The McMichael Canadian
Collection,
Kleinburg, Ontario

51. *Fish Playground*, 1946
Watercolour on paper
18.4 x 25.4 cm
Gift of James and Marion
Nicoll to the
Collection of Alberta Art
Foundation

52. *Fish Fantasy*, 1946
Watercolour and ink on paper
24.5 x 34.9 cm (sight)
Dr. & Mrs. Barry Woods

53. *Flower Land*, 1947
Watercolour on paper
17.2 x 24.8 cm (sight)
Mr. M. Sharf

54. *Memories of Distant Shores*,
1947
Watercolour on paper
30.5 x 47.5 cm
Dr. & Mrs. Paul P. Biringer

55. *Ocean Legend*, 1947
Oil on canvas
86.4 x 61 cm
Mr. & Mrs. A. Mecklinger

56. *Automatic (Untitled)*, 1948
Oil on canvas
69.9 x 83.8 cm
Collection of the Art Gallery
of Ontario
Purchase with assistance
from Wintario, 1977

57. *Land of Dreams*, 1948
Watercolour on paper
38.1 x 48.3 cm
Mr. M. Sharf

58. *The Witch*, 1948

Watercolour and ink on paper
37.5 x 45.4 cm
Collection of the Art Gallery
of Ontario
Gift from the Albert H.
Robson Memorial
Subscription Fund, 1950

59. *Phoenix*, c.1948
Watercolour and ink on paper
25.4 x 35.5 cm
The Robert McLaughlin
Gallery, Oshawa
Gift of Alexandra Luke, 1967

60. *Bird and Environment*,
1948
Oil on canvas
64.1 x 88.9 cm
Private Collection

61. *Hummingbird and
Environment*, 1949
Oil on canvas
81.3 x 101.6 cm
The Eisen Collection

62. *The Magic Mountain*, 1949
Watercolour on paper
37.8 x 45.4 cm

---

40. *Magie du jardin*, 1946
Aquarelle sur papier
24,8 x 34,9 cm (vue)
M.M. Sharf

41. *Automatique (sans titre)*,
1946
Aquarelle sur papier
17,8 x 25,4 cm
Collection particulière,
Vancouver (C.-B.)

42. *Composition abstraite —
centre vermillon*, 1946
Aquarelle sur papier
17,2 x 24,8 cm (vue)
M. M. Sharf

43. *Composition abstraite —
lignes et espaces*, 1946
Aquarelle sur papier
17,5 x 24,8 cm
Collection particulière

44. *Heure musicale*, 1946
Aquarelle et encre noire sur
papier
16,5 x 24,1 cm
Robert McLaughlin Gallery,
Oshawa
Achat, 1979

45. *Fantaisie russe*, 1946
Aquarelle et encre sur papier
25,1 x 35,9 cm (vue)
Collection du Musée des
beaux-arts de l'Ontario
Achat par la fondation Peter
Larkin, 1962

46. *Le Bélier*, 1946
Aquarelle sur papier
39,4 x 49,2 cm
M. et Mme Harry L. Fogler

47. *Le Bélier*, 1946
Aquarelle et encre sur papier
16,5 x 24,8 cm
Robert McLaughlin Gallery,
Oshawa
Achat, 1979

48. *Bécasseau*, 1946
Aquarelle et encre sur papier
24,8 x 34,9 cm
M.M. Sharf

49. *Oiseau orange*, 1946
Aquarelle et encre sur papier
17,2 x 24,8 cm (vue)
M. M. Sharf

50. *Étranges amis*, 1946
Aquarelle sur papier
21,6 x 27,9 cm

The McMichael Canadian
Collection,
Kleinburg (Ontario)

51. *Les Poissons au jeu*, 1946
Aquarelle sur papier
18,4 x 25,4 cm
Don de James et Marion
Nicoll à la
collection de l'Alberta Art
Foundation

52. *Fantaisie aux poissons*,
1946
Aquarelle et encre sur papier
24,5 x 39,9 cm (vue)
Le docteur et Mme Barry
Woods

53. *Terre des fleurs*, 1947
Aquarelle sur papier
17,2 x 24,8 cm (vue)
M. M. Sharf

54. *Souvenirs de rivages
lointains*, 1947
Aquarelle sur papier
30,5 x 47,5 cm
Le docteur et Mme Paul P.
Biringer

55. *Légende de l'océan*, 1947

Huile sur toile
86,4 x 61 cm
M. et Mme A. Mecklinger

56. *Automatique (sans titre)*,
1948
Huile sur toile
69,9 x 83,8 cm
Collection du Musée des
beaux-arts de l'Ontario
Achat subventionné par
Wintario, 1977

57. *Terre de rêves*, 1948
Aquarelle sur papier
38,1 x 48,3 cm
M. M. Sharf

58. *La Sorcière*, 1948
Aquarelle et encre sur papier
37,5 x 45,4 cm
Collection du Musée des
beaux-arts de l'Ontario
Don de l'Albert H. Robson
Memorial Subscription
Fund, 1950

59. *Phénix*, vers 1948
Aquarelle et encre sur papier
25,4 x 35,5 cm
Robert McLaughlin Gallery,

Oshawa
Don d'Alexandra Luke, 1967

60. *L'Oiseau et son milieu*,
1948
Huile sur toile
64,1 x 88,9 cm
Collection particulière

61. *L'Oiseau-mouche et son
milieu*, 1949
Huile sur toile
81,3 x 101,6 cm
La collection Eisen

62. *La Montagne magique*,
1949
Aquarelle sur papier
37,8 x 45,4 cm
Collection du Musée des
beaux-arts de l'Ontario
Achat de la fondation Peter
Larkin, 1962

63. *Danse rituelle*, 1949
Aquarelle sur papier
38,1 x 47 cm
M. M. Sharf

64. *Le Clown*, 1949
Aquarelle sur papier
38,1 x 50,2 cm (vue)
Collection particulière

283

Collection of the Art Gallery of Ontario
Purchase, Peter Larkin Foundation, 1962

63. *Ritual Dance*, 1949
Watercolour on paper
38.1 x 47 cm
Mr. M. Sharf

64. *The Clown*, 1949
Watercolour on paper
38.1 x 50.2 cm (sight)
Private Collection

65. *Flowers in a Window*, 1949
Watercolour on paper
86.8 x 47 cm
Anonymous Loan

66. *Petit Landscape*, 1950
Watercolour on paper
24.1 x 24.8 cm
Mr. & Mrs. John Stohn

67. *Flower Worshippers*, 1950*
Watercolour and ink on paper
39.4 x 47 cm
Anonymous Loan

68. *Eastern Pomp (Eastern Dancers)*, c.1951*
Watercolour on paper
37 x 49.9 cm
Betty Mustard

69. *Eastern Potentate*, c.1951
Watercolour on paper
24.1 x 24.1 cm
Dr. & Mrs. Paul P. Biringer

70. *The Dancers (Medieval Warrior)*, 1951
Watercolour on paper
48.9 x 36.2 cm
Professor and Mrs. B. D. Bixley

71. *Revolving Shapes*, 1950
Watercolour and wax resist on paper
24.8 x 25.1 cm
Colin and Sylvia Graham

72. *Forms Evolved*, 1951
Watercolour with wax resist on paper
28.1 x 27.2 cm
Art Gallery of Greater Victoria

Anonymous Gift

73. *Life's Ever Changing Mosaic*, 1951
Watercolour on paper
36.8 x 48.9 cm
Private Collection

74. *Sand Dunes, Cape Cod*, c.1950
Oil on canvas board
30.5 x 38.1 cm
Private Collection

75. *Studio Interior*, c.1951
Oil on canvas
81.9 x 101.6 cm
Mr. M. Sharf

76. *Emerging Life*, 1952
Watercolour on paper
35.6 x 45.7 cm
Collection of Mr. & Mrs. David Blackwood

77. *Angel Fish*, 1952
Watercolour on paper
35.6 x 44.5 cm
Private Collection

78. *Bearer of Gifts*, 1952

Oil on canvas
79.1 x 94.6 cm
In Memory of G. Zimmermann
Swiss Herbal Remedies Ltd.

79. *Vancouver Island Lakeside, B.C.*, 1952
Oil on canvas board
29.2 x 39.4 cm
Mrs. A. M. Agnew

80. *Saanich Landscape*, 1952
Oil on canvas board
30.5 x 38.1 cm
Mrs. A. M. Agnew

81. *The White Bird*, 1952
Watercolour on paper
37.3 x 48 cm
Collection of the Art Gallery of Ontario
Gift from the John Paris Bickell Bequest Fund, 1953

82. *Mosaic*, 1952*
Watercolour on paper
37.5 x 45.7 cm
Dr. & Mrs. Howard Mandell

83. *Fabric of Dreams*, 1952
Watercolour on paper
37 x 46.7 cm
Collection of the Art Gallery of Ontario
Purchase, Peter Larkin Foundation, 1962

84. *Scent of a Summer Garden*, 1952
Watercolour and coloured inks on paper
35.6 x 45.7 cm
Agnes Etherington Art Centre, Kingston

85. *Reflections in a Pool*, 1953
Watercolour on paper
33 x 45.1 cm
The McMichael Canadian Collection, Kleinburg, Ontario

86. *Black Evolving Forms*, 1953
Oil on canvas board
40.6 x 50.8 cm
John E. Hill, Toronto

---

65. *Fleurs à une fenêtre*, 1949
Aquarelle sur papier
86,8 x 47 cm
Prêt anonyme

66. *Petit Landscape*, 1950
Aquarelle sur papier
24,1 x 24,8 cm
M. et Mme John Stohn

67. *Adorateurs de fleurs*, 1950
Aquarelle et encre sur papier
39,4 x 47 cm
Prêt anonyme

68. *Faste oriental*, vers 1951
Aquarelle sur papier
37 x 49,9 cm
Betty Mustard

69. *Potentat oriental (Danseur oriental)*, vers 1951
Aquarelle sur papier
24,1 x 24,1 cm
Le docteur et Mme Paul P. Biringer

70. *Les Danseurs (Guerrier médiéval)*, 1951
Aquarelle sur papier
48,9 x 36,2 cm
Le professeur et Mme B. D. Bixley

71. *Formes en rotation*, 1950 *
Aquarelle et fixatif à la cire sur papier
24,8 x 25,1 cm
Colin et Sylvia Graham

72. *Transformation*, 1951 *
Aquarelle et fixatif à la cire sur papier
28,1 x 27,2 cm
Art Gallery of Greater Victoria
Don anonyme

73. *La Mosaïque toujours changeante de la vie*, 1951
Aquarelle sur papier
36,8 x 48,9 cm
Collection particulière

74. *Dunes, Cape Cod*, vers 1950
Huile sur carton entoilé
30,5 x 38,1 cm
Collection particulière

75. *Intérieur de studio*, vers 1951
Huile sur toile
81,9 x 101,6 cm
M. M. Sharf

76. *Vie naissante*, 1952
Aquarelle sur papier
35,6 x 45,7 cm
Collection de M. et Mme David Blackwood

77. *Ange de mer*, 1952
Aquarelle sur papier
35,6 x 44,5 cm
Collection particulière

78. *Porteur de présents*, 1952
Huile sur toile
79,1 x 94,6 cm
À la mémoire de G. Zimmermann
Swiss Herbal Remedies Ltd.

79. *Bord de lac, île de Vancouver (C.-B.)*, 1952
Huile sur carton entoilé
29,2 x 39,4 cm
Mme A. M. Agnew

80. *Paysage de Saanich*, 1952
Huile sur carton entoilé
30,5 x 38,1 cm
Mme A. M. Agnew

81. *L'Oiseau blanc*, 1952
Aquarelle sur papier
37,3 x 48 cm

Collection du Musée des beaux-arts de l'Ontario
Don du John Paris Bickell Bequest Fund, 1953

82. *Mosaïque*, 1952 *
Aquarelle sur papier
37,5 x 45,7 cm
Le docteur et Mme Howard Mandell

83. *Tissus de rêves*, 1952
Aquarelle sur papier
37 x 46,7 cm
Collection du Musée des beaux-arts de l'Ontario
Achat par la fondation Peter Larkin, 1962

84. *Parfum d'un jardin d'été*, 1952
Aquarelle et encres de couleur sur papier
35,6 x 45,7 cm
Agnes Etherington Art Centre, Kingston

85. *Réflections dans l'eau*, 1953
Aquarelle sur papier
33 x 45,1 cm
The McMichael Canadian Collection, Kleinburg, Ontario

86. *Formes noires en évolution*, 1953
Huile sur carton entoilé
40,6 x 50,8 cm
John E. Hill, Toronto

87. *Écorce blanche*, 1954
Huile sur masonite
102,2 x 81,3 cm
Collection particulière

88. *Silhouettes au crépuscule*, 1954 *
Huile sur toile
80 x 100,3 cm
Le docteur et Mme A. H. Squires

89. *Le Vieux moulin, Vence, France*, 1955
Huile sur carton entoilé
30,5 x 40,6 cm
Le professeur et Mme H. U. Ross

90. *Ste-Jeannette, Côte d'Azur, France*, 1955 *
Huile sur carton entoilé
29,9 x 40,6 cm
Le professeur et Mme H. U. Ross

87. *White Bark*, 1954
Oil on Masonite
102.2 x 81.3 cm
Private Collection

88. *Twilight Forms*, 1954*
Oil on canvas
80 x 100.3 cm
Dr. & Mrs. A. H. Squires

89. *The Old Mill, Vence, France,* 1955
Oil on canvas board
30.5 x 40.6 cm
Professor & Mrs. H. U. Ross

90. *St. Jeanette, Riviera, France,* 1955
Oil on canvas board
29.9 x 40.6 cm
Professor & Mrs. H. U. Ross

91. *Vence*, 1955*
Oil on canvas board
30.5 x 40.6 cm
Mrs. Martin Baldwin

92. *Ancient Plans Prevail*, 1955
Watercolour on paper
30.5 x 40.6 cm

Anonymous Loan

93. *Anemones*, 1954
Watercolour on paper
25.4 x 35.6 cm
Collection of Isabel Victoria McIntosh

94. *Jardin (Riviera Garden),* 1955
Oil on canvas
80 x 101.6 cm
Private Collection

95. *Carnival (Nice)*, 1955
Colour inks on board
27 x 34.9 cm
Private Collection

96. *Riviera Carnival*, 1955
Oil on canvas
81.3 x 100 cm
Impérial Oil Limited

97. *From a Riviera Window,* 1955
Watercolour on paper
42.7 x 32.5 cm
Collection of the Art Gallery of Ontario

Purchase, Peter Larkin Foundation, 1962

98. *From Dust They Rise,* 1956
Pyroxylin and sand on Masonite
121.6 x 106.8 cm
Collection of Dr. & Mrs. Keith Macleod
Windsor, Ontario

99. *Obelisk*, 1956
Pyroxylin and sand on canvas
101.6 x 61.6 cm
Dr. & Mrs. Barry Woods

100. *Forbidden Valley*, 1957*
Oil and Lucite 44 on Masonite
106.7 x 121.9 cm
Mrs. Hugh Mackenzie

101. *Desert Rim*, 1957
Oil and Lucite 44 on Masonite
134.6 x 120.7 cm
London Regional Art Gallery Collection

102. *Garden of the Sea*, 1957
Oil and Lucite 44 on canvas board
50.5 x 66 cm
Lian Stephen Thom

103. *Light of Noon*, 1957
Oil and Lucite 44 on canvas board
30.5 x 40.6 cm
Collection of Mr. & Mrs. J. Lebow

104. *Rags of Daylight*, 1957
Oil and Lucite 44 on Masonite
121.9 x 121.9 cm
Mr. & Mrs. Alvin B. Rosenberg, Q.C.

105. *Phantom Land*, 1957
Oil and Lucite 44 on Masonite
101 x 81.5 cm
Mr. & Mrs. Arthur Wait

106. *Real as in a Dream*, 1957
Oil and Lucite 44 on Masonite

121.9 x 61 cm
Imperial Oil Limited

107. *The Scarecrow*, 1957
Watercolour on paper
50.8 x 36.7 cm
Mr. & Mrs. M. E. Reger

108. *Flood Tide*, 1957
Oil and Lucite 44 on Masonite
76.2 x 121.9 cm
The Robert McLaughlin Gallery, Oshawa
Purchase, 1970

109. *Airy Journey*, 1957
Oil and Lucite 44 on Masonite
106.7 x 121.9 cm
Hart House Permanent Collection
University of Toronto

110. *Iridescent Monarch*, 1957
Oil and Lucite 44 on Masonite
106.7 x 121.9 cm
Art Gallery of Hamilton
Gift of The Canada Council,

---

91. *Vence*, 1955
Huile sur carton entoilé
30,5 x 40,6 cm
Mme Martin Baldwin

92. *Prépondérance des anciens projets*, 1955
Aquarelle sur papier
30,5 x 40,6 cm
Prêt anonyme

93. *Anémones*, 1954
Aquarelle sur papier
25,4 x 35,6 cm
Collection d'Isabel Victoria McIntosh

94. *Jardin (Côte d'Azur)*, 1955
Huile sur toile
80 x 101,6 cm
Collection particulière

95. *Carnaval (Nice)*, 1955
Encres de couleur sur bois
27 x 34,9 cm
Collection particulière

96. *Carnaval sur la Côte d'Azur*, 1955
Huile sur toile
81,3 x 100 cm
Compagnie Pétrolière Impériale Ltée

97. *Vue d'une fenêtre sur la Côte d'Azur*, 1955
Aquarelle sur papier
42,7 x 32,5 cm
Collection du Musée des beaux-arts de l'Ontario
Achat de la fondation Peter Larkin, 1962

98. *Surgis de la poussière*, 1956
Pyroxyline et sable sur masonite
121,6 x 106,8 cm
Collection du docteur et de Mme Keith Macleod, Windsor (Ontario)

99. *Obélisque*, 1956
Pyroxyline et sable sur toile
101,6 x 61,6 cm
Le docteur et Mme Barry Woods

100. *Vallée interdite*, 1957
Huile et lucite 44 sur masonite
106,7 x 121,9 cm
Mme Hugh Mackenzie

101. *Horizon désertique*, 1957
Huile et lucite 44 sur masonite

134,6 x 120,7 cm
Collection de la London Regional Art Gallery

102. *Jardin de la mer*, 1957
Huile et lucite 44 sur carton entoilé
50,5 x 66 cm
Lian Stephen Thom

103. *Lumière de midi*, 1957
Huile et lucite 44 sur carton entoilé
30,5 x 40,6 cm
Collection de M. et Mme J. Lebow

104. *Pans de clarté*, 1957 *
Huile et lucite 44 sur masonite
121,9 x 121,9 cm
M. et Mme Alvin B. Rosenberg

105. *Terre fantôme*, 1957
Huile et lucite 44 sur masonite
101 x 81,5 cm
M. et Mme Arthur Wait

106. *Vrai comme dans un rêve*, 1957
Huile et lucite 44 sur

masonite
121,9 x 61 cm
Compagnie Pétrolière Impériale Ltée

107. *L'Épouvantail*, 1957
Aquarelle sur papier
50,8 x 36,7 cm
M. et Mme M. E. Reger

108. *Marée montante*, 1957
Huile et lucite 44 sur masonite
76,2 x 121,9 cm
Robert McLaughlin Gallery, Oshawa
Achat, 1970

109. *Voyage éthéré*, 1957
Huile et lucite 44 sur masonite
106,7 x 121,9 cm
Collection permanente de Hart House
University of Toronto

110. *Monarque irisé*, 1957
Huile et lucite 44 sur masonite
106,7 x 121,9 cm
Art Gallery of Hamilton
Don du Conseil des Arts du Canada, 1960

111. *Le Papillon*, 1957
Huile et lucite 44 sur carton entoilé
50,8 x 61 cm
Prêt anonyme

112. *Sommeil profond*, 1957
Huile et lucite sur masonite
121,9 x 135,3 cm
Collection du Musée des beaux-arts de l'Ontario
Don de la fondation McLean, 1958

113. *Les Fruits subtils de la terre*, 1957
Huile sur carton entoilé
59,7 x 75,6 cm
Mme John David Eaton

114. *Sombre crépuscule*, 1957
Huile et lucite 44 sur bois
121,9 x 137,2 cm
McIntosh Art Gallery, University of Western Ontario
Don de la succession de C. S. Band par l'entremise de Mme C. S. Band, Toronto, 1971

285

111. *The Butterfly*, 1957*
Oil and Lucite 44 on canvas board
50.8 x 61 cm
Anonymous Loan

112. *Slumber Deep*, 1957
Oil and Lucite 44 on Masonite
121.9 x 135.3 cm
Collection of the Art Gallery of Ontario
Gift from the McLean Foundation, 1958

113. *Earth's Subtle Yield*, 1957
Oil on canvas board
59.7 x 75.6 cm
Mrs. John David Eaton

114. *Sombre Dusk*, 1957
Oil and Lucite 44 on panel
121.9 x 137.2 cm
McIntosh Art Gallery, University of Western Ontario Gift from the Estate of C. S. Band through Mrs. C. S. Band, Toronto, 1971

115. *Taurus*, 1957
Oil and Lucite 44 on canvas panel
106.7 x 121.9 cm
Rodman Hall Arts Centre Bequest from the C.S. Band Estate, 1970

116. *Transitory Clay*, 1958
Oil and Lucite 44 on canvas
105.4 x 120.7 cm
C-I-L Art Collection

117. *Clarion Call*, 1958
Oil and Lucite 44 on Masonite
106.7 x 121.9 cm
Agnes Etherington Art Centre, Kingston

118. *Crimson Cavern*, 1958
Oil and Lucite 44 on Masonite
91.4 x 68.6 cm
Dr. & Mrs. Edward Pomer

119. *Lament*, 1958
Oil and Lucite 44 on canvas
137.2 x 121.9 cm
The Royal Bank of Canada

120. *Darkening Tempest*, 1958
Oil and Lucite 44 on Masonite
93.4 x 123.8 cm
The Robert McLaughlin Gallery, Oshawa
Purchase, 1971

121. *Rust of Antiquity*, 1958
Oil and Lucite 44 on Masonite
106.7 x 219.7 cm
The Robert McLaughlin Gallery, Oshawa
Gift of Alexandra Luke, 1967

122. *Coral Fantasy*, 1958
Oil and Lucite 44 on Masonite
106.3 x 122 cm
Private Collection

123. *Leaded Light*, 1958
Oil on canvas panel
61 x 51 cm
Lent by the Art Gallery of Windsor
Bequest of Mr. Pearce L. S. Lettner, 1977

124. *The Red Cloud*, 1958
Oil and Lucite 44 on canvas board
40.6 x 50.8 cm
Clayton C. Ruby, Barrister

125. *Rim of the Sky*, 1958
Oil and Lucite 44 on canvas panel
40.5 x 50.7 cm
Anonymous Loan

126. *White Silence*, 1958
Oil and Lucite 44 on Masonite
68.6 x 91 cm
Dr. & Mrs. Barry Woods

127. *Contemplation*, 1958
Oil and Lucite 44 on Masonite
67.3 x 120.7 cm
Art Gallery of Greater Victoria
Gift of Friends of the Gallery

128. *Legend of the Orient*, 1958
Oil and Lucite 44 on Masonite
137.2 x 121.9 cm

Private Collection

129. *Halls of Morning*, 1958*
Oil and Lucite 44 on canvas
81 x 100 cm
Private Collection

130. *Drifting Forms*, 1959
Oil and Lucite 44 on canvas board
42.6 x 51.4 cm
The Robert McLaughlin Gallery, Oshawa
Purchase, 1977

131. *Dawning Morrow*, 1959
Oil and Lucite 44 on canvas board
40.6 x 50.8 cm
Collection of the Art Gallery of Ontario
Purchase, 1966

132. *Fleeting Breath*, 1959
Oil and Lucite 44 on canvas
122.3 x 149.2 cm
Collection of the Art Gallery of Ontario
Canada Council Joint Purchase Award, 1959

---

115. *Taureau*, 1957
Huile et lucite 44 sur carton entoilé
106,7 x 121,9 cm
Rodman Hall Arts Centre Legs de la succession C. S. Band, 1970

116. *Argile transitoire*, 1958
Huile et lucite 44 sur toile
105,4 x 120.7 cm
Collection d'oeuvres d'art CIL

117. *Appel de clairon*, 1958
Huile et lucite 44 sur masonite
106,7 x 121,9 cm
Agnes Etherington Arts Centre, Kingston

118. *Caverne cramoisie*, 1958
Huile et lucite 44 sur masonite
91,4 x 68,6 cm
Le docteur et Mme Edward Pomer

119. *Lamentation*, 1958
Huile et lucite 44 sur toile
137,2 x 121,9 cm
La Banque royale du Canada

120. *La Tempête menaçante*, 1958
Huile et lucite 44 sur masonite
93,4 x 123,8 cm
Robert McLaughlin Gallery, Oshawa
Achat, 1971

121. *Rouille immémoriale*, 1958
Huile et lucite 44 sur masonite
106,7 x 219,7 cm
Robert McLaughlin Gallery, Oshawa,
Don d'Alexandra Luke, 1967

122. *Fantaisie de corail*, 1958
Huile et lucite 44 sur masonite
106,3 x 122 cm
Collection particulière

123. *Lumière plombée*, 1958
Huile sur carton entoilé
61 x 51 cm
Prêt de l'Art Gallery of Windsor
Legs de M. Pearce L. S. Lettner, 1977

124. *Le Nuage rouge*, 1958
Huile et lucite 44 sur carton entoilé
40,6 x 50,8 cm
Clayton C. Ruby, avocat

125. *Horizon céleste*, 1958
Huile et lucite 44 sur carton entoilé
40,5 x 50,7 cm
Prêt anonyme

126. *Silence blanc*, 1958
Huile et lucite 44 sur masonite
68,6 x 91 cm
Le docteur et Mme Barry Woods

127. *Contemplation*, 1958
Huile et lucite 44 sur masonite
67,3 x 120,7 cm
Art Gallery of Greater Victoria
Don des Amis de la galerie

128. *Légende de l'Orient*, 1958
Huile et lucite 44 sur masonite
137,2 x 121,9 cm
Collection particulière

129. *Antichambres du matin*, 1958
Huile et lucite 44 sur toile
81 x 100 cm
Collection particulière

130. *Formes à la dérive*, 1959
Huile et lucite 44 sur carton entoilé
42,6 x 51,4 cm
Robert McLaughlin Gallery, Oshawa
Achat, 1977

131. *L'Aurore*, 1959
Huile et lucite 44 sur carton entoilé
40,6 x 50,8 cm
Collection du Musée des beaux-arts de l'Ontario
Achat, 1966

132. *Souffle fugitif*, 1959
Huile et lucite 44 sur toile
122,3 x 149,2 cm
Collection du Musée des beaux-arts de l'Ontario
Achat subventionné en partie par le Conseil des Arts du Canada, 1959.

133. *Moule héroïque*, 1959
Huile et lucite 44 sur toile
182,9 x 121,9 cm
Collection du Musée des beaux-arts de l'Ontario
Legs de Charles S. Band, 1970

134. *Maquinna*, 1959
Huile sur toile
151,1 x 121,9 cm
Samuel et Janet Ajzenstat

135. *Orange et énergie*, 1959
Huile et lucite 44 sur carton entoilé
40,6 x 50,8 cm
Le docteur et Mme Barry Woods

136. *Obscur destin*, 1959
Huile et lucite 44 sur carton entoilé
40,6 x 50,8 cm
Le docteur et Mme Barry Woods

137. *Le Secret des bois*, 1959 **
Aquarelle sur papier
80 x 73,3 cm
Collection du Musée des

133. *Heroic Mould*, 1959
Oil and Lucite 44 on canvas
182.9 x 121.9 cm
Collection of the Art Gallery
of Ontario
Bequest of Charles S. Band,
1970

134. *Maquinna*, 1959
Oil on canvas
151.1 x 121.9 cm
Samuel and Janet Ajzenstat

135. *Orange and Energy*, 1959
Oil and Lucite 44 on canvas
board
40.6 x 50.8 cm
Dr. & Mrs. Barry Woods

136. *Obscure Destiny*, 1959
Oil and Lucite 44 on canvas
board
40.6 x 50.8 cm
Dr. & Mrs. Barry Woods

137. *The Secret of the Woods*,
1959
Watercolour on paper
80 x 73.3 cm
Collection of the Art Gallery

138. *Young Summer*, 1959**
Oil and Lucite 44 on canvas
107.3 x 121.9 cm
Private Collection

139. *Fugitive Articulation*,
1959
Oil and Lucite 44 on canvas
107 x 121.9 cm
Collection of the Norman
Mackenzie Art Gallery

140. *Memory of Music*, 1959★
Oil and Lucite 44 on canvas
81.3 x 100.3 cm
Barbara Macdonald

141. *Through Shifting Sands*,
1959*
Oil and Lucite 44 on canvas
123.2 x 148.6 cm
Anonymous Loan

142. *Earth Awakening*, 1959
Oil and Lucite 44 on canvas
124.5 x 152.4 cm
Mrs. John David Eaton

143. *Valiant Dust*, 1959
Oil and Lucite 44 on canvas

30.5 x 40.6 cm
Jocelyn Macaulay

144. *Silken Fable*, 1959
Oil and Lucite 44 on canvas
board
40.5 x 50.2 cm
Private Collection

145. *Silvery Forms
Ascending*, 1959
Oil and Lucite 44 on canvas
board
40.2 x 50.8 cm
Private Collection

146. *Gold of the Ram*, 1960
Oil and Lucite 44 on canvas
59.7 x 72 cm
Anonymous Loan

147. *Lilt of Song*, 1960**
Oil and Lucite 44 on canvas
81.3 x 99.7 cm
Mr. & Mrs. P. Martel

148. *Nature Evolving*, 1960
Oil and Lucite 44 on canvas
111.8 x 137.2 cm
Collection of the Art Gallery
of Ontario

Purchase, Peter Larkin
Foundation, 1962

149. *Veils of Morning*, 1960*
Oil and Lucite 44 on canvas
101.6 x 101.6 cm
Mrs. Martin Baldwin

150. *Far Off Drums*, 1960
Oil and Lucite 44 on canvas
90.8 x 106.7 cm
National Gallery of Canada,
Ottawa

151. *Life is Turning*, 1960*
Oil and Lucite 44 on canvas
61.9 x 76.8 cm
Anonymous Loan

152. *Elemental Fury*, 1960
Oil and Lucite 44 on canvas
120.7 x 137.2 cm
Montreal Museum of Fine
Arts
Horsley and Annie
Townsend Bequest

153. *Spatial Image*, 1960
Oil and Lucite 44 and
graphite on jute canvas

54.6 x 98.4 cm
The Robert McLaughlin
Gallery, Oshawa
Purchase, 1971

154. *So Dream the Sleepers*,
1960
Oil and Lucite 44 on canvas
81.3 x 83.8 cm
Mr. & Mrs. R. R. K.
Dickson

155. *All Things Prevail*, 1960
Oil and Lucite 44 on canvas
105.4 x 120.7 cm
National Gallery of Canada,
Ottawa

156. *Growing Serenity*, 1960
Oil and Lucite 44 on canvas
91.4 x 106.7 cm
Collection of York
University

157. *Cavern*, 1960
Oil and Lucite 44 on
Masonite
105.8 x 121.8 cm
Thelma Van Alstyne

---

beaux-arts de l'Ontario
Don de Douglas Duncan,
1962

138. *Jeune été*, 1959 *
Huile et lucite 44 sur toile
107,3 x 121,9 cm
Collection particulière

139. *Articulation fugitive*,
1959 *
Huile et lucite 44 sur toile
107 x 121,9 cm
Collection de la Norman
Mackenzie Art Gallery

140. *Memory of Music*, 1959*
Oil and Lucite 44 on canvas
81.3 x 100.3 cm
Barbara Macdonald

141. *À travers les sables
mouvants*, 1959
Huile et lucite 44 sur toile
123,2 x 148,6 cm
Prêt anonyme

142. *Réveil de la terre*, 1959
Huile et lucite 44 sur toile
124,5 x 152,4 cm
Mme John David Eaton

143. *Vaillante poussière*, 1959
Huile et lucite 44 sur carton
entoilé
30,5 x 40,6 cm
Jocelyn Macauley

144. *Fable soyeuse*, 1959
Huile et lucite 44 sur carton
entoilé
40,5 x 50,2 cm
Collection particulière

145. *Montée de formes
argentées*, 1959
Huile et lucite 44 sur carton
entoilé
40,2 x 50,8 cm
Collection particulière

146. *L'Or du bélier*, 1960
Huile et lucite 44 sur toile
59,7 x 72 cm
Prêt anonyme

147. *Chant rythmé*, 1960
Huile et lucite 44 sur toile
81,3 x 99,7 cm
M. et Mme P. Martel

148. *Évolution dans la nature*,
1960
Huile et lucite 44 sur toile

111,8 x 137,2 cm
Collection du Musée des
beaux-arts de l'Ontario
Achat de la fondation Peter
Larkin, 1962

149. *Voiles du matin*, 1960
Huile et lucite 44 sur toile
101,6 x 101,6 cm
Mme Martin Baldwin

150. *Tambours lointains*, 1960
Huile et lucite 44 sur toile
90,8 x 106,7 cm
Galerie nationale du Canada,
Ottawa

151. *Tournant de la vie*, 1960
Huile et lucite 44 sur toile
61,9 x 76,8 cm
Prêt anonyme

152. *Furie des éléments*, 1960
Huile et lucite 44 sur toile
120,7 x 137,2 cm
Musée des beaux-arts de
Montréal
Legs de Horsley et Annie
Townsend

153. *Image spatiale*, 1960 *
Huile et lucite 44 et mine de

plomb sur jute
54,6 x 98,4 cm
Robert McLaughlin Gallery,
Oshawa
Achat, 1971

154. *Ainsi rêvent les dormeurs*,
1960
Huile et lucite 44 sur toile
81,3 x 83,8 cm
M. et Mme R. R. K. Dickson

155. *La Prédominance de toutes
choses*, 1960 *
Huile et lucite 44 sur toile
105,4 x 120,7 cm
Galerie nationale du Canada,
Ottawa

156. *Sérénité grandissante*,
1960
Huile et lucite 44 sur toile
91,4 x 106, 7 cm
Collection de York
University

157. *Caverne*, 1960
Huile et lucite 44 sur
masonite
105,8 x 121,8 cm
Thelma Van Alstyne

SELECTED BIBLIOGRAPHY

Adamson, Jeremy.
The Hart House Collection of Canadian Painting. Toronto: University of Toronto Press, 1969.

Lawren S. Harris Urban Scenes and Wilderness Landscapes, 1906-1930. Toronto, Art Gallery of Ontario, 1978.

Besant, Annie, and Leadbeater, C. W.
Thought-Forms. Adyar, Madras: Theosophical Publishing House, 1952.

Breton, A.
Manifesto of Surrealism. Translated by R. Seaver and H. Lane. Ann Arbor: University of Michigan Press, 1969.

Dalton, Annie Charlotte.
The Neighing North. Toronto: Ryerson Press, 1931.

Duval, Paul.
Four Decades. Toronto: Clarke Irwin, 1972.

Hambidge, Jay.
Dynamic Symmetry: The Greek Vase. New Haven, Connecticut: Yale University Press, 1920.

The Elements of Dynamic Symmetry. New York: Dover Publications, 1967 (unaltered republication of 1926 edition by Brentano's Inc.).

Harper, J. Russell.
Painting in Canada: A History. Toronto: University of Toronto Press, 1966.

Hill, Charles.
Canadian Painting in the Thirties. Ottawa: National Gallery of Canada, 1975.

John Vanderpant Photographs. Ottawa: National Gallery of Canada, 1976.

Hofmann, Hans.
Search for the Real and Other Essays. Cambridge, Mass.: The M.I.T. Press, 1977.

Jeans, Sir James.
The Mysterious Universe. Cambridge: Cambridge University Press, 1948.

Kandinsky, W.
Concerning the Spiritual in Art. New York: George Wittenborn Inc., 1955.

Mellen, Peter.
The Group of Seven. Toronto: McClelland and Stewart, 1970.

Murray, Joan.
Painters Eleven in Retrospect. Oshawa: The Robert McLaughlin Gallery, 1979.

Nicholson, C. M., and Francis, R. J.
"J. W. G. Macdonald: The Western Years." A research project presented to the National Gallery of Canada by the Burnaby Art Gallery, Burnaby, B.C., March 1969. Typescript.

Ouspensky, P. D.
Tertium Organum, A Key to the Enigmas of the World. 1912. Reprint. London: Routledge and Kegan Paul, 1970.

Ozenfant, A.
Foundations of Modern Art. Translated by John Rodker. New York: Dover, 1952. First published in French as *Art* (Paris, 1928). First English edition, 1931.

Read, Herbert.
Education For Peace. London: Routledge and Kegan Paul, 1950.

ed. *Surrealism.* London: Faber and Faber Ltd., 1936.

Reid, Dennis.
A Concise History of Canadian Painting. Toronto: Oxford University Press, 1973.

Reid, Dennis, and Pollock, R. Ann. *Jock Macdonald.* Ottawa: The National Gallery of Canada, 1969–70.

Tippett, Maria.
Emily Carr, A Biography. Toronto: Oxford University Press, 1979.

BIBLIOGRAPHIE SÉLECTIVE

Adamson, Jeremy.
The Hart House Collection of Canadian Painting. Toronto, University of Toronto Press, 1969.

Lawren S. Harris Urban Scenes and Wilderness Landscapes, 1906-1930. Toronto, Art Gallery of Ontario, 1978.

Besant, Annie, et Leadbeater, C.W.
Thought-Forms. Adyar, Madras, Theosophical Publishing House, 1952.

Breton, André.
Manifestes du surréalisme. Paris, Gallimard, 1963.

Dalton, Annie Charlotte.
The Neighing North. Toronto, Ryerson Press, 1931.

Duval, Paul.
Four Decades. Toronto, Clarke Irwin, 1972.

Hambidge, Jay.
Dynamic Symmetry: The Greek Vase. New Haven, Connecticut, Yale University Press, 1920.

The Elements of Dynamic Symmetry. New York, Dover Publications, 1967 (nouvelle publication intégrale de l'édition de Brentano's Inc.).

Harper, J. Russell.
La Peinture au Canada des origines à nos jours. Québec, Les Presses de l'Université Laval, 1966.

Hill, Charles.
Peinture canadienne des années 30, Ottawa, Galerie nationale du Canada, 1975.

John Vanderpant, Photographs/ Photographies, Ottawa, Galerie nationale du Canada, 1976.

Hofmann, Hans.
Search for the Real and Other Essays. Cambridge, Mass., The M.I.T. Press, 1977.

Jeans, Sir James.
The Mysterious Universe. Cambridge, Cambridge University Press, 1948.

Kandinsky, W.
Concerning the Spiritual in Art. New York, George Wittenborn Inc., 1955.

Mellen, Peter.
Le Groupe des Sept. Adaptation française par Jacques de Roussan, Ed. Marcel Broquet, La Prairie, Qué., 1980.

Murray, Joan.
Painters Eleven In Retrospect. Oshawa, The Robert McLaughlin Gallery, 1979.

Nicholson, C.M., et Francis, R.J.
J.W.G. Macdonald: The Western Years. Projet de recherche soumis à la Galerie nationale du Canada par la *Burnaby Art Gallery,* Burnaby (C.-B.), mars 1969. Manuscrit dactylographié.

Ouspensky, P.D.
Tertium Organum, A Key to the Enigmas of the World. 1912. Réimpression, Londres, Routledge and Kegan Paul, 1970.

Ozenfant, A.
Art. Paris, Jean Budry et Cie, 1929.

Read, Herbert.
Education For Peace. Londres, Routledge and Kegan Paul, 1950.

ed. *Surrealism.* Londres, Faber and Faber Ltd., 1936.

Reid, Dennis.
A Concise History of Canadian Painting. Toronto, Oxford University Press, 1973.

Reid, Dennis, et Pollock, R. Ann.
Jock Macdonald. Ottawa, Galerie nationale du Canada, 1969-70.

Tippett, Maria.
Emily Carr, A Biography. Toronto, Oxford University Press, 1979.